JN035130

総合判例研究叢書

民　　法 (13)

有 斐 閣

序

フランスにおいて、自由法学の名とともに判例の研究が異常な発達を遂げているのは、その民法典が百五十余年の齢を重ねたからだといわれている。それに比較すると、わが国の諸法典は、まだ若い。最も古いものでも、六、七十年の年月を経たに過ぎない。しかし、わが国の諸法典は、いずれも、近代的法制を全く知らなかつたところに輸入されたものである。そのことを思えば、この六十年の間に極めて重要な判例の変遷があつたであろうことは、容易に想像がつく。事実、わが国の諸法典は、それに関連する判例の研究でこれを補充しなければ、その正確な意味を理解し得ないようになつている。

判例が法源であるかどうかの理論については、今日なお議論の余地があろう。しかし、実際問題として、多くの条項が判例によつてその具体的な意義を明かにされているばかりでなく、判例によつて特殊の制度が創造されている例も、決して少くはない。判例研究の重要なことについては、何人も異議のないことであろう。

判例の創造した特殊の制度の内容を明かにするためにはもちろんのこと、判例によつて明かにされた条項の意義を探るためにも、判例の総合的な研究が必要である。同一の事項についてのすべての判決を探り、取り扱われた事実の微妙な差異に注意しながら、総合的・発展的に研究するのでなければ、判例の研究は、決して終局の目的を達することはできない。そしてそれには、時間をかけた克明な努力を必要とする。

幸なことには、わが国でも、十数年来、そうした研究の必要が感じられ、優れた成果も少くないようになつた。いまや、この成果を集め、足らざるを補ない、欠けたるを充たし、全分野にわたる研究を完成すべき時期に際会している。

かようにして、われわれは、全国の学者を動員し、すでに優れた研究のできているものについては、その補訂を乞い、まだ研究の尽されていないものについては、新たに適任者にお願いして、ここに「総合判例研究叢書」を編むことにした。第一回に発表したものは、各法域に亘る重要な問題のうち、研究成果の比較的早くでき上ると予想されるものである。これに洩れた事項でさらに重要なもののあることは、われわれもよく知つている。やがて、第二回、第三回と編集を継続して、完全な総合判例法の完成を期するつもりである。ここに、編集に当つての所信を述べ、協力される諸学者に深甚の謝意を表するとともに、同学の士の援助を願う次第である。

昭和三十一年五月

編集代表

小野清一郎　宮沢俊義
末川博　我妻栄
中川善之助

凡　例

一　判例の重要なものについては判旨、事実、上告論旨等を引用し、各件毎に一連番号を附した。

二　判例年月日、巻数、頁数等を示すには、おおむね左の略号を用いた。

大判大五・一一・八民録二二・二〇七七（大審院判決録）

（大正五年十一月八日、大審院判決、大審院民事判決録二十二輯二〇七七頁）

大判大一四・四・二三刑集四・二六二（大審院判例集）

最判昭二二・一二・一五刑集一・一・八〇（最高裁判所判例集）

（昭和二十二年十二月十五日、最高裁判所判決、最高裁判所刑事判例集一巻一号八〇頁）

大判昭二・一二・六新聞二七九一・一五（法律新聞）

大判昭三・九・二〇評論一八民法五七五（法律評論）

大判昭四・五・二二裁判例三・刑法五五（大審院裁判例）

福岡高判昭二六・一二・一四刑集四・一四・二一一四（高等裁判所判例集）

大阪高判昭二八・七・四下級民集四・七・九七一（下級裁判所民事裁判例集）

最判昭二八・二・二〇行政例集四・二・二三一（行政事件裁判例集）

名古屋高判昭二五・五・八特一〇・七〇（高等裁判所刑事判決特報）

東京高判昭三〇・一〇・二四東京高時報六・二・民二四九（東京高等裁判所判決時報）

札幌高決昭二九・七・二三高裁特報一・二・七一（高等裁判所刑事裁判特報）

前橋地決昭三〇・六・三〇労民集六・四・三八九（労働関係民事裁判例集）

その他に、例えば次のような略語を用いた。

裁判所時報＝裁　時　　家庭裁判所月報＝家裁月報
判例時報＝判　時　　判例タイムズ＝判　タ

目 次

はしがき

判例を系統づけて不当利得に関する生きた法原理を見出したいという大きな念願をもつて始めた仕事ではあつたが、自己の菲才と時間の制約とに阻まれて、深く問題点を掘り下げることができず、結局は判例の平凡な羅列に終つてしまつたのではないかと畏れている。学説の紹介は、拙著「不当利得論」および「事務管理・不当利得」(法律学全集)に譲つた。なお、不法原因給付については、谷口教授の名著「不法原因給付の研究」に負うところが多い。厚く感謝の意を表する。

文献略語

有泉……有泉亨「不法原因給付について」法協五三巻二・三・四号
石田……石田文次郎・債権各論　昭和二七年　早稲田大学出版部
岡村……岡村玄治・債権法各論　昭和四年　巌松堂
末弘……末弘厳太郎・債権各論　大正八年　有斐閣
谷口……谷口知平・不当利得の研究　昭和二四年　有斐閣
谷口・不法原因……谷口知平・増補不法原因給付の研究　昭和二八年　有斐閣
鳩山……鳩山秀夫・増訂日本債権法各論下巻　昭和二年　岩波書店

松坂……松坂佐一・不当利得論　昭和二八年　有斐閣
松坂・事務管理・不当利得……松坂佐一・事務管理・不当利得（法律学全集）　昭和三二年　有斐閣
我妻……我妻栄・事務管理・不当利得・不法行為（新法学全集）　昭和一四年　日本評論社

不当利得における因果関係

松坂佐一

一　総説

不当利得は、不当な財産的価値の移動を調節しようとする制度であるから、一方の損失と他方の受益との間に因果関係が存することを要する。いかなる因果関係があればよいかについて、判例はかつて、この因果関係は苟くも「取引上ノ観念ニ従ヒ確認シ得ラル」れば足るとした。

【1】 XはMの占有している白米について所有権を主張して仮処分をなし、執達吏がこれを換価して売得金を供託した。しかし、その後仮処分が取消された結果、Mが供託金を受領し、白米に対し質権をもっていたYに弁済として交付した。そこで、Xは白米の所有権が自己にあるから、Yは自己の財産によって不当の利得をなしたものであるとして、その返還を求める。原審は、供託金の所有権は金庫に属し、したがって、Mの受領した金額はMの所有に帰するから、これを受領したYはXに対し利得返還義務がないとした。Xから上告。破毀差戻。

「民法第七〇三条ハ『法律上ノ原因ナクシテ他人ノ財産又ハ労務ニ因リ利益ヲ受ケ之カ為メニ他人ニ損失ヲ及ホシタル者ハ其利益ノ存スル限度ニ於テ之ヲ返還スル義務ヲ負フ』ト規定シ、所謂不当利得ト称スル法律関係ノ観念ヲ明カニシタリ。故ニ甲者ガ法律上正当ニ享有シ又ハ享有スベキ財産上ノ利益ヲ喪失シ、乙者之ニ因リテ財産上ノ利益ヲ享有シ又ハ之ヲ享有スベキ法律上ノ地位ヲ獲得シタル場合ニ、甲乙両者間ニ於ケル財産上利得ノ得喪ガ正当ナル法律上ノ原因ヲ欠クニ於テハ、其間ニ於テ民法第七〇三条ノ意義ニ於ケル不当利得ノ成立ヲ見ルニ至ルベク、利益ヲ享受シタル乙者ハ之ヲ喪失シタル甲者ニ対シ、同条及ビ第七〇四条ノ規定ニ従ヒ返還義務ヲ負担スベキモノトス。而シテ他人ノ損失ニ因リテ利得ヲ為スコトハ種々ナル事情ノ下ニ於テ発生シ又種々ナル観察点ヨリ之ヲ判断シ得ベシト雖モ、民法第七〇三条以下ノ規定ニ従ヒ返還義務ノ原因タルベキ不当利得アリトスルニハ、一方ノ利益喪失ト他方ノ利益享受トノ間ニ於テ因果関係ノ存在ヲ必要トスルト同時ニ、苟クモ此関係ガ取引上ノ観念ニ従ヒ確認シ得ラルル限リハ両者間ニ於テ不当利得アリトシテ其効果ヲ定ムルコトヲ要スルハ、上記第七〇三条ニ『他人ノ財産労務ニ因リテ云々』『之カ為メニ他人ニ損失ヲ及ホシタル者云々』ト規定スルニ依リテ明カナリ。今本件係争ノ白米換価金ヲ訴外M代理人M′ヨリ受領シタル被上告人Yハ上告人Xノ損失ニ於テ利得ヲ為シタルモノナルベキヤ否ヤヲ按ズルニ、係争ノ白米ハXニ於テ所有権ヲ主張シMノ手裡ニ於テ仮処分ヲ為シタル末、其仮処分中A執達吏ニ於テ換価シ、其換価金ハ同執達吏ヨリ金庫ニ供託シタルモノナルコト、並ニ該仮処分ハ其後取消サレタル結果Mノ代理人M′ニ於テ供託金ヲ金庫ヨリ受取リ之ヲ係争白米ノ質取主タルYニ払渡シYハ質権者トシテ之ガ弁済ヲ受ケタルモノナルコトハ、当事者間ニ争ヒナキ事実ナリトス。右当事者主張ノ事実ヲ基礎トシテ判断ヲ下ストキハ、本件ノ供託金ハ係争白米ノ換価ニ因リ生ジタルモノニシテ白米ヲ代表スルモノナレバ、白米ノ所有者ニ於テ之ヲ領収スルノ権利ヲ有スベキハ勿論ナルヲ以テ、若シX主張ノ如ク白米ノ所有権Xニ在リトスルトキハ、実体上ニ於テ其供託金ヲ受領スル権利ヲ有スル者ハXニシテ、Mハ勿論白米ノ質取主タルYモ亦質権ノ目的物トシテ之ガ払渡ヲ受クルノ権利ヲ有セザルヤ疑ヲ容レズ。而シテ白米ノ換価金ハ金庫ニ供託セラルルト同時ニ特定物タルノ性質ヲ失却シ、不特定ナル金額ヲ領収スベキ一ノ債権トシテ存在ヲ有スルニ過ギズ。従テM代理人M′ガ金庫ヨリ領収シタル金額ハ其払渡ト共ニMノ所有ニ帰シ、之ヲ領収シタルYハ其金円ノ所有者タルMヨリ弁済ヲ受ケタルモノニシテ、係争白米ノ所有権Xニ在リトスルモ尚ホXノ財産ニ因リテ利得ヲ為シタルモノト謂フコト能ハザルニ似タリ。原院判決ノ趣旨モ亦此外ニ出デズ。然リト雖モ金庫ニ供託シタル白米ノ換価金ハ供託ニ因リテ特定物タル性質ヲ失却シタルニモセヨ白米ノ代表物タル意義ニ於テハ尚ホ特定シ、代表物タル供託金ハ白米ノ所有者ニ払渡タサルベキ筋合アルコト前段説明ノ如ク、Yノ領収シタル金額ハ金庫ヨリ払渡サレタル白米ノ換価金ニシテ係争白米ハXノ所有ナリトノX主張ノ事実ガ証明セラレタル場合ニハXノ所有ニ帰スベキモノナル以上ハ、其換価金ヲ領収シタルYハXノ損失ニ於テ利得ヲ為シタルノ結果ヲ生ズベク、仮令其金員ハ一旦Mノ所有ニ帰シタル上質権者タルYニ払渡サレタルモノニセヨ、Yノ手裡ニ帰シタル金員ガ事件ノ関係上Xノ所得ニ帰スベキ白米ノ代表物タルコトガ明認セラルルニ於テハ、Yニ不当利得ナシト謂フコトヲ得ザルモノトス。果シテ然ラバ本件ニ付キ原院ガX請求ノ当否ヲ判断スルニ当リテハ、先ヅ以テXガ果シテ係争白米ノ所有者ナリシヤ否ヤ其白米ヲ質ニ取リタルYハXニ対シ質権ヲ主張シ得ベキヤ否ヤヲ決シ以テ事件ノ曲直ヲ断定セザルベカラザル筋合ナルニ、事茲ニ出デズシテ単ニ金庫ヨリ払渡サレタル金員ハMノ所有ニシテ之ヲ領収シタルYハ何レノ場合ニ於テモXニ対シテ利得返還ノ責ナシト説示シ、輙スクXノ請求ヲ却下シタルハ理由ヲ備ヘザル失当ノ判決ニシテ、上告論旨ハ結局理由アリ。原判決ハ破毀ヲ免カレザルモノトス」（大判明四四・五・二四民録一七・三三〇民抄録四一・九三九〇、谷口・二一四頁、松坂・二五七頁）。

しかし、この判決理由の中には、たといMが金庫から領収した金員は、その払渡と共にMの所有に帰したにしても、金庫に供託した白米の換価金は白米の代表物たる意味ではなお特定物であつて、Xの所有に帰すべきものであるから、Yの利得とXの損失との間に因果関係があるとし、直接的財産移転（unmittelbare Vermögensverschiebung）を要するという考え方の匂があるように感ぜられる（谷口・一六五頁以下、松坂・二〇三頁以下参照）。そのせいか、大正八・一〇・二〇の大審院判決（民録二五・一八九〇【4】）は、直接の因果関係があることを要するとしながら本判決を引用し、「是当院判例ノ趣旨ニ於テ是認スル所ナリ」といつている。本判決の趣旨に従つて原院は、YがMから債権の弁済として受領した金員はXの所有に属する白米の換価金だから、Yは他人の物をもつて弁済をうけたいわゆる法律上の原因なくして不当に利得したものであると判示したのに対し、Yから上告したが、大審院は、Yが即時取得の要件を具備するときは不当利得返還義務がないとして、再び破毀差戻した。

【2】「質権ノ目的物ガ換価セラレタルトキハ質権者ハ本来ノ目的物ニ代ヘ其代金ニ対シテ質権ヲ行フコトヲ得ルコト、然レドモ質権者ガ其権利ヲ保存スルガ為メニハ第三債務者ノ手裡ニ於テ其代金ヲ差押フルコトヲ

要シ、質権者ガ差押ヲ為スノ前ニ於テ第三債務者ガ其代金ヲ債務者（又ハ質権設定者）ニ支払ヒタルトキハ質権者ノ権利ハ消滅ニ帰スベキモノナルコトハ、民法第三〇四条同三五〇条ノ規定ニ徴シテ明カナリ。故ニ債務者ガ其代金ヲ第三債務者ヨリ領収シ其儘之ヲ質権者ニ交付シテ債務ノ弁済ニ充テタル場合ト雖モ、其代金ヲ領収シタル質権者ハ質権ノ実行ニ因リテ弁済ヲ受ケタルニハアラズシテ、唯ダ債権者トシテ債務者ノ提供シタル金銭ヲ受領シ其債権ノ弁済ヲ受ケタルニ過ギズ。而シテ原院ノ確定シタル事実ニ依レバ本件質権ノ目的タリシ白米ハ仮処分ノ結果換価セラレ、其売得金ハ一旦供託セラレタルモ債務者Ｍノ代理人ニ於テ之ヲ受取リＹノ債権ノ弁済ニ充テタルモノニシテ、Ｙハ売得金ノ供託中之ガ差押ヲ為サザリシモノナリトス。左スレバＹノ質権ハＭノ代理人ガ売得金ヲ領収スルト同時ニ消滅ニ帰シタルモノニシテ、Ｙガ其売得金ヲＭノ代理人ヨリ受取リタルハ其質権ノ実行ヲ為シタルニアラズシテ、単ニ債権者トシテ弁済ヲ受ケタルモノナルハ前段説明スル所ニ依リ明ナルヲ以テ、此点ニ関スル原院ノ説明ハ相当ニシテ上告論旨ハ其理由ナシ。然レドモＹハ仮令質権ノ実行ニ因リテ本件ノ金銭ヲ受取リタルモノニアラズトスルモ、Ｍニ対スル債権ノ弁済トシテ其交付ヲ受ケ之ヲ占有シタルモノナルコトハ原院ノ事実トシテ確定シタル所ナレバ、其金銭ニ付キテハ民法第一九二条ノ規定ヲ適用スルコトヲ要シ、Ｙガ弁済受領ノ当時平穏公然善意無過失ニテ之ヲ占有シタルモノトセバ、Ｙハ其金銭ノ所有権ヲ取得スルコトヲ得ズンバアラズ。此場合ニ於テハ之ヲＹニ交付シタル債務者Ｍニ於テ其金銭ハ自己ノ所有ニアラズ、又ハ自己ノ所有ニ帰スベカラザルモノナリシトノ理由ヲ以テＹニ対シテ之ガ返還ヲ請求スルコトヲ得ザルノミナラズ、実体上其金銭ノ回復ヲ請求スルノ権利ヲ有スルＸモ亦タ其請求権ヲ行使シテ之ガ回復ヲ求メ又ハ不当利得ヲ原因トシテ之ガ返還ヲ求ムルニ由ナキモノトス。蓋シ弁済トシテ他人ノ物又ハ他人ノ有ニ帰スベキ物ヲ債権者ニ交付シタル場合ニ於テ債権者ガ民法第一九二条ニ規定スル占有ヲ為シタルトキハ、債権者ハ其物ニ対シテ確定不可動ノ権利ヲ取得スルト同時ニ其弁済モ亦有効トナルノ結果ヲ生ズルモノニシテ、此場合ニ於テ弁済ガ其効力ヲ生ズルハ債権者ガ真正ノ権利者ヨリ回復ノ請求又ハ利得返還ノ請求ヲ受クルノ虞ナクシテ完全ニ弁済ノ利益ヲ享受スルコトヲ得ルガ為メニ外ナラズ。従テ債権者ガ弁済ノ目的物上ニ権利ヲ取得スルコトヲ得ザル場合ニ適用セラルベキ民法第四七七条ノ規定ヲ以テ之ヲ律スルコトヲ得ザルモノトス。果シテ然ラバ原院ハ本件Yガ弁済トシテ受領シタル金銭ニ付キ民法第一九二条ニ定ムル条件ノ具備スルヤ否ヤヲ審理シ以テ本訴ノ曲直ヲ断ゼザルベカラザルニ、弁済ノ目的物ノYノ所有ニ帰シタルト否トニ拘ハラズYニ不当利得アリトシテYニ敗訴ヲ言渡シタルハ理由ノ不備ナル違法ノ裁判」である（大判大元・一〇・二民録一八・七七二民抄録四五・一〇三四二、谷口・二一五頁）。

その後、判例が直接の因果関係を要求するに至つたことは、以下に述べる如くであるが、次の判例は、家屋の譲受人が地主に対して買取請求権を行使し、その代金について同時履行の抗弁権によつて家屋の引渡を拒絶し、これを他に賃貸して家賃をとつていた場合には、その利得と地主の損失との間には直接の因果関係がないが、なお不当利得の成立に必要な因果関係があるとしている。この場合に大審院は、家屋の賃料には土地使用に対する対価を包含するから、その部分について現実の利得があるとして返還をなすべきものと考えているようである。したがつて、利得と損失との間に直接の因果関係がないことになるが、他人の土地を一定期間占有する場合には、常に地代相当額の利得があるとみてよいから（我妻・判民昭和一一年度六八事件二五九頁参照）、本件においてとくに因果関係の間接性を問題にする必要はない。

【3】 XはAがYから賃借したY所有の土地の上に建築所有していた家屋を買受け、Yに対して賃借権承継の承諾を求めたが拒絶されたので、借家法一〇条により建物買取請求権を行使した。しかし、Yがその買取代金を支払わないので、Xは同時履行の抗弁によつて家屋の引渡を拒絶し、当該家屋を他人に賃貸して家賃を取つていた。XからYに対し買取代金の支払を訴求したところ、YはXがその敷地を利用することによつて地代相当額の不当利得をなしたとして、その利得返還請求権と買取代金とを相殺すると主張した。原審はXに不当利得があるとしたのでXから上告。同時履行の抗弁権によつて家屋の引渡を拒絶し得る反射的効力として敷地の引渡をも拒絶し得るのだから、不当利得返還義務はないと主張した。棄却。

「Xガ同時履行ノ抗弁ニヨリ本件家屋ノ引渡ヲ拒絶シ其ノ反射作用トシテ其ノ敷地ノ明渡ヲ為サズ之ヲ抑留スルハ、即自己ノ為ニスル意思ヲ以テ該土地ニ対スル事実上ノ支配ヲ為スモノニシテ占有ニ外ナラズ（所論判例モ占有ニ非ズトナス趣旨ニ非ルハ勿論ナリ）。又地上家屋ノ利用ヲ為シ乍ラ其ノ敷地ヲ利用セズト云フガ如キハ考フベカラザル処ナルヲ以テ、Xガ本件土地ヲ占有セズ若ハ之ガ利用ヲ為サズト云フガ如キ論旨ハ総テ採ルニ足ラズ。而シテXハ前示同時履行ノ抗弁ノ反射作用トシテ本件土地ヲ占有シ得ルニ止マリ、其ノ使用収益ヲ為シ得ベキ権限ヲ有スルモノニ非ルヲ以テ、Xガ原判示ノ如ク該土地ヲ利用シテ利得ヲ為シタリトセバ、之レ法律上ノ原因ナクシテ利得ヲ為シタルニ外ナラズ。家屋ノ使用収益ト土地ノ使用収益トハ夫々別個ノ観念ニ属スルコトハ固ヨリ所論ノ如シト雖、家ヲ其ノ敷地ト共ニ他人ニ使用セシメテ其ノ対価ヲ得ル場合ニ於テハ、其ノ対価中ニハ敷地使用ノ対価ヲモ包含スルコト勿論ナルガ故ニ、Xガ本件家屋ヲ第三者ニ賃貸シテ得タル賃料中ニハ其ノ敷地タルY所有ノ土地使用ニ対スル対価ヲ包含スルモノト云フベク、此ノ部分ハ即Xガ権限ナクシテY所有ノ土地ヲ利用シテ得タル利得ニ外ナラズ。原審ガXニ不当利得アリトナシタルハ此ノ趣旨ニ出デタルモノニシテ相当ノ見解ト云フヲ得ベシ。只本件ノ場合ニ於テハYノ損失（土地ノ利用ヲ妨ゲラルルニヨリテ生ズル損失）ハXガ同時履行ノ抗弁ノ結果トシテ本件土地ノ引渡ヲ拒ム以上該土地ヨリ利得ヲ為スト否ニ拘ハラズ生ズベキガ故ニ、此ノ損失ハXガ前記利得ヲ為シタルニ因リテ生ジタルモノト云フヲ得ズ。従ツテ利得ト損失トノ間ニ直接因果ノ関係ナク、此ノ点ニ於テ民法第七〇三条所定ノ要件ヲ具備セザルガ如シ。然レドモ一方Xハ正当権限ナクシテYノ土地ヲ利用シテ利得ヲ為シ、他方YハXノ占有ニヨリ自己所有ノ土地ノ利用ヲ妨ゲラレ損害ヲ蒙リタルモノナルガ故ニ、右法条ハ斯ル場合ヲモ包含スル律意ナリト解スルヲ相当トスベシ」（大判昭一一・五・二六民集一五・九九八、吾妻・判民昭和一一年度六八事件、薄根・民商四巻六号一二二五頁）。

なお、最近の東京高等裁判所判決は、MがYの無権代理人としてXと売買契約を締結して、Xから代金を受領した場合に、Mが「現にこれをYに交付し又はYのためその正当債務の弁済に充てる等現金を交付したと同様の結果を生ぜしめているものとすれば、Mにおいてこれを自己に領得する意思がないのであるから、Yを利得者となすのが至当であるのであろうが、しからざるかぎりMを以て利得者となすべきである」として、傍論であるが間接の因果関係で足るものとしている（東京高判昭二八・八・二五東京高時報四・四民一二三判例体系一四(1)一〇〇頁）。

ところが、その後大審院は、直接の因果関係を必要なりとし、「若シ其受益ノ発生原因ト其損失ノ発生原因トガ直接ニ関聯セズシテ中間ノ事実介在シ、他人ノ損失ハ其中間事実ニ起因スルトキハ、其損失ハ受益者ノ利益ノ為メニ生ジタルモノト謂フコトヲ得ザルヲ以テ、受益者ハ其他人ニ対シテ不当利得返還ノ責ニ任ズルコトナキモノ」であると判示するに至った。

【4】 MがYおよびAの名義を冒用してYを借主とし、MおよびAを連帯保証人とした偽造証書を差入れてXから金員を騙取し、これをもつてYのBに対する債務を弁済した。XからYに対して不当利得の返還を求める。原審はYの債務免脱とXの損失との間には直接の因果関係がないと判決。Xは上告して、仮に直接の因果関係を要するとしても、苟くもYが債務消滅の利益を認容するときは、その利益の限度ではMの無権代理行為を追認したものと解し得られるから、Xの損失とYの利得とは直接の因果関係があると主張した。棄却。

「民法第七〇三条ニハ他人ノ財産又ハ労務ニ因リ云云之カ為メニ他人ニ損失ヲ及ホシタル者云云ト規定シアリテ、他人ノ財産又ハ労務ニ因リ利益ヲ受ケタルガ為メニ其他人ニ損失ヲ及ボシタル場合ニアラザレバ、不当利得返還ノ義務ヲ生ゼザルモノト為セリ。故ニ他人ノ損失ト受益者ノ受益トハ直接ノ因果関係アルコトヲ要ス。若シ其受益ノ発生原因ト其損失ノ発生原因トガ直接ニ関聯セズシテ中間ノ事実介在シ他人ノ損失ハ其中間事実ニ起因スルトキハ、其損失ハ受益者ノ利益ノ為メニ生ジタルモノト謂フコトヲ得ザルヲ以テ、受益者ハ其他人ニ対シ不当利得返還ノ責ニ任ズルコトナキモノトス。是当院判例ノ趣旨ニ於テ是認スル所ナリ（明治四三年

(オ)第四二二号明治四四年五月二四日言渡当院判決参照)。原判決ノ確定シタル事実ニ依レバ訴外Mハ被上告人Y及ビ其夫Aノ名義ヲ冒用シ、Yヲ借主トシM並ニAヲ連帯保証人ト為シタル金二千五百円ノ借用証書ヲ偽造シ、氏名不詳ノ婦人ヲ本人ナルガ如ク装ハシメ上告人Xノ住所ニ同行シYガ真実金員ヲ借入ルルモノノ如キ風態ヲ示シ、右偽造証書ヲ差入レXヨリ貸借名義ノ下ニ金二千五百円ヲ騙取シ、更ニ此騙取金員中千九百七十一円二十銭ヲ以テYノ訴外Bニ対スル債務ヲ弁済シタルモノナリ。故ニXガ損失ヲ被ムリタルハMノ騙取行為ニ因リタルニシテ、Yガ債務免脱ノ利益ヲ得タルハMノ弁済行為ニ因リタルモノト謂フベク、即チYノ受益トXノ損失トノ間ニハMノ独立ナル行為介在シ直接ノ因果関係ナキモノナレバ、YトM間ニ不当利得ノ問題ヲ生ズルハ格別(原判決ハMニ対シテモ不当利得ナラズト判示セリ)YハXニ対シ不当利得返還ノ責ニ任ズベキモノニアラザルナリ。XハMハYノ代理人トシテ弁済ヲ為シタルモノニシテ仮令無権代理人ナリシトスルモYニ於テ之ヲ追認シタルヲ以テYニ対シテ其効力ヲ生ズト論ズレドモ、原判決ハMガYトノ契約ニ基キ第三者トシテ弁済ヲ為シタル事実ヲ認定シタルモノナレバ、右ノ所論ハ原判旨ニ副ハザルモノトス。而シテMノ弁済ガ代位弁済ナリトスルモMトY間ニ生ズル問題ニ過ギザルヲ以テ、原裁判所ガMノ行為ニ因リ因果関係ハ中断セラレタル旨ヲ判断シタルハ相当ナリ」(大判大八・一〇・二〇民録二五・一八九〇民抄録八五・二〇四七四、鳩山・民法研究四巻二五二頁以下、谷口・二一六頁)。

【5】 Y銀行はMに対する貸金の担保としてM所有の株券を質にとつていたところ、Mが酒造税を滞納した為めその株券が税務署によつて差押えられ公売処分に付せられんとした際に、XがMの為めに別にその委託に因るのでも、また代位弁済をなすについて直接の利害関係があつたのでもないが、その滞納税金の一部を支払つたので差押が解除せられ、Yは担保喪失によつて受くべき損害を免れた。YがXに貸金債権の請求をしたのに対し、XはYに対して有する不当利得返還請求権をもつて相殺する旨の抗弁をした。原審は、Yが担保権喪失を免れたことによる利得は、Yが従来有していた自己の担保権に基づく当然の利得であつて、不当の利得というを得ないとして、Xの返還請求権を否定した。Xから上告。棄却。

「民法第七〇三条ニ依レバ不当利得返還ノ債務発生スルニハ、法律上ノ原因ナクシテ他人ノ財産又ハ労務ニ因リ利益ヲ受ケ之ガ為メニ其ノ他人ニ損失ヲ及ボシタルコトヲ要スルモノナレバ、不当利得ノ関係ヲ生ズルニハ損失ノ発生原因ト利得ノ発生原因トガ直接ニ相関聯スルコトヲ要スルモノトス（大正八年(オ)第二〇三号同年一〇月二〇日当院判決大正九年(オ)第二九号同年一一月一八日当院判決参照）。故ニ利得ノ原因ト損失ノ原因トガ直接ニ相関聯セズシテ其ノ間ニ中間ノ事実存在シ、此ノ事実ニ因リテ利得ヲ生ジタルトキハ、其ノ利得ハ他人ノ損失ニ因リテ生ジタルモノニ非ザルヲ以テ、不当利得ナリト謂フコトヲ得ザルモノトス。本件ニ於テ原判決ノ確定シタル事実ニ依レバYハ訴外Mニ対スル債権ノ担保トシテ同人所有ノ株券等ヲ預リ居リタルガ、Mハ酒造税ヲ滞納シタル為メ新潟税務署ヨリ右株券等ヲ差押ヘラレ公売処分ニ付セラレントシタルニヨリYハ将ニ其ノ担保ヲ失ハントシタル処、XハMノ為メ滞納税金ノ一部ヲ支払ヒタル為メ右ノ差押ハ解除セラレ、Yハ担保喪失ニ因ル損失ヲ免レタルモノトス。此事実ニ由テ之ヲ観レバYガ其ノ損失ヲ免レタルハXノ滞納税金ノ一部支払アリタルコト、其ノ結果トシテ国ノMニ対スル債権ノ一部消滅シタルコト且ツ之ガ為ニ国ハ差押ヲ解除スルニ至リシコトニ基クモノニシテ、Xノ滞納金支払ハMノ債務消滅ノ原因タリシニ止マリYガ担保喪失ヲ免レタル直接ノ原因ヲ成スモノニ非ズ。故ニYハXノ損失ニ因リテ利得ヲ為シタルモノト謂フヲ得ズ。即Yガ担保喪失ヲ免カルルノ利益ヲ得タルハ税務署ノ為シタル差押解除ノ効力ニ因ルモノニシテ、差押ガ解除セラレタルトキハYガ該株券等ニ対スル担保権ヲ優先的ニ行使シ得ルコト当然ナレバ、法律上ノ原因ナクシテ利得シタルモノト謂フコトヲ得ザルモノトス。然ラバXハYニ対シ不当利得返還ノ債権ヲ有セズ」（大判昭八・三・二民集一二・二九五、谷口・二二六頁、我妻・二〇頁註五、末弘・判民昭八年度二四事件、松坂・二五九頁）。

したがつて、「例ヘバMガXヨリ金円ヲ詐取シテ該金円ガ一旦Mノ所有ニ帰シタル上、之ヲYノ債務ノ弁済ノ為ニ使用シタルガ如キ場合ハ、Xノ被リタル損失トYノ受ケタル利益トノ間ニハ中間ノ事実介在シ、両者ノ関係直接ナリト云フコトヲ得ズト雖モ」、XM間の消費貸借が無効なるときは、XがMに交付した金円は「他ニ特別ノ事実ナキ限リ」依然としてXの所有であるから、これをもつてYの債務を弁済したとすれば、Xの損失とYの受益とは直接の因果関係を有するとして、次の判決は大正八・一〇・二〇の判決【4】と殆ど類似の事案について、反対の結論に達している。

【6】　Y村の村長Mは村有金を横領費消していた為め、Aに対するY村の債務の弁済に窮して、擅に村の名義を冒用してX銀行から金員を借入れ、その一部をもつてY村のAに対する債務を弁済した。XからYに対し不当利得の返還を訴求。原審はXの損失とYの利得との間に直接の因果関係がないとしてXの請求を棄却。Xは上告して明治四四年の判決を引用し、損失と利得との因果関係は取引上の観念に従い確認しうれば足る。消費貸借の効果が発生しない結果、Xは該金銭上に物権的請求権を有するから、Xの所有金をもつてY村の債務の弁済に充てたと同じである。したがつて、直接の因果関係を要すとしてもなお不当利得の関係が認められると主張した。破毀。

「民法第七〇三条ノ規定ニ因リ不当利得返還ノ責ニ任ズルニハ、受益者ノ受ケタル利益ト他人ノ被リタル損失トノ間ニ直接ノ因果関係アルコトヲ要シ、若シ其利益ト損失トガ直接ニ関聯セズシテ中間ノ事実介在シ、他人ノ損失ハ此事実ニ基因スルモノナルトキハ、受益者ハ其他人ニ対シテ不当利得返還ノ責ニ任ズベキモノニ非ズ(大正八年(オ)第二〇三号事件同年一〇月二〇日判決=【4】参照)。故ニ例ヘバ甲ガ乙ヨリ金円ヲ詐取シテ該金円ガ一旦甲ノ所有ニ帰シタル上之ヲ丙ノ債務ノ弁済ノ為ニ使用シタルガ如キ場合ハ、乙ノ被リタル損失ト丙ノ受ケタル利益トノ間ニ中間ノ事実介在シ両者ノ関係直接ナリト云フコトヲ得ズト雖モ、本件ニ付原判決ノ認定シタル所ニ依レバ被上告村Y村長Mハ村有金ヲ横領費消シ居リタルガ然、A外一名ニ対スルY村負担ノ債務ノ弁済ヲ為スコト能ハザルノ窮境ニ陥リタルニ依リ、其弁済ノ資料ヲ得ルガ為メニ村会ノ決議ヲ経ズ又Y村ノ代表権限ヲ有セザルニ拘ラズ擅ニ村ノ名義ヲ冒用シ、其権限ヲ偽リテ上告銀行Xト本件消費貸借契約ヲ締結シテ金八千円ヲ受領シ、該八千円ノ一部ヲ以テ前記A外一名ニ対スルYノ債務ヲ弁済シタリト云フニ在リテ、右原院ノ認定シタル事実ニ依レバXハYトノ間ニ本件消費貸借契約ヲ締結スベキ意思ヲ有シタルモノニシテ、固ヨリ個人タルMニ対シテ金円ヲ貸与シMヲシテ其所有権ヲ取得セシムルノ意思ヲ有スルモノニ非ズ。而シテMハ何等ノ代表権限ナキニ拘ハラズ村長ノ名義ヲ冒用シテ自己ニ其金円ヲ騙取シタルモノナルヲ以テ本件消費貸借ハ全然無効ニシテ、其無効ノ契約ニ基キテXヨリMニ交付シタル金円ハ他ニ特別ノ事実ナキ限リハ依然Xノ所有ニ在ルモノト云ハザル可カラズ。而シテMガ右Xノ所有ニ係ル金円ヲ以テYガ第三者A外一名ニ対シテ負担スル債務ノ弁済ニ充当シタリトセバXノ被リタル損失トYノ受ケタル利益トハ直接ノ因果関係ヲ有スルモノニシテ、Yハ民法第七〇三条ニ依リ不当利得返還ノ義務ヲ負担セザル可カラザルヤ明カナリ。然ルニ原判決ハMガXヲ欺キテ受取リタル八千円ノ一部ヲ以テYノ債務ノ弁済ニ充当シYハ之ニ依テ利益ヲ受ケタル事実ヲ肯定シナガラ、Xノ損失トYノ受益トハ直接因果関係ナキモノトシテXノ為シタル本訴請求ヲ排斥シタルハ不当利得ニ関スル法則ノ適用ヲ誤リタルモノニシテ原判決ハ破毀ヲ免レズ。若シ夫レMニ於テXヨリ受取リタル金円ガ混和ニ依リ一旦同人ノ所有ニ帰シタル事実アリトセバ反対ノ結論ニ到達スルコトアルベシト雖モ、斯カル事実ハ原院ノ認定セザル所ナルヲ以テ混和ニ関スルYノ所論ハ採用スルニ由ナシ」（大判大九・五・一二民録二六・六五二民抄録八八・二一三八九）。

【7】 MはYの印章を偽造し、Yの代理人と詐称してXから金銭を借入れ、その一部をもつてYがAに対して負担する債務を弁済したが、Yは該借入行為を追認しなかつた。XからYに対して不当利得の返還を訴求。原審はXの請求を認めたのでYから上告。Xの損失はMに詐取された結果でYの利得と因果関係がない。受益の発生原因と損失の発生原因とは直接に関聯せず、中間の事実が介在していると主張した。棄却。

「原院ノ認メタル事実ニヨレバ訴外Mハ上告人Yノ代理人ト詐称シYノ名ヲ以テ被上告人Xヨリ金一千五百円ヲ借入レ、該金員ヲ以テYノ訴外人ニ対スル四口ノ債務合計金七百七十七円九十五銭三厘ヲ弁済シタルモノニシテ、而カモYハ該借入行為ヲ追認セザリシト云フニ在リテ、右ノ事実ニヨレバXハYトノ間ニ金一千五百円ノ消費貸借契約ヲ締結スベキ意思ヲ表示シタルモノニシテ、固ヨリMニ対シ該金円ヲ貸与シ同人ヲシテ其所有権ヲ取得セシムルノ意思ヲ有スルモノニアラズ。而シテMハYヨリ何等代理権ヲ授与セラレタルコトナキニ拘ラズ擅ニ其代理資格ヲ冒シ自己ニ其金円ヲ騙取シタルモノニ係リ、Yハ該借入行為ヲ追認セザリシモノナレバ右一千五百円ノ消費貸借ハ無効ニシテ、此無効ノ契約ニ基キXヨリMニ交付シタル金円ハ他ニ特別ナル事実ナキ限リハ依然トシテXノ所有ニ属スルモノト謂ハザルベカラズ。従テ原院ニ於テ右MガXヨリ騙取シタル金員ノ所有権ハMニ帰スルコトナク依然Xニ在リトナシタルハ至当ナリトス。而シテMハ右Xノ所有ニ係ル金員ヲ以テYノ訴外人ニ対シテ負担スル四口ノ債務ノ弁済ニ充テ……其債務ハ消滅ニ帰スルモノナレバ、Xノ被ムリタル損失トYノ受ケタル利益トハ直接因果関係ヲ有シ、従テYハ民法第七〇三条ノ規定ニ従ヒ不当利得返還ノ義務ヲ負担スベキハ勿論ナルニヨリ、原院ガYニ対シ其利得金ノ支払ヲ命ジタルハ正当ナリトス」（大判大九・一一・二四民録二六・一八六二、谷口・二一七頁）。

もつとも、これらの判決の事案は、大正八・一〇・二〇の判決【4】においては判決が「原裁判所ハMガBニ対シ金銭ヲ交付シタルハ、MトY間ニ債務履行ノ引受契約存在シタルニ因ルコトヲ判示シタルコト明カナリ」と判示しているように、MとYとの間に契約が存し、また昭和八・三・二の判決【5】にあつてもMとYとの間に質権契約が存在するが、大正九・五・一二の判決【6】および大正九・一一・二四の判決【7】の場合には何らの契約関係も存在しない。したがつて、前者の場合にはYは少くともMに対して法律上の原因を有するが、後者の場合にはMに対してさえも法律上の原因を有しないという点では異つているので、或いは判例はこの点に実質的な理由を認めたのかも知れないが（谷口・二一八頁参照）、形式的にはこの点に触れることなく因果関係の問題として、騙取せられた金銭の所有権の帰属によつてこれが解決を図つている。しかし、それでは大正九・五・一二の判決【6】も認めているように、「Xヨリ受取リタル金円ガ混和ニ依リ一旦同人ノ所有ニ帰シタル事実アリトセバ、反対ノ結論ニ到達スルコトアルベシ」ということになつて、実際に不都合を生ずる。そればかりでなく理論的にも、金銭の所有権はその占有に融けこんで、その占有と共に移転すると解すべきである（末川・物権法二二九頁、我妻・物権法一四六頁、松坂・民法提要物権五六頁）。

そして、判例は、「MガXヨリ受取リタル金銭ニ付キ所有権ヲ取得セズシテ之ヲ以テYニ弁済シタルトキハ、Yハ即チX所有ノ金銭ヲ受領シタルモノニシテ、Xノ財産ニ因リ利益ヲ受ケ之ガ為メXニ損失ヲ及ボシタルモノトナルヲ以テ、XYトノ間ニMノ行為ノ介在スル一事ヲ以テ不当利得ヲ生ゼズト為スヲ得ザルモノトス」る。したがつて、損失と利得との間に第三者の行為が介在しても、その第三者の行為が一面において損失を生ずると共に、他面において利益を与えるものであれば、直接の因果関係が在することになる。

【8】 MがAの代理人だと称して、同人の偽造印を押捺した借主A名義の借用証書をYに差入れて、Yから二千百円を借り受け、さらに同一の手段をもつてXから二千六百円を借り受けて、その金でYに弁済した。XからYに不当利得の返還を求める。原審はXの損失とYの利得との間には、Mがなした弁済なる独立の行為が介在し因果関係がないとして、Xの請求を否認したのでXから上告。破毀差戻。

「原判決ハMハ上告人（控訴人）X及ビX′ヨリ受取リタル金二千六百円ノ内二千百円ヲ以テ被上告人Yニ弁済ヲ為シタルモノナレドモ、右両名トYトノ間ニハMノ弁済ナル行為介在シ、従テ因果関係ナキニヨリ本訴当事者間ニハ不当利得ノ問題ヲ生ゼズトシ、上告人ノ本訴請求ヲ理由ナキモノト為シタリ。然レドモMガX及ビX′ヨリ受取リタル金銭ニ付キ所有権ヲ取得セザルモノナランニハYハ右両名所有ノ金銭ヲ受領シタルモノナレバ、右両名ノ財産ニヨリ利益ヲ受ケ之ガ為メ右両名ニ損失ヲ及ボシタルモノトナルヲ以テ、右両名トYトノ間ニMノ行為ノ介在スル一事ヲ以テ不当利得ノ問題ヲ生ゼザルモノト為スコト能ハズ。然ルニ原判決ニハ右ノ金銭ニ付キMガ所有権ヲ取得シタリヤ否ヤニ付キ判示スルトコロナシ。若シ原院ガMニ於テ右ノ金銭ニ付キ所有権ヲ取得シタルト否トニ拘ハラズ、同人ノ行為ノ介在スル一事ヲ以テ不当利得ノ問題ヲ生ゼズトノ見解ニ出デタルモノナランニハ、原判決ニハ不法ニ法律ヲ適用セザル違法アルモノ、又若シ原院ガ右ノ金銭ハ一旦Ｍノ所有ニ帰シタリト認メ従テＹハＸ及ビＸ′ノ財産ニヨリ利益ヲ受ケタルモノニアラズ従テ右両名トＹトノ間ニハ不当利得ノ問題ヲ生ゼズトノ見解ニ出デタルモノトセバ、原判決ニハ右金銭ノ所有権ガ一旦Ｍニ帰シタル理由ヲ附セザル違法アルモノニシテ、他ノ上告論点ニ付キ判断ヲ為ス迄モナク原判決ハ全部破毀ヲ免レザルモノトス」（大判大一〇・六・二七民録二七・一二八二頁民抄録九二・二三三九四、中川・判民大正一〇年度一〇九事件、谷口・二一八頁）。

そして、また損失と利得との間に第三者の行為が介在する場合でも、もしＭがＸから受け取つた金銭を自己の金銭と混同せずにＹに交付したのであれば、直接の因果関係が存する。

【9】　ＭはＹからその所有の田Ａ・Ｂの二筆を合併して一反に付き金七百円、Ａの一筆だけならば一反に付き金七百五十円で売却する依頼を受けたが、Ｃ田については依頼を受けていないに拘らず、Ｘに対しては売却の依頼を受けている如く装い、ＡＣの二筆を併せて一反に付き金五百円で売買の周旋をなすと告げ、Ｘから手附金および代金として金六百一円を受け取り、Ｙに対してはＡ田のみを一反に付き金七百五十円でＸに売却したと欺罔し、同反別に相当する代金二百八十九円をＸから受け取つた金員中からＹに交付し、残金三百十二円は、ＭがＹから売却を依頼せられた他の田地をＹの指値より低価で他人に売却したことによる差金の計算に充てるためＹに交付した。ＸからＹに対し不当利得として金六百一円の返還を請求する。原審は、ＸＹ間の売買はＭの詐欺により各当事者の意思が相手方に正当に伝達せられざりし結果、その意思と表示との不一致のため不成立で無効であるとして、金二百八十九円の不当利得返還義務を認めた。Ｘは上告して、金三百十二円についてもＸは前記の売買代金としてＹに交付する意思をもつてＭに交付したもので、該金員はＭの手を経てＹに交付せられるに当つて、ＭにおいてＹ第三者間の売買代金の一部に充当し該売買代金名義でＹに交付せられたに過ぎない。したがつて、該金員もまたＸの損失においてＹの利得せるものである。また金六百一円はＸにお

いてMを通じYに交付する意思をもってMに交付したもので、特別の事情が存しない限り該金銭所有権はMに移転しないのは勿論、XY間の売買が無効なためにYにも移転しないから、Xの損失とYの受益とは直接の因果関係があると主張した。破毀。

「民法第七〇三条ニ依リテ不当利得返還ノ義務ヲ生ズルニハ他人ノ損失ト受益者ノ利得トガ直接ノ因果関係アルコトヲ必要トスルモ、第三者ノ行為介在シタルノ一事ニ依リテ直ニ損失ト利得トノ間ニ直接ノ因果関係ナキニ至ルモノト謂フベカラズ。即本件ニ於テMガ被上告人Yニ交付スル目的ヲ以テ上告人Xヨリ受取リタル三百十二円ノ金員ヲ自己ノ有スル金銭ト混同セズシテ其ノ儘Yニ交付シタルモノトセバ、X所有ノ金銭ガYニ帰属シタルモノニシテ、Xノ損失トYノ利得トハ直接ノ因果関係アルモノト謂フヲ得ベキモ、Mガ自己ノ所有ト為ス意思ヲ以テXヨリ右ノ金員ヲ受取リ之ヲ自己固有ノ金銭ト混同シテ更ニ自己ノ債務ヲ弁済スル為同額ノ金員ヲYニ交付シタルモノトセバ、Xノ損失ハMノ領得行為ニシテYノ利得ハ同人ノ弁済行為ナリト謂フベク、其ノ損失ト利得トノ間ニハ直接ノ因果関係ヲ有セザルモノトス（大正八年(オ)第二〇三号八年一〇月二〇日大正九年(オ)第一二号八年五月一二日当院判決参照）。然ルニ原裁判所ガ此ノ点ヲ審究セズシテ漫然Yガ第三者ノ行為ニ因リ利得シタルノ故ヲ以テ不当利得成立セザルモノト為シ、三百十二円ニ関スルXノ請求ヲ排斥シタルハ理由不備ノ不法アルモノニシテ上告論旨ハ理由アリ」（大判昭二・七・四新聞二七三四・一五、評論一六民法一一三〇、谷口・二一二頁）。

学説においても通説は判例と同じく、損失と利得との間に直接の因果関係の存在を要求する（鳩山・七九〇頁以下、末弘・九三二頁以下、判民昭和八年度二四事件、岡村・五九五頁）。しかし、因果関係が直接なるためには、同一の事実が一面において損失を生ずるとともに、他面において利得を生ずれば足り、必ずしも損失と利得とがその内容において同一なることを要しない。また損失と利得とが同一の事実に基づく限り、第三者の行為が介在するも妨げないとする。これに対しては、もし損失と利得との間の因果関係を直接のものに限るときは、法律上の原因なき利益を返還せしめる不当利得制度の趣旨に反し、公平に基づく制度の運用を硬直ならしめる虞れがある。固より不当利得制度の適用範囲を明確ならしめることは必要であるが、しかし、それは直接の因果関係を要求しなくとも「法律上の原因の有無」によつてこれを一層妥当にすることができる。したがつて、「不当利得における受益と損失との間の因果関係は社会観念上その連絡の認められるものなるをもつて足り、直接なることを要せず」と解すべきことが主張せられている（我妻・四九頁、石田・二四一頁、中川・判民大正一〇年度一〇九事件、東・判民昭和一〇年度一四事件、谷口・二三〇頁以下）。学説の詳細については拙著「不当利得論」二四七頁以下並びに「事務管理・不当利得」（法律学全集二二巻）五一頁以下を参照されたい。私もまた不当利得が成立するためには、利得と損失との間に社会観念上の連絡があれば足るものと考える。したがつて、財産的価値の移動が二個の法律行為によつて行われた場合においても、それらの行為が同一の財産的価値の移動を目的とするものとして、統一的に把握しうる限り、換言すれば、最後の受益者の利得が客観的にみて最初の行為の組織的展開（planmässige Abwicklung）の結果たる場合には、不当利得の成立に必要な因果関係が存在する（松坂・二四八頁以下、事務管理・不当利得五二頁以下参照）。

二　判例理論の具体的適用

一　因果関係の適用として最も問題となるのは、第三者MがXから騙取した金銭をもつて、Yの利益を図つた場合である。

（一）　MがXから騙取した金銭をYに事実上使用させた場合には、XからYに不当利得の返還請求をなしうる。

【10】 Y村の村長MがAから金員を借入るべき決議に違反してXから借入れ、Aから借入れたものと詐称してこれをY村の収入役に交付し、該金員は同村の経常費に充てられた。その後同村はAに対して債務ありと信じ、元利金全部をAに返済した。XはYに対して不当利得の返還を請求する。原審ではXの請求が認められたので、Yから上告。棄却。

「上告村YガMノ被上告銀行Xヨリ騙取シタル金千五百円ヲ収入役ニ依リテ善意ニ受領シタル後、之ヲ同村ノ経常費トシテ使用シタルコトハ原判決ノ認定スル所ナルヲ以テ、Yハ之ガ為ニ当然支出スベカリシ金銭ヲ節約シ、Xノ失ヒタル財産ニ因リテ利益ヲ受ケタルモノト謂ハザルベカラズ。而シテ其ノ後Y主張ノ如クYガAヨリ右ノ金銭ヲ借入レタルモノト信ジテ之ト同額ノ金員ヲAニ返還シタル事実アリトスルモ、法律上ノ原因ナクシテ弁済ヲ為シタルモノニシテ之ガ取戻ヲ請求シ得ベキ筋合ナレバ、Yノ財産上ヨリ之ヲ観レバ現存利益ヲ失ヒタルモノト謂フヲ得ザルモノトス」(大判大一二・二・二一民集二・五六、平野・判民大正一二年度一二事件)。

判旨は正当である。村長Mは「村会ノ決議ニ基ク借入ナリト称シ」たものであるから、XY間には消費貸借は成立しないが、Mの行為によつて利益がYに帰した場合には、その利益は最初の行為において予定せられた取得者のものとなつたのである。したがつて、Xの損失とYの受益との間に因果関係が存し、Yは法律上の原因を有しないから、その利得を返還すべきである。但し、判例理論よりすれば、騙取せられた金銭の所有権は特別の事実なき限り依然として被騙取者にあるから、この場合には直接の因果関係がある。

(二) MがXから騙取した金銭でYの債務を弁済した場合

(1) MとYとの間に何らの契約関係も存在しなければ、XはYに不当利得の返還請求をなし得る

（大判大九・五・一二〔6〕、同大九・一一・二四〔7〕）。判例は、Mが擅にYの代理資格を冒用してXから金銭を借入れたときは、XはYとの間に消費貸借を締結すべき意思を表示したもので、Mに対し該金銭を貸与しその所有権を取得させる意思を有するものでないから、該消費貸借は無効であつて、金銭の所有権は他に特別なる事情なき限りは依然Xに存する。したがつて、Xの損失とYの受益との間に直接の因果関係があるとの論拠にたつている。金銭の所有権の帰属いかんによつて因果関係の有無を決定しようとする判例理論には賛成し難いが、その結論には賛成である。この場合は(一)の場合と同様に考えてよい。

(2)　MとYとの間に契約関係——例えば、債務履行引受行為——があれば、XはYに不当利得の返還請求をなし得ない（大判大八・一〇・二〇〔4〕）。判旨に反対である。Xの損失とYの債務免脱の利得との間には因果関係があり、YはMに対する法律上の原因をもつてXに対抗しえないから、不当利得返還の義務がある（松坂・二五五頁参照）。

【11】　虚偽の預入記載ある郵便貯金通帳を債務者Mから交付せられた善意の債権者Yが、国Xから貯金の払戻を受け、自己の貸金の弁済に充当した。ところで、Xは後日右通帳が変造にかかるもので貯金は皆無なることを発見し、Yに不当利得の返還を請求する。原審ではXの請求が認められたので、Yから上告。払戻を受けた金員は一応Mの所有に帰し、Yは債権の弁済としてそれを受領したのであるから、Yは不当に利得したものではないと主張した。破毀差戻。

「原審ノ認定スルトコロニ依レバMハ虚無人A名義ノ本件郵便貯金通帳ニ虚偽ノ預入及現在高証明ノ記入ヲ為シ、之ヲ上告人Yニ提示シ真実貯金債権ヲ有スルモノノ如ク装ヒ、Aト刻セル認印ト共ニYニ交付シテ金百円ノ貸与ヲ求メ、Yハ該貯金ガ真実現存スルモノト誤信シ同人ニ右金員ヲ貸付ケ、昭和七年三月五日自ラ桐ケ谷郵便局ニ到リ通帳名義人A本人トシテ右通帳及認印ヲ以テ同局ヨリ金百二十円ノ払戻ヲ受ケ、之ヲMニ対スル前示貸金及利息若ハ謝礼トシテ弁済ニ充当シタリト謂フニ在リテ、同局ニ於テモYヲ通帳名義人A事Mト誤信シ其ノ払戻ヲ為シタルモノト謂ハザルヲ得ザルヲ以テ、他ニ特殊ノ事情ナキ限リYガ払戻ヲ受ケタル本件金員ハMノ所有ニ帰シ、Yハ同人ニ対スル自己ノ債権ノ弁済トシテ右ノ金員ヲ取得セルモノニ外ナラザレバ、Mハ被上告人Xノ損失ニ於テ不当ニ利得シタルモノト謂フヲ得ベキハ格別Yニ於テ何等不当利得ヲ為シタルモノト謂フヲ得ズ。然ルニ原審ハ叙上ノ如キ特殊ノ事情ノ存否ニ付審理スルコトナク、本件払戻金員ハMノ所有ニ帰セズト速断シ、Yニ於テ同人ニ対スル債権ノ弁済トシテ取得シタル以上法律上ノ原因ナクシテ不当ニ利得シタルモノトシテ輙クXノ請求ヲ認容シタルハ、審理不尽ニ非ズンバ理由不備ノ違法アリ」（大判昭一〇・二・七民集一四・一九六、小池・民商二巻二号二四六頁、東・判民昭和一〇年度一四事件、同旨大判昭一一・一二・一七法学六巻四九七頁）。

判例はこの場合には【6】および【7】とは反対に、「他ノ特殊ノ事情ナキ限リ」金銭ノ所有は騙取者に帰するとして、直接の因果関係の存在を否定している。私は結論においては判例と同旨であるが、因果関係は存在するも、不当利得とならないのは債務の弁済であつて利得が存しないからであると解したい（我妻・五一頁参照）。

(3) 騙取せられたXは、Mから弁済を受けたYの債権者に対して、不当利得の返還を請求し得ない。判例理論によれば、騙取せられた金銭の所有権は依然として被騙取者にあるから、Yの債権者がこれを弁済として受領した場合には、その利得とXの損失との間には直接の因果関係が存するが、もしYの債権者がその金銭につき即時取得の要件を具備するに至るときは、その所有権を取得し債権は有効な弁済によつて消滅に帰することになるから、不当利得返還の義務がない。

【12】　【7】ト同事件。「弁済ハ債務者ガ之ヲ為スト将又第三者ガ為ストヲ問ハズ債務ノ本旨ニ従フコトヲ要スルヲ以テ、債務ノ弁済トシテ他人ノ物ヲ引渡シタルトキハ、弁済トシテ其効ナク之ガ為メ債務ハ消滅ニ帰スルモノニアラザルコトハ民法第四七五条ノ規定ノ趣旨ニヨリ明瞭ナリト雖モ、債権者ガ同法第一九二条ノ規定ニ従ヒ又ハ取得時効ニヨリ弁済トシテ給付ヲ受ケタル物ノ所有権ヲ取得スルニ至リタルトキハ、原所有者ニ対シテ其物ノ返還ヲ為スコトヲ要セザルト同時ニ弁済者ニ対シテモ亦之ガ返還ヲ為スコトヲ要セズ。従テ弁済者ハ更ニ弁済ヲ為スコトヲ要セザルニヨリ此場合ニハ、債務ハ有効ノ弁済ニヨリ消滅ニ帰スルモノト解スルヲ相当トス。本件ニ付キ原院ノ判示スル所ヲ観ルニ其理由ノ中段ニ於テ『本件ニ於テ第一審原告（被上告人）Xヨリ訴外Mニ交付シタル前記金員ハMノ所有ニ帰スルコトナク、Mヨリ右金員ヲ以テ弁済ヲ受ケタル第一審被告（上告人）Yノ債権者ハXノ財産ニヨリ弁済ヲ受ケタルモノト謂ハザルヲ得ズ。然レバ其弁済ニヨリ其債務ヲ免レタルYハ法律上ノ原因ナクシテXノ財産ニヨリ利益ヲ受ケ、之ガ為ニXニ同額ノ損失ヲ及ボシタルモノニ該当シ』ト説示シ判示簡ニ失スルノ憾アリト雖モ、其趣旨タルYノ債権者ハ訴外Mガ弁済トシテ交付シタル金員ガ其実MガYノ名ニ於テXヨリ騙取シタルモノナルコト、及ビ之ガ所有権ノXニ存スルモノナルコトヲ知ラズ、即チ善意ニシテ平穏且公然ニ該金員ノ占有ヲナシ且過失ナカリシニヨリ之ガ所有権ヲ取得スルニ至リ、従テ訴外人ノYニ対スル四口ノ債権ハ有効ナル弁済ニヨリ消滅シタルコトヲ認メタルモノナルコトヲ看取シ得ベシ。然ラバYハ結局法律上ノ原因ナクシテXノ財産ニヨリ訴外人ニ対スル債務ノ履行ヲ免レ利益ヲ受ケタルト同時ニXニ損失ヲ及ボシタルモノナルヲ以テ、之ガ利得ノ返還ノ責ニ任ズベキハ勿論ナリトス」（大判大九・一一・二四民録二六・一八六二【7】）。

すでに、大正元・一〇・二の判決【2】も同一の理論をとつているが、私は即時取得は物権取得の一原因をなすだけで、法律上の原因をなすものではないと考える（松坂・二九八頁、同旨谷口・二一五頁、反対我妻・五一頁、金銭について実質的に被騙取者Xに帰属すべきものがYの債権者に交付せられたと見るときは、債権者がこの実質関係を知らない限り—即時取得の趣旨に基いて—これを受領するにつき法律上の原因を備えるものと解するのが妥当だとされる）。判例も後に見解を改めた（大判昭一〇・

三・一二民録一四・四六七【17】、同昭一二・一・一七民集一五・一〇一【18】）。したがつて、私見によれば、Yの債権者は即時取得をもつて、法律上の原因として主張することを得ない。しかし、彼の債権は有効な弁済によつて消滅するから、そこに利得は存せず、したがつて、不当利得返還請求権は成立しない。

それ故に、またMがXを欺罔して金銭を借入れ、Xをして自己の債権者Yに支払わしめた場合にもYはXに対し不当利得返還義務を負わない。

【13】「元来消費貸借ハ所謂要物契約ニシテ其ノ目的物タル金銭其ノ他ノ物ヲ授受シテ始メテ有効ニ成立スルモノナレドモ、其ノ授受ハ必ズシモ直接当事者間ニ為スヲ要セズ。貸主ガ借主ノ依頼ニ応ジ第三者ニ交付スルモ授受タルコトヲ妨ゲズ。而シテ其ノ授受ハ目的物ノ所有権ヲ移転スル意思ヲ以テ為サルルコト勿論ナレバ、消費貸借ニ於ケル目的物ノ授受ハ常ニ所有権移転ノ合意ヲ以テ為サルルモノニシテ所謂物権契約ニ属セリト云フベキナリ。然ラバ授受サレタル目的物ノ所有権ガ移転スルハ即物権契約ノ効果ニシテ消費貸借ハ単ニ此ノ授受ヲ前提トシテ成立スルニ過ギザレバ、消費貸借ガ何等カノ理由ニヨリ仮令無効タルモ一旦為サレタル目的物授受ノ行為即所有権移転ノ合意ノ効力ニハ影響ヲ及ボスモノニ非ズ。而シテ原判決ノ認定スル所ニヨレバMハ偽造株ヲ真正ナルモノノ如ク装ヒ之ヲ担保トシテ上告銀行Xト金銭ノ貸借ヲ為シ、而シテ其ノ金銭ハ自ラ之ヲ受取ラズXヲシテ被上告銀行Yニ交付セシメ以テ同人ガ曩ニYニ対シ負担セル消費貸借上ノ債務ノ弁済ニ充テタルモノニシテ、尚原審ハXトMトノ間ニ於ケル貸借ハ法律行為ノ要素ニ錯誤アル為メ無効タルモ、YトMトノ間ノ貸借ハ何等無効ノモノニ非ズト判断シタルモノナルカ故ニ、右金銭ノ所有権ハXガYニ交付セルトキ既ニYニ移転シタルモノト解スベクシテ、其ノ金銭ノ授受ハYニ取リテハ同時ニ自己ノ債権ノ弁済トシテ受ケタルモノナルガ故ニ固ヨリ之ヲ受クベキ法律上ノ原因アリ、従テ何等不当利得ノ関係ヲ生ズルコトナシ。只Mハ無効ナル貸借ニ因リXヲシテ金銭ヲYニ引渡サシメ以テ自己ノ債務ヲ免レタルモノナルガ故ニ、同人ガXニ対シ不当利得者ノ地位ニ立テルニ過ギズ。然ラバ金銭ノ所有権ガYニ移ラズ依然Xニ存セリト主張シ以テYヲ不

当利得者ナリト論ズル本論旨ノ採ルニ足ラザルハ明瞭ナリ」（大判大一三・七・二三新聞二二九七・一五）。

なお、MがXを欺いて自己の名義で借入れた金銭を、さらにYが法律上の原因なくして受領した場合には、MはYに対して不当利得返還請求権を有する。

【14】「上告人Y先先代Aガ訴外Bノ手ヲ経テ被上告人Mヨリ受領シタル本訴ノ金円ハ、Mニ於テ世襲財産ヲ取消ス旨ノ文書其他ノ必要書類ヲ偽造行使シテY家ノ世襲財産タル株式会社第十五銀行株券ヲ担保ニ供シ、自己名義ヲ以テ訴外Xヨリ借入レタル金八千五百円ノ一部ナルモ、Xハ仮令詐欺ニ因ルモ貸与ノ意思ヲ以テ任意ニ之ヲMニ交付シタルモノナルヲ以テ、金銭ノ所有権ハMニ移転シ其ノ所有財産タルニ妨ゲナク、Y先先代ガ法律上ノ原因ナクシテ更ニMヨリ之ヲ受領シタルハ即チ不当利得ニ外ナラズ」（大判大五・三・一八民録二二・五五九民抄録六五・一四三五三）。

(三)　MがYから騙取した金銭を、さらにXから騙取した金銭をもつて返還した場合に、XがYに対して不当利得返還請求権を有するかについては、判例理論が必ずしも明瞭でない。

(1)　前掲大正一〇・六・二七の判決【8】によつて破毀差戻された事案について、金銭の所有権が直接にXからYに移転したと認定して、Xの不当利得返還請求権を認めたのに対し、Yは上告して、たといXの金銭でもMのYに対する不法行為または不当利得に基づく債務の弁済として有効であるから、法律上の原因ある給付であると主張した。大審院は上告をいれ、再び破毀差戻した。

【15】「原院ノ確定シタル事実ニヨレバ訴外Mハ明治四一年七八月中其ノ妹Aノ印章ヲ偽造シ、之ヲ使用シテ借主同人名義金二千百円ノ借用証書ヲ偽造シ、之ヲ上告人Yニ差入レAノ代理人トシテ借受クルモノノ如ク装ヒYヲ欺キ、擅ニAノ不動産ニ抵当権ヲ設定シAニ金二千百円ヲ貸与スルコトヲ諾約セシメテ該金員ノ交付ヲ受ケ、其ノ弁済期ニ至リ借替ヲ為スタメ同四二年三月一〇日同偽造印ヲ使用シ、借主A名義被上告人X及X′

宛金二千六百円ノ借用証書ヲ偽造シ、Mハ之ガ連帯保証人トナリ該借用証書ヲX等ニ差入レAノ代理人トシテ借受クルモノノ如ク装ヒ右両名ヲ欺キ、擅ニAノ不動産ニ抵当権ヲ設定シX等ヲシテAニ金二千六百円ヲ貸与スルコトヲ諾約セシメ、同月二四日二千六百円ヲ受取リ該金員ノ内ヨリYニ対スル弁済トシテ二千百円ヲ支払ヒタルモノニシテ、AハMノ為シタル右各貸借ノ代理行為ヲ追認セザリシモノトス。由是観之MガAノ代理人トシテYトノ間ニ為シタル金二千百円ノ消費貸借契約ハMニ於テ其ノ代理権ヲ証明スルコト能ハズ且Aノ追認ヲ得ザリシ結果Aニ対シテ其効力ヲ及ボス事ヲ得ザルハ勿論ナリト雖、Yハ民法第一一七条ニヨリMニ対シYトAトノ間ニ成立スベキ二千百円ノ消費貸借契約関係ト同一ノ内容ヲ有スル契約関係ノ履行又ハMノ無権代理行為ノ為ニ受ケタル損害ノ賠償ヲ請求スル権利ヲ有スルト同時ニ、MハYニ対シ叙上ノ義務ヲ履行スル責任ヲ有スルモノニシテ而モMガX等ヨリ騙取シタル金員ノ一部ヲ以テYニ弁済ヲナシタルハ右原院ノ確定シタル事実関係ヨリ考察スレバ、全クYトAトノ間ニ成立スベキ二千百円ノ消費貸借契約ト同一ノ内容ヲ有スルY対M間ノ契約ニ基ク義務ヲ履行シタルモノト謂ハザルベカラズ。蓋シMハAノ代理人トシテYトノ間ニ前示ノ如キ消費貸借契約ヲ為シタルモ全ク本人タルAヨリ委任ヲ受ケズ且同人ノ追認ヲモ得ザリシモノナレバ、該消費貸借ハAニ対シテ其ノ効力ヲ生ズルモノニアラザルコトヲ熟知セルハ勿論ニシテ、Aニ対シテ其ノ効力ヲ生ゼザル契約ニ基キ債務ヲ履行シタリトハ容易ニ思考スルヲ得ザレバナリ。果シテ然ラバYガMヨリ二千百円ノ金員ヲ受領シタルハ同人ニ対スル債権ノ弁済ヲ受ケタルモノナルヲ以テ、仮令該金員ガ原院認定ノ如クMガX等ヨリ騙取シタル金員ソノモノナリシトスルモ、若Yニ於テ平穏且公然ニ之ガ占有ヲ始メ善意ニシテ且過失ナカリシモノトセバ、民法第一九二条ノ規定ニ従ヒ該金員ノ所有権ヲ取得スルニ至ルモノト謂ハザルベカラズ。然ルニ原院ガYトA間ノ消費貸借契約ハAニ対シテ其ノ効力ヲ生ゼズ而モMハ此ノ効力ヲ生ゼザル契約ニ基ク債務ノ履行トシテX等ヨリ騙取シタル金員ソノモノヲYニ交付シタルモノト認メ、民法第一九二条ノ規定ハ此ノ如キ正権原ニ基カザル占有ノ取得ニ適用スベキモノニアラズトノ理由ノ下ニX等ニ不当利得返還請求権アルモノトナシタルハ失当ニシテ本論旨ハ其ノ理由アリ」（大判大一三・七・一八新聞二三〇九・一八、谷口・二一九頁）。

本判決に従つてXのYに対する不当利得返還請求権を否認した原判決に対し、Xから、民法一一七条の無権代理人の相手方はその無権代理なることを知つた場合に、その選択により初めて本人に対すると同一の債務の履行または損害賠償の何れかを請求しうるものであるのに、本件では相手方は未だ無権代理を知らず、したがつてその代理権証明不能を知らず、追認を得ないことを知らないYが、この事実を知り且つその選択によつて始めて定まるべき民法一一七条の弁済としてこれを受領したと原審が認定したのは、失当も甚だしいことなどを理由として上告した。棄却。

【16】　「他人ノ代理人トシテ契約ヲ為シタル者ガ其ノ代理権ヲ証明スルコト能ハズ且本人ノ追認ヲ得ザリシトキハ、代理人ハ法律上当然前示民法ノ法条ニ規定セル債務ニ服スベキモノニ係リ、所論ノ如ク相手方ニ於テ代理人ガ代理権ヲ証明スルコト能ハズ且本人ノ追認ヲ得ザリシコトヲ知リ履行又ハ損害賠償ノ内其ノ一ヲ選択シテ請求シタルトキ、始メテ之ニ対応スル債権債務ガ相手方ト代理人トノ間ニ発生スルモノニ非ズト解スルヲ相当トス。然リ而シテ叙上ノ場合ニ於テ無権代理人ガ自ラ進ンデ代理権ヲ有シタルトキ相手方ト本人トノ間ニ成立シタル契約ニ基ク給付ト同一ナル給付ヲ相手方ニ与ヘ、而モ相手方ハ其ノ事実ヲ知ラザル為本人ガ契約ノ履行ヲ為シタルモノト信ジ、従テ相手方ヲシテ民法第一一七条第一項ノ金銭的賠償請求権ヲ行使スルノ余地ナカラシメタリトスルモ、此ノ場合ニ於テハ元来相手方ト本人トノ間ニハ契約成立セズ、相手方ハ本人ニ対シテ之ガ履行ヲ求ムルコト得ザルモノニ係リ、而モ代理人ニ対シテハ契約ノ履行又ハ損害ノ賠償ヲ請求スル権利ヲ有スルモノナレバ、相手方ニ於テ右ノ如ク本人ガ契約ノ履行ヲ為シタルモノト信ジ且代理人ノ行為ニヨリ同人ニ対スル金銭的賠償請求権ヲ行使スルノ余地ナカラシメタレバトテ、代理人ノ為シタル給付ヲ受領シタル行為ヲ以テ何等法律上ノ原因ニ基カザルモノト云フヲ得ズ。然ラバ本件ニ於テ原院ガAノ代理人トシテ被上告人Yト金二千百円ノ消費貸借ヲ為シタルMガ該行為ニ付Aノ追認ヲ得ザリシコト、及Mガ同ジクAヨリ代理権ヲ授

与セラレザリシニ拘ラズ同人ノ代理人トシテ上告人Xトノ間ニ為シタル消費貸借ニ基キ受取リタル金二千六百円ノ内二千百円ヲYニ交付シタルコト、並右二千百円ヲYニ給付シタルハMニ於テAノ正当ノ代理人タルコトヲ証明スルコト能ハズ且同人ノ追認ヲ得ルコトヲ得ザリシ為代理権アリタル場合ニ相手方タルYト本人タルAトノ間ニ成立スル金二千百円ノ消費貸借ニ基ク給付ト同一ノ給付ヲYニ為シタルコトヲ認メ、相手方タルYニ於テ叙上ノ事実ヲ了知シテ右二千百円ヲ受領シタルコトヲ判示セズ而モ之ヲ以テ法律上ノ原因ナクシテ不当ニ利得シタルモノニアラズト為シタルハ相当ナリ」（大判昭二・四・二一民集六・一六六、谷口・二二〇頁、伊沢・判民昭和二年度三〇事件）。

すなわち、この判決は、YがMから受領した金銭がその無権代理行為による責任の履行を受けたものと見られるときには、換言すれば、とにかくMに対して有する何らかの債権の弁済と見られるときには、その受領は法律上の原因を有し、不当利得とならぬと解するのである（我妻・四九頁・五二頁註八、谷口・二二二頁、末川・法叢一八巻五号七九九頁以下、判例民法研究三五四頁以下参照）。

(2)　しかし、判例はM自身がXから金銭を受領してYに弁済したのでなく、Xに委託してXからYに支払わさせた場合には、YのXに対する不当利得返還の義務を肯定した。

【17】　MはAの代理人と称しA所有の不動産上に一番抵当権を設定してYから八千円を貸借名義の下に騙取し、この債務の弁済のためにさらにXから同様の手段でA所有の不動産上に二番抵当権を設定して一万一千円を貸借名義の下に騙取した。しかし、その中八千円余はM自身がその交付を受けることなく、Xに委託してXからYにそのいわゆる貸金債権なるものの弁済として支払わせた。XからYに対して不当利得の返還を請求する。原審は(1)の判例理論に従つてXの請求を否認したので、Xから上告して、原審はYがMに対する債権の弁済としてMの金銭を受領したものであると判示したが、金銭はXからYへ直接交付されてMやAの占有に帰したことがないから、Xの損失とYの利得とは直接の因果関係がある。然るに原審がXの固有財産たる係争

金銭をもって一旦Mの所有に帰したものの如く認定してXの主張を排斥したのは不当であると主張した。破毀差戻。

「甲ニ対シ金銭債務ヲ負担セル乙ガ丙ヨリ金円ヲ借受ケ而シテ丙ヲシテ此金円ヲ甲ニ致サシメテ以テ当該債務ノ弁済ヲ了シタル場合ニ、丙ハ果シテ如何ナル資格ヲ以テ其ノ事ニ当リシヤ幷ハ決シテ一律ニ概言スベキ限リニ非ズ。乙ハ一旦金円ヲ丙ヨリ入手シタル後更ニ之ヲ丙ニ交付シ之ヲ甲ノ手許ニ持参スル事ヲ依嘱スルト共ニ、一面乙ハ甲ニ対シ来ル何日丙ナルモノ金円ヲ貴宅ニ持参スルニ付キ右ハ予ネテノ債務ニ対スル弁済トシテ受領セラレ度シト通知シタル場合ノ如キ、丙ハ単ニ乙ノ使者トシテ金円ヲ伝遞シタルニ過ギズト観ルヲ恐ラク相当トス可キモ、又乙丙間ノ依嘱ノ趣旨如何ト乙甲間ノ交渉ノ有無及ビ趣旨如何トニ依リテハ丙ハ一介ノ使者ニ非ズ或ハ乙ノ代理人トシテ或ハ第三者タル自己ノ名ニ於テ弁済ノ任務ヲ果シタルニ外ナラザルコト固ヨリ有リ得ベシ（前例ニ於テ金円ノ授受ハ一切乙丙間ニ無カリシナラバ縦令其ノ間ノ取引ヲ貸借ト称シタレバトテ幷ハ名ニ過ギズ実ハ委任ナリ。丙ガ甲ニ金円ヲ支払ヒタルハ委任事務処理ノ費用（民法六五〇条）ヲ支出シタルモノニ外ナラズ）。若又乙ト丙ト金円貸借ノ議ヲ一決スルト共ニ此金円ハ之ヲ当事者間ニ授受スルコト無ク、丙ガ乙ノ代理人トシテ若クハ第三者タル自己ノ名ニ於テ甲ニ弁済ヲ為スコトニ依リテ以テ相当金額ノ消費貸借ガ乙丙間ニ成立スベキ旨取極ムルコト決シテ稀有ノ事例トセズ。加之凡ソ使者トシテ金円ヲ伝遞スル場合ハ必ズ本人ノ嚢中ヨリ出ヅルヲ要シ使者ニ於テ一時之ヲ立替フルガ如キハ之ヲ許サズテフ何等ノ道理モ存セザルガ故ニ、前例ニ於テ弁済金ハ乙ノ使者トシテ丙之ヲ甲ニ持参スベク但金円ハ丙ノ手許ヨリ之ヲ支出シ其ノ滞リ無ク甲ニ交付セラレタルトキヲ以テ乙丙間ニ相当金円ノ消費貸借ガ成立スルコトト取極ムルモ亦之ヲ妨ゲズ。夫レ爾ルガ故ニ今丙ヨリ乙ニ交付スベキ貸与金円ヲ丙ハ乙ノ委託ニ依リ予テ乙ガ甲ヨリ借用セル金円ノ弁済トシテ甲ニ交付シタリトノコトト丙ハ甲ニ対シ乙ノ債務ニ付キ「代位弁済」ヲ為シタリトノコトトハ決シテ両立シ得ザル事実ニ非ズ。蓋此ハ即チ対外関係ニシテ彼ハ即チ内部関係タリ。斯カル内部関係ノ下ニ対外関係ノ態様固ヨリ多々アリテ夫ノ所謂代位弁済ノ如キハ偶々以テ其ノ一態様ニ過ギザレバナリ。然ラバ則チ之ヲ両立セザル事実ナルガ如ク思惟セル上告人Xノ自認即チ「控訴人（上告人）Xハ借主Aノ代理人ト称セシMニ交付スベキ貸与金円ヲ以テ其ノMノ委託ニ因リAガ被控訴人（被上告人）Yヨリ借受ケ居タリトノ金八千円ノ弁済ヲ為ス為メニYニ本件金円ヲ交付シタルモノニシテ、XガYニ対シAノ債務ニ付代位弁済ヲ為シタル関係ニアラザリシコトハ之ヲ認ム」トノ陳述ハ聊カ警戒ヲ加フルノ要アリ。仔細ニ観来リテ此陳述ナルモノノ代位弁済ニ非ザルガ故ニ代位弁済ニ非ズト云フ一個ノ独断ニ過ギザルヤモ亦知ル可カラズ。夫レ取引ノ衝ニ当ル者其ノ取極メノ細目ニ渉リテハ必ズシモ一々明白ナル意識ヲ具ヘザルヲ常トスト云ハムヨリモ之ヲ具フルコトヲ求ムルノ寧ロ不能ヲ強フルニ近シト云フノ勝レルニ如カズ。遡リテ当時ノ取引ヲ回顧シテ其ノ取極メノ如何ナリシヤヲ挙示スルニ当リ事実ノ主張ト意見ノ陳述ト動モスレバ則チ間髪ヲ容レズ、殊ニ裁判所ヨリ釈明ヲ求メラルル場合ノ如キ当事者トシテ不知不識ノ間其ノ一片ノ意見ヲ陳述スルニ至ル勢ノ或ハ則チ成サレザルヲ誰カ必無ト保スベケムヤ。固ヨリ当事者ノ意見ハ事実ノ真相ヲ捉フル有力ナル資料タルニ論無シト雖意見ハ則チ竟ニ事実ニ非ズ、要ハ裁判所トシテ偏ヘニ事実ニ即シテ以テ事実ノ真相ヲ探ルニ在リ是言ヲ俟タザルトコロナリ。夫レ爾リ（一）今甲ニ対シ金銭債務ヲ負担セル乙ガ丙ヲシテ右債務ヲ甲ニ弁済セシメ之ニ依リテ以テ相当金額ノ消費貸借ガ乙丙間ニ成立スベク約定シタル場合ニ、甲ニ対スル乙ノ債務ナルモノハ実ハ存在セザリシトセムカ、丙ノ為シタル所謂弁済ニ因リ乙ハ毫末モ財産上ノ利益（即チ実在セル債務ノ消滅ト云フ利益）ヲ享ケザリシヲ以テ、此際乙丙間ニ何等ノ消費貸借モ成立スルニ由無キト共ニ丙ハ甲ニ対シ不当利得返還請求権ヲ有スルニ至ルハ多言ヲ俟タズ。但這ハ固ヨリ丙ガ（イ）第三者タル自己ノ名ニ於テ夫ノ弁済ヲ為シタル場合ニ限リ、其ノ（ロ）乙ノ代理人トシテ若クハ（ハ）使者トシテ事ニ当リタル場合ノ如キハ甲ニ対スル不当利得返還請求権者ハ則チ丙ニ非ズシテ実ニ乙其ノ人ト為ス。而モ此請求権タル乙ニ在リテハ厘毛ノ以テ投ズルトコロ無ク偏ヘニ丙ノ出捐ニ因リテ乙ノ獲得シタルモノナルガ故ニ、乙ハ転ジテ丙ニ対シ不当利得返還ノ義務ヲ負フハ則チ賭易キノ理ナリ。斯クテ丙甲間ニ所謂間接訴権（民法第四二三条）ノ行ハルル余地アルガ如キハ素ト別問題ニ属ス。（二）然ラバ今乙ノ代理人ト称スル丁ナルモノ丙ト交渉シ、乙ノ甲ニ対スル金銭債務ヲ丙ニ於テ弁済シタルトキハ之ニ依リテ相当金額ノ消費貸借ガ乙丙間ニ成立スベク約定シタルガ為メ丙ハ甲ニ弁済ヲ為シタルトコロ、乙ノ債務ナルモノハ実在セズ丁モ亦何等乙ノ代理権限ヲ有セザリシ場合ハ如何。先ヅ丙ガ（イ）第三者タル自己ノ名ニ於テ弁済ヲ為セシナラバ其ノ甲ニ対スル不当利得返還請求権ヲ取得スルハ則チ（一）ニ於ケルト択ブトコロ無シ。反之其ノ（ロ）乙ノ代理人トシテ若クハ（ハ）使者トシテ事ニ当リシ場合ニ於テハ夫ノ丙ト直接交渉ニ当リタル丁ノ業ニ已ニ無権代理人ナル以上丙ハ固ヨリ乙ノ真正ナル代理人タル地位モ使者タル地位モ之ヲ有スベクモアラザルガ故ニ、丙乙間ニモ亦甲乙間ニモ何等ノ関係ヲ生ズベキ余地無キハ勿論ナルト共ニ甲ニ対シ不当利得返還ヲ請求スルヲ得ル者ハ則チ実ニ丙其ノ人ナラズンバアラズ。這ハ民法第一一七条第一項ノ基底ヲ成ス観念ニ照シ之ヲ領スルニ余アラムナリ。今翻ッテ本件ヲ案ズルニ原審ハ証拠ニ基キ『訴外Mガ代理権限ナキニ拘ハラズ訴外Aノ代理人トシテ昭和三年一月三一日（中略）被控訴人（被上告人）Yヨリ金八千円ヲ貸借名義ノ下ニ騙取シ』次デ同年四月二七日同様ノ手段ヲ以テ上告人Xヨリ金一万一千円ヲ貸借名義ノ下ニ騙取シ『内金二千八百六十七円二十銭ハ控訴人（上告人）Xヨリ直接Mニ交付シ他金八千百三十二円八十銭ヲ以テ右Yノ所謂貸金債権ナルモノノ弁済ニ充当シタルコト』ヲ認メタル上、上文判示ニ係ルXノ自認ナルモノヲ経トシ其ノ他二三ノ証拠ヲ緯トシYニ対スル前記弁済ハ取リモ直サズ『MガXヨリ騙取シタルMノ金円ヲ以テYニ対スル債務ノ弁済ニ充テタル関係換言スレバYハ訴外Mヨリ自己ノ有スル債権ノ弁済トシテ該金円ノ交付ヲ受ケタル関係ニ外ナラ』ザルコトヲ認メタルモノ之ヲ原審確定ノ事実ト為ス。而モ此自認ナルモノ事物ノ誤見ニ非ザレバ則チ単ナル独断ニ過ギザルコトハ上叙ノ如クナルニ於テ、此自認ヲ縦令唯一トセザルモ少クトモ主要ナル基礎トシタルコトノ疑無キ原審判断ハ其ノ根底ニ於テ已ニ一個ノ欠陥アルヲ免レズ。況ンヤM其ノ人ガYニ対シテ負担セル債務換言スレバYガM其ノ人ニ対シテ有セル債権トハソモ如何ナルソレヲ指スノ意ナリヤ。之ヲ当該判示ノ下文ニ徴スルトキハ开ハ民法第一一七条第一項ニ因リYトAノ無権代理人M自身トノ間ニ生ズル債権債務ヲ指スモノノ如ク爾リ。而モMガXヨリ騙取シタル金円ハ『右Yノ所謂貸金債権ナルモノノ弁済ニ充当シタルコト』ハ原審ノ確定スルトコロナリ。而シテ此『所謂貸金債権ナルモノ』ハ少クトモ之ヲYノ立場ヨリ観ルトキハ取リモ直サズA其ノ人ニ対スル貸金債権ナリトYノ信ジテ疑ハザルトコロノ債権ナルコトモ亦自カラ原審ノ確定セルトコロナリ。何等Mガ前記Aノ無権代理人ナルコトヲ貸借当時若クハ遅クトモ右弁済受領当時Yニ於テ知了セルコトハ未ダ曽テ原審ノ確定セザルトコロナレバナリ。夫レ弁済ナル行為ノ一般論若クハ性質論ハ今之ヲ寘ク。唯金銭債務弁済ノ場合ニ在リテハ其ノ如何ナル債務ノ弁済トシテ当該金円ガ授受セラルルヤノ点ニ付キ、当事者双方意思ノ合致ヲ要スルハ則チ疑アルベカラズ。左レバコソ縦令M其ノ人ノ意思ハ如何ニモアレ少クトモYノ意思ハ恰モA其ノ人ノ債務ノ弁済ヲ受クルニ在リテ、夫ノMナルモノニ対スル民法当該条項ニ因ル債権ト云フガ如キハ曽テ以テ夢想ダモセザリシハ原審確定ノ事実ナルニ於テ『所謂貸金債権ナルモノノ弁済』ヲ目シテ以テM其ノ人ノ債務ノ弁済ニ外ナラズト為ストコロノ原判示ハ聊カ領会ニ苦マザルヲ得ズ。最後ニ原審ハYガ即時時効ニ因リ当該『金円ノ上ニ完全ナル所有権ヲ取得シタル』一事ヲ以テモ亦Y主張ニ係ル不当利得返還請求権ハ優ニ之ヲ否定スルニ勝ユルモノノ如ク判示スルトコロアリ。金円ノ所有権ハ混和（民法二四五条）ニ因リテモ之ヲ取得ス即時時効ト限ルベカラズ。而モ当該金円ノ所有権ガ取得セラレタレバコソ即チ不当利得ノ問題ハ起ルナレ、所有権ノ取得ヲ援テ以テ直チニ不当利得ヲ排セムトスルハ無権原占有者ニ対スル物権的返還請求権ト不当利得返還請求権トヲ混ズルモノニ庶幾シ。夫レ本件事案タル『他金八千百三十二円八十銭ヲ以テ右Yノ所謂貸金債権ナルモノノ弁済ニ充当シタル』前後ノ消息如何ニ依リテハ、本訴請求ノ俄ニ之ヲ否定スベカラザルハ総テ上来判示スルトコロノ如シ。之ヲ否定シタル原判決ハ審理ノ不尽ニ非ザレバ則チ理由ノ不備ヲ免レズ」（大判昭一〇・三・一二民集一四・四六七、末川・民商二巻三号四七五頁、岡村・新報四五巻九号一六四四頁、川島・判民昭和一〇年度三三事件）。

この判決は昭和二・四・二一の判決【16】と矛盾するようであるが、大審院は後者の事案においては、Mが自らYに弁済したのであつて、この場合にも一応Mは「Aの債務の弁済として」として給付したのではあるが、M自身としても無権代理行為による責任を負つておるから、その責任の履行があつたとみられるのに反し、前者の事案においては、XがMの委託によつて自己の名において「Aの債務の弁済として」Yに給付したのであつて、「Mの代理行為によつて生じたAまたはMの債務」の弁済として給付したのではなく、しかもAの債務は存在しないのだから、Xの弁済は非債弁済となるとの理論にたつものである（川島・判民昭和一〇年度三三事件参照）。

(3)　Mから委託されたXが自らYに金銭を交付しないで、Bに交付しBをしてYに支払わしめた場合にも、判例はXからYへの不当利得返還請求権が成立するが如き口吻をもらしている。

【18】　MはAなりと称してA所有不動産上に抵当権を設定してYから金千百円を借り受け、その弁済のためにさらに同一の手段をもつてXから金千五百円を借り受け、かつA所有不動産上に抵当権を設定する旨を約した。そして金銭の授受についてはXとMとの諒解の下にXから司法代書人Bにこれを交付し、BはAの不動産上のYの抵当権設定登記を抹消し、これにXのために第一番抵当権の設定登記を済した上で、内金千百円をAの債務の弁済としてYに交付し、残額はA宛の右受取証と共にこれをMに交付した。Xは、XとAとの消費貸借はAの関知しないために無効であり、YとAとの間の消費貸借も亦同一の理由で無効であるから、金銭の所有権は依然としてXにあるとの理由で、Yに対し不当利得の返還を請求する。原審ではYが善意取得によつて金銭の所有権を取得したから、Yの利得は法律上の原因があるとして勝訴した。Xから上告。破毀差戻。

「甲ハ乙ヲ以テ丙ノ代理人ト信ジ之ニ金円ヲ貸与シタルトコロ乙ハ一介ノ無権代理人ニ過ギザリシトキハ、甲丙間ニ何等貸借関係ノ生ゼザルハ論無シ。（一）従ヒテ丙ニ於テ斯カル関係アリト誤信シ固ヨリ追認ノ意思ニハ非ズシテ右ノ金円ヲ甲ニ支払ヒタルトキハ、甲ニ不当利得返還ノ義務アリ。這ハ丙ガ第三者丁ヨリ右ノ金円ヲ借受ケテ支払ヲ為シタル場合ニ於テモ亦異ルトコロ無シ。（二）之ニ反シ丁ガ丙ノ為メニ第三者ノ弁済トシテ支払ヲ為シタルトキハ、甲ニ対シ不当利得返還請求権ヲ有スル者ハ則チ丁ニシテ丙ニ非ズ。縦令右ハ丁ガ偶々丙ヨリ（例ヘバ）寄託ヲ受ケタル金円ヲ以テスルモ亦爾リ。（三）但丁ガ右ノ支払ヲ為シタルハ予ネテ丙トノ間ニ交渉アリ即チ丁ガ甲ニ右金円ヲ支払フコトニ因リテ以テ丁丙間ニ同金額ノ消費貸借ヲ成立セシムベシト云フ契約ニ基ク場合ニ於テハ、当該請求権ハ丙ニ属シテ丁ニ属セズ。何者丁ハ丙ニ対シ消費貸借上ノ債権ヲ有スレバナリ。唯此ノ場合甲ハ丙丁間ノ内部ノ交渉ハ之ヲ知ラザルコト居多ナルベク、従ヒテ甲ノ債権ノ実在セザルコトヲ丁ガ証明シテ返還ヲ請求スルニ及ビ甲ニ於テ之ヲ諒トスルトキハ、輙ク其ノ請求ニ応ズルハ有リ得ザルノ事態ニ非ズ。而モ甲トシテ一旦返還ヲ為シタル以上何等ノ利益モ最早其ノ手中ニ現存セザルト共ニ、丁ハ結局厘毛ノ出捐ヲ為サザルニ帰シ其ノ丙ニ対スル消費貸借上ノ債権ノ当然消滅スルヤ論ヲ俟タズ。斯クテ甲丙丁ノ何人モ不測ノ損害ヲ被ルトコロ無シ。（四）是故ニ丙丁間ノ前記契約ガ無効ナル場合例ヘバ丁ハ丙ノ代理人某ト右ノ契約ヲ締結シタルニ某ハ実ハ代理権限ヲ有セザリシ場合ニ於テ、甲ニ対シ不当利得返還請求権ヲ有スル者ノ丁ニシテ丙ナラザルハ多言ヲ須ヒズ。（五）若シ夫レ曩ニ甲ガ無権代理人乙ヲ通ジテ貸出シタル金円ハ如何ニカ之ヲ回収スルヤト云ヘバ、幵ハ民法第一一七条アルノ外尚不当利得若ハ不法行為ノ責任モ亦乙ニ対シテ之ヲ問フヲ得ザルニ非ズ。甲タルモノ決シテ自家ノ救済無キヲ患ヒズト雖果シテ幾許ノ実績ガ挙ガルヤニ至リテ幵ハ固ヨリ知ルベカラズ。其ノ実績ノ挙ガラザルニ於テ殊ニ乙ノ代理権ヲ信ジタルコトニ付キ甲ニ何等ノ過失モ無カリシトセバ甲タルモノ又惘ムニ勝エタルモ、抑事端ヲ闢キシモノハ則チ甲ナラズヤ、所謂一波起リテ万波起ル禍害ノ転嫁ハ之ヲ瞥メザルベカラズ。太郎ニ支払ハムガ為メ次郎ヨリ奪取ルコトノ許スベカラザルニ省レバ、甲ナルモノ或ハ独リ損失ノ重キニ泣カムモ常識上実ニ已ムヲ得ザルモノアリテ存ス。今翻ツテ此ノ常識的判断ヲ彼ノ法律解釈上ノ結論ト較ブルニ宛モ符節ヲ合スル如クナルニ観テ、此ノ結論ノ謬ラザルハ又以テ之ヲ領スルニ余アラムナリ。本件ニ於テ原審ノ確定スルトコロニ従ヘバMハAノ代理人ト冒称シ、同人借受名義ノ下ニ先ヅ被上告人Yヨリ金円ヲ騙取シ次ニ同一手段ヲ以テ上告人Xヨリ金円ヲ騙取シ、此ノ金円ヲ以テYニ対スル曩ノ借受金ナルモノノ弁済ニ充テYモ亦此ノ意味ヲ以テ之ヲ受領シタリト云フニ在ルヲ以テ、Yトシテ不当利得返還ノ義務アルハ問題無シ。問題ハ唯何人ニ返還スベキヤニ在リ而モ金円授受ノ経路如何ニ依リテハ幵ハ実ニXナルヤモ亦知ルベカラズ。夫レ消費貸借ハ要物契約ナリ。要物トハ他無シ此ノ種契約ハ単ナル合意ノミニ因リテハ成立セズ必ズ何等カノ実際的効果ノ生ズルヲ要ストノ義ニ過ギザルガ故ニ、貸主ヨリ借主ニ現金ヲ交付スル場合ノミナラズ、前示ノ如ク丁ガ第三者トシテ丙ノ金銭債務ヲ弁済スルコトニ因リ以テ同金額ノ消費貸借ヲ丁丙間ニ成立セシムルハ固ヨリ有効ニシテ又実ニ日常頻起ノ取引タリ。原審ノ之ヲ以テ稀有ナル異例ト為スガ如キ口吻アルハ聊カ了解ニ苦マザルヲ得ズ。登記所ニ於ケル司法代書人ヲ以テ関係人一同ノ同意ノ下ニ金円授受ノ事実的機関トシ導管トスルガ如キハ殊ニ貸替ヲ為ス場合ニ於テ是亦甚ダ看慣ノ事ト為ス。此ノ点ニ関スル原判示ハ寧ロ技巧ニ失シ取引ニ対スル観察ト説明ヲ徒ラニ複雑ナラシムル嫌アリ。若シ夫レ『被控訴人（被上告人）Yハ民法第一九二条ニ依リ本件金員ノ所有権ヲ取得シタルモノナリト謂フベク、従ヒテ之ニ因ル被控訴人Yノ利得ハ法律上ノ原因ニ基クモノナリ』トアル原判示ハ是亦聊カ了解ニ苦マザルヲ得ズ。蓋金円ノ所有権ハ混和ニ因リテモ之ヲ取得ス即時時効ト限ルベカラズ。而モ当該金円ノ所有権ガ取得セラレタレバコソ茲ニ始メテ不当利得ノ存否ヲ講究スルノ可能性ハ生ズルナレ。即時時効ニ因ル所有権ノ取得ヲ援テ以テ直チニ不当利得ヲ排斥セムトスルハ無権原占有者ニ対スル物権的請求権ト債権的請求権ニ外ナラザル不当利得ノ返還トヲ弁ゼザルニ庶幾シ。抑所謂法律上ノ原因トハ猶正当ナル原因ト云フガ如シ。何ヲカ正当ト云フ开ハ必シモ二三法条ニ跼蹐スルコト無ク、善ク大処高処ニ立チ以テ当該利得ハ正義公平ノ観念上之ヲ正当トスルヤ否ヤヲ討スルニ因リテ始メテ暁ルヲ得ベキ問題ト為ス。或ハ添附ト云ヒ或ハ即時時効ト云ヒ社会経済上ノ利害若ハ一般取引上ノ安定ヲ慮ルニ出デタル一ノ窮策ト云フモ過言ニ非ズ（夫ノ所謂物権契約ノ如キ亦此ノ品類タリ）。是故ニ添附ハ即チ物権取得ノ儼タル法律上ノ原因ナルト共ニ不当利得ハ則チ是ニ由リテ之ヲ生ズ。民法第二四八条ハ其ノ返還ノ方法ヲ常ニ金銭ノ支出ニ限定シタル点ニ於テノミ意味アル規定ナリ。即時時効ニ至リテ明文ノ徴スベキモノ無キモ其ノ法意ヨリ推ストキハ之ヲ知ルニ難カラズ。何ンゾヤ例バ買主ガ是ニ依リテ当該動産（所有権）ヲ取得シタルトキハ其ノ所有者ハ売主ニ対シ其ノ代金ヲ不当利得トシテ請求スルヲ得ベク、若シ贈与ナリシナラバ所有者ハ受贈者即チ即時時効ニ因リ所有権ヲ取得シタル者ニ対シ不当利得トシテ当該動産（所有権）ソノモノノ返還ヲ請求スルヲ得ベシ。夫レ爾リ即時時効ニ因ル権利取得ハ成法上ノ原因ヲ具フル取得タルニ紛無シ。独此ノ取得ハ所謂法律上ノ原因ニ基クヤ否ヤ开ハ正義公平ノ大乗的見地ヨリ解決セラルベキ別個ノ問題ト為ス。即時時効ト不当利得ノ相悖ラザルハ夫ノ添附ト不当利得ノ相容ルルト毫モ其ノ択ブトコロヲ見ズ。原判決ハ法規ノ解釈ヲ誤リ延テ審理不尽ノ遺漏アリ」（大判昭一一・一・一七民集一五・一〇一、岩田・新報四六巻七号一一三六頁、石田・論叢三五巻四号一〇〇二頁、石本・法と経済六巻一号一三九頁、板木・民商四巻一号一七三頁、川島・判民昭和一一年度七事件）。

思うに、MがAの代理人なりと詐称してYから金銭を借り受け、これを弁済するためにさらに同様の手段をもつてXから借り受けた金銭をもつて、M自らYに弁済した場合において、その弁済は客観的にXとの間に締結された消費貸借の計画通りの展開と認められるから、Xの損失とYの利得との間には因果関係が存在するとみるべきである。石田博士も「因果関係の問題は一般の経験則に照して損失と利得との間に自然的な発展連鎖があるか否かの問題であつて、騙取した金銭を以て騙取者が利得者の債務を弁済した場合においても、騙取した金銭の所有権の帰属の問題とは無関係である」とせられ、「利得者に弁済することが金銭騙取の手段に用いられたか否かによつて、被騙取者の損失と利得者の受益との間の因果関係の有無を決定するのが妥当ではあるまいか」と説いておられる（石田・判例研究「無権代理人の行為と不当利得」論叢三五巻一〇〇七頁以下）。民法一一七条の適用は、無権代理人がその相手方から履行の請求その他何らかの形式においてその責任を問わるるによつて代理権の存在せることを証明しまたは追認を迫まられた場合に初めて、すなわち代理権存在の証明または追認の問題を前提として生ずるものであるが、本条所定の責任は代理人と称する者が無権代理行為をなした時に生ずるのであつて、履行または損害賠償の請求を受けた時に初めて生ずるものではない（伊沢・判民昭和二年度三〇事件、松坂・二六五頁参照）。この場合一応Mは「Aの債務の弁済として」給付したのであつて、Mの無権代理行為によつて生じたMの債務の弁済として給付したわけではないから、この債権が有効に弁済され消滅したと解するのは妥当でないとの見解もあるが（谷口・二四四頁、板木・民商四巻一号一八五頁）、上述した如く、無権代理人の相手方Yは無権代理人Mに対し無権代理行為があつた時から、履行または損害賠償の債権を有し、Mはその責任を免れるために自ら給付したのであるから、未だ選択がないからといつて、その一事だけでYの利得を実質的に妥当ならしめる法律上の原因が存在しないとはいえない（伊沢・前掲、川島・昭和一〇年度三三事件、松坂・二五六頁参照）。したがつて、昭和二・四・二一の判決【16】の判旨に賛成である（我妻・四九頁参照）。これに反し、谷口教授は、Mは不法行為ないし無権代理人の責任に基づく債務の弁済として給付したわけではないから、Yの債権は残存し、Yの受領金による利得がある。但し、利得の減少についてはYが弁済を受けたためにMに対し責任を問うことを怠つたことによる損失、Mの無資力などによるYのMに対する救済権の実際的価値を斟酌し、Xの損失についてはMに対する救済実現の可能性を評価し、また騙取された金銭についてYが善意無過失であつたかどうかを審査すべく、もしXYともに同様の事情にあるときは、結局XY間に損失の分担を認める意味において、Yの受領金の半額の返還を認めるのが妥当であろうとされる（谷口・二四四頁以下）。

次に、昭和一〇・三・一二の判決【17】の事案においては、XがMの委託に基づいて自己の名においてAの債務として第三者の弁済をした場合であつて、Xを通じてMがYに弁済したものとみらるべきであるから、昭和二年の判決の事案と同様に解すべきものと考える（我妻・五二頁註八、末川・判例民法研究三六〇頁、松坂・二五七頁参照）。これに反し、川島教授は、本件においては第三者たるXが「Aの債務の弁済として」給付したのであるから非債弁済となり、この場合に何人が損失者であるかは「表見債権者との関係において法律上何人から利得の変動があつたか、即ち法律上何人の名において弁済が為されたかによつて決せらるべきであり、具体的にその給付目的物が何人の財産に属せしやは単にその表見債務者と第三者との間の補償関係上意味を有するに過ぎざるものと考える(vgl, Oertmann, Komm, Vorb, 2c(ββ); Planck, Komm, Bd. Ⅱ 2 (4. A.)S. 1627)。即ち、第三者が自己の名において弁済を為したる場合にはその第三者が損失者であり、又第三者が表見債務者の名において即ちその使者又は代理人として弁済を為したる場合にはその表見債務者が損失者である。但し右の後者の場合においても使者・代理人としての権限なきときは、それらの者の行為は表見債権者との関係において本人に効果を及ぼさぬから、損失者は使者・代理人たる第三者である」といわれる(川島前掲・)。しかし、私は「法律上何人の名において弁済がなされたか」によつて決することは、不当利得の制度の趣旨からいつて却て狭きに失するのではないかと思う。Oertmann も「給付が法律的意味で(im Rechtssinn)受領者に対して原告の給付として、第三者のそれとしてでなく、現われるように第三者が給付をした場合には、原告は不当利得返還請求権を有する」といつているが、その「法律的意味において」というのは、単に「何人の名において」というよりも広く、「受領者が第三者の受任者によつて給付を法律上の原因なくして取得した場合には、第三者に、給付をなす受任者にではなく、返還請求権が帰属する(Dernburg, § 381Ⅱ)」と説いている(Enneccerus-Lehmann, § 218Ⅲb; Oertmann, Komm. Vorbem. 2c ββ von § 812)。

さらに、昭和一一・一・一七の判決【18】の事案については、XがMとの諒解の下に司法代書人Bを介して金銭を授受したのは先順位の抵当権を抹消し、自己の債権担保のために抵当権設定登記手続がなされた上で金銭を交付するためであつて、XはMに金銭を交付し、Mがこれをさらに Y に交付する手続を代書人Bという仲介者によつて簡単に処理したとみるべきであるから（川島・判民昭和一一年度七事件、我妻・五二頁註八参照）、昭和二年の判決の場合と同じくYのXに対する不当利得返還義務を否定するのが妥当である。

二　判例は損失と利得との間に直接の因果関係が存することを要し、因果関係の連続を中断すべき原因事実の介入する場合には、その利得は損失の結果とはいえないが、因果関係の中断を生じない限り、現実にその利益を受けた者をもつて利得者となすべきものとする。したがつて、Xが形式的にはYの債務であるが、実質的にはMの債務を弁済した場合には、不当利得返還義務者はMであつてYではない。

【19】　MはYから営業資金の貸与を受けた関係上、その担保的意味でY名義を用いたにとどまり、事実上A会社の取引店を経営し、その営業に関する権利義務の主体であつた。そこでY名義の債務を支払つたXがYに対して不当利得の返還を請求する。原審は事実上の営業者はMであるから、名義上の営業者たるYは自己の名義をもつて取引された営業上から生じた債務を負担すべきものでないとした。これに対しXは、他人に自己の名義で事業を経営することを許すのは、その他人がその営業上なした各種の取引行為についてそれから発生する法律上の効力を自己すなわち名義人に帰属せしめようとする意思表示をなすものであつて、相手方たる第三者もまた名義人をもつて相手方と信じ、その資力信用において取引をなすものである。したがつて、営業範囲におけるMの行為は法律上Yに対して効力を生ずる。Yが自己の名義をもつて営業をなすことを他人に許したことは、その他人と取引する不定多数の第三者に対し、名義使用の営業範囲における法律行為の代理権をその他人に附与した旨を暗黙に表示したものと解すべく、Yは民法一〇九条により責任を負うべきだと主張した。棄却。

「不当利得ニ於テ所謂利得者トハ他人ノ損失ニ於テ利益ヲ取得シタル者ヲ指称スルモノニシテ、其損失ト利得トノ間ニハ直接ノ因果関係ノ存スルコトヲ要シ、因果関係ノ連続ヲ中断スベキ原因事実ノ介入スル場合ハ其有得ハ損失ノ結果ナリト謂フヲ得ザルト同時ニ、如上因果関係ニ中断ヲ生ゼザル限リ其現実利益ヲ受ケタル者ヲ以テ利得者ナリト謂ハザルベカラズ。従テ他人ノ損失ニ於テ連帯責任ノ負担ヲ免レタル場合ニハ負担部分ヲ利スル者ニ於テ其各自ノ負担部分ニ付テ不当ノ利得者タルベク、組合員ハ其持分ノ割合ニ応ジテ不当ノ利得者タルベキモノニシテ、即チ外部ニ対スル関係ニ於ケル法律上ノ責任如何ヲ問ハズ其内部関係ニ於テ現実利益ヲ獲得シタル部分ニ付キ利得者トシテ返還ノ義務ヲ負担スベキモノトス。本件ニ於テ原審ノ確定スル所ニ依レバ内国通運株式会社八代取引店ハ其開設以来一時被上告人Yノ名義ヲ以テ経営セラレ居リタルモ、之レニ単ニ訴外MガYヨリ営業資金ノ貸与ヲ受ケタル関係上之ガ担保的意味ニ於テYノ名義ヲ用ヒタルニ止マリ、事実上該取引店ヲ経営シテ其営業ニ関スル権利義務ノ主体タリシ者ハ訴外Mニシテ、従テYガ八代取引店ヲ経営シ其営業上金一千七百三十二円余ノ債務ヲ負担シタル事実ハ全然存在セズト云フニ在レバ、上告人Xガ支払ヒタル金員ヲ以テ真実利得ヲ受ケタル者ハ一時ノ名義人タルYニアラズシテ真実ノ営業者タル訴外Mナリト謂ハザルベカラズ。然ラバ原審ガ訴外Mヲ以テ不当利得者ナリト判示シタルハ相当ナリトス。唯本件ニ於ケル八代取引店ハYノ名義ノ下ニ運送営業ヲ経営シタルモノナルヲ以テ其真実ノ営業者ガ訴外Mナリトスルモ、之ト営業上ノ取引ヲ為シタル第三者ニ対スル関係ニ於テYノ有スル法律上ノ責任如何ハ、如上不当利得ニ於ケル責任ノ有無ニ関セズ各当該取引事実ニ付キ定メザルベカラザル事項ナリト雖モ、不当利得ヲ原因トスル案件ニ於テハ直接因果関係ノ存スル範囲内ニ於テ其結局ノ利得者ノ何人ナリヤヲ判断スルヲ以テ足ルモノナリト謂ハザルベカラズ。然ラバ原審ガXニ於テYガ単ニ営業上ノ名義主タルニ止マリタル事情ヲ知悉シタルヤ否ヤニ付キ判断スル所ナカリシハ相当ニシテ、又如上Y名義使用ノ関係ガYノ許諾ニ出デタルヤ否ヤニ依リ真実ノ利得者ニ変更ヲ来スベキモノニアラザルヲ以テ許諾ノ有無ヲ判断スルノ必要ナク、且ツ許諾ノ有無ニ依リ代理ノ法理ヲ此関係ニ箝当シ得ザルヤ是亦論ヲ俟タザレバ本論旨ハ孰レモ理由ナキモノトス」(大判大九・一一・一八民録二六・一七一四、民抄録九〇・二三一九九、谷口・二三三頁)。

これは、Hedemann のいわゆる藁人形の挿入による不当利得(Bereicherung durch Strohmänner)を認めたものである。この場合、谷口教授は、XはYへ給付したわけだからXY間に法律上の原因がなければ、XはYに対しても不当利得の訴をなし得べく、Yの利得不現存またはYの無資力を前提としてMに責任を認むべきものと解せられる（谷口・二二四頁以下）。しかし、XY間に法律上の原因を欠くときXがYに対し不当利得返還請求権を有することはいうまでもないが、Mに対しても必ずしもYの無資力を前提とせず不当利得の訴を提起することができると思う。これに反し、XY間に法律上の原因、例えば契約が存する場合には、直接Mに対し不当利得返還請求権を有しない。ただ例外として契約上の訴権がXの過失によらないで消滅し、またはYが無資力となつた場合にこれを認めることができる（松坂・二五三頁参照）。

三　なお、利得が損失者の給付行為に基づかない場合においても、次の判決は損失と利得との間に直接の因果関係を認めている。

【20】　Aは債務者Xの不動産を差押え強制競売をしたところ、YはXと通謀して虚偽の債権証書を作成し、仮装の債権に基づいて配当手続に加入し配当金を不当に受領した。XからYに対し不当利得の返還を請求する。原審ではX勝訴。Yから上告。棄却。

「上告人Yガ虚偽ノ債権ニ基キ被上告人Xノ不動産ノ競売売得金ヨリ配当ヲ受ケタルモノナレバ、YハXノ財産ニ因リ不当利得ヲ為シタルモノトス。Yノ虚偽ノ債権ニ基ク配当加入ハXニ対スル債権者Aノ受クベキ配当額ヲ減少シタルニ止マリ、之ヲ以テYガAノ財産ヨリ配当ヲ受ケタルモノト為スベカラズ。而シテYノ虚偽ノ債権ニ配当セラレタル額ハ則チXガ正当ノ債権者ニ配当セラルルコトニ因リ債務ヲ免カルベキニ之ヲ免カレザリシ損失ヲ被リシ額ニ外ナラザレバ、不当利得ノ債権関係ハXトYトノ間ニ成立スベキヤ明瞭」なり（大判大四・六・一二民録二一・九二四民抄録五七・一二八八八、谷口・二二七頁）。

すなわち、判例は、Xは正当の債権者に配当せられることにより債務を免かるべきに免かれなかつた損失を蒙り、YはXの不動産競売売得金から配当を受けた額の範囲で利得したものであるから、その間に因果関係があるが、Aはその受くべき配当額を減少しただけで、弁済を受けられなかつた額については依然としてXに対し債権を有するから損失を蒙らないとしている。しかし、Aに帰すべき財産が不当にYに帰したのであるから、実質的にはやはりAは損失を蒙つている。したがつて、Aの損失とYの利得との間には間接の因果関係を認むべく、AはYに対し不当利得返還請求権を有すると解すべきである。YがすでにXに返還した場合にはもはや利得は存しないから、これをもつてAに対抗することができる(谷口・二二七頁以下参照)。

但し、判例も、競売法第三三条による競売代金の配当において、配当を受くべからざる者が誤て配当を受けた場合には、配当行為は実体上の権利を確定するものでないとの理由で、右の者に対し、債務者からのでなく、配当を受くべかりし者からの不当利得返還請求権を認めている(大判明四三・一一・二五民録一六・七九五〔原因39〕、同旨大判大三・七・一民録二〇・五七〇、同昭一六・一二・五民集二〇・一四四九)。

【21】 X銀行は訴外Aからその建物等につき第二順位の抵当権の設定を受けた上、Aに対し五十万円を貸与したが、Aが期日に弁済しなかつたので、抵当権の実行として競売の申立をし、競売許可決定がなされた。そしてその競売代金を配当するに当り、Yは前記抵当物件に対する第一順位の抵当権者として三十二万四千二百五円につき配当要求を申立て全額の配当を受けた。その結果Xは七千二百六十九円の配当を受けたのみであつた。ところが後に、Yの債権はすでに弁済によつて消滅し、したがつて第一順位抵当権もまた消滅していたものであることが判明した。そこでXはYに対し不当利得返還を訴求する。第一審第二審ともX勝訴。Y上告。棄却。

「論旨は、本件不当利得については、訴外Aが損失者であると主張する。しかし、かりにAが損失者であるとしても、被上告銀行Xもまた損失者である。けだし民法第七〇三条の「他人の財産」というのは、既に現実に他人の財産に帰属しているものだけでなく、当然他人の財産としてその者に帰すべきものを含む意味に解すべきであり、上告人YはXに帰属すべき財産に因りて利益を受けたものだからである。それ故原審がXに不当利得返還請求権ありとしたのは正当であつて、論旨は理由がない（大判昭一六・一二・五民集二〇・一四四九参照）」（最判昭三二・四・一六民集一一・四・六三八）。

これに反し、田地売買契約後に、耕地整理に基づく換地処分により反別が減少し、よつて売主の他の地所が増加しても、それは耕地整理の結果で契約と何ら因果関係あるものではないとする。

【22】　XはY所有の田地九畝一六歩畦畔一畝四分を耕地整理中であることを知らず、代金四百円で買受け同日その所有権移転登記を了した。ところがその後地租上納の際に始めて右田地が耕地整理の結果他の地所三畝一〇歩と換地せられ、買受反別より六畝六歩を減少していることを発見し、次で登記官吏から耕地整理区内であるから登記してはならないとて所有権移転登記を抹消せられた。然るに、Yは耕地整理前田一町五反五畝二歩を所有していたのに、整理の結果田一町五反七畝一一歩の交付を受け、差額二畝九歩を増加した。そこでXはYに対し減少反別に対する代金二百六十十円十四銭を不当に利得したものとして返還を請求する。一審二審ともにY敗訴。Yは上告して特定物売買成立後の換地処分により換地面が増減変更することは売主たるYの責に帰すべき事由ではないから、これによる損益は買主たるXに帰すべきだと主張した。破毀自判。

「被上告人Xノ本訴請求ノ要旨ハXニ於テ上告人Y所有ノ田地ノ耕地整理施行中ナルコトヲ知ラズシテ大正六年一二月二七日代金四百円ニテ之ヲ買受ケ、即日其ノ所有権移転ノ登記ヲ了シタルモノナル処、其ノ後大正八年六月一〇日地租上納ノ際初メテ右田地ガ耕地整理ノ結果他ノ地所ト換地セラレ買受反別ヨリ六畝六歩減少セシコトヲ発見シタルガ、次デ同九年六月六日登記官吏ヨリ耕地整理地区内ニテ登記スベカラザルモノナリトテ右所有権移転登記ヲモ抹消セラレタリ。而シテYハ耕地整理前田一町五反五畝二歩ヲ所有シ居タルモ整理ノ結果田一町五反七畝十一歩ノ交付ヲ受ケ差額二畝九分ヲ増加スルニ至リ、即Yハ前述減少額ニ対シ他ノ地所ヲ以テ其ノ減少額以上ノ交付ヲ受ケタルモノニシテ、Yハ初ヨリ耕地整理中ノ地所ナルコトヲ秘シXニ売却シ以テXヲシテ其ノ買受代金ノ割合ニ於ケル右減少反別ノ代金ヲ損失セシメ、Yハ之ヲ不当ニ利得シタルモノナルニ付之ガ返還ヲ請求スト云フニ在リテ、就中右当事者間ノ売買ニ関シXガ其ノ目的タル地所ノ耕地整理施行中ナルコトヲXニ秘シタリトノ事実ハ原審ノ否定シタル所ナルモ、其ノ売買契約ガ成立シ其ノ代金ヲ授受シタル後ニ於テ耕地整理ニ基ク換地処分ノ結果売買地所ノ反別ニ比シ六畝六歩ヲ減少セラルルニ至リタルコト、及Y所有ノ他ノ地所ガ耕地整理ノ結果其ノ以前ニ比シ二畝九歩ノ増加ヲ来シタルコトハ原判決ノ肯定シタル所ナリ。左レバ売買契約ガ成立シ其履行後ニ生ジタル所謂耕地整理ニ基ク換地処分ニ原因シ買受地所ニ比シ其ノ反別ノ減少ヲ来シ売主所有ノ他ノ地所ガ却テ其ノ反別ヲ増加シタル現象ヲ呈シタリトスルモ、這ハ単ニ耕地整理ノ結果ニ外ナラズシテ売買契約ト何等因果ノ関係アルモノト謂フベキモノニ非ザルガ故ニ、為ニ買主タルXニ於テ其ノ減少反別ニ対スル代金ヲ損失シ従テ売主タルYハ不当ニ其ノ代金ヲ利得シタルガ如キ結果ヲ生ジタリトスルモ売主タルYニ対シ之ガ返還ヲ請求シ得ベキモノニ非ズ。何トナレバ既ニ其ノ売買契約ガ完全ニ履行セラレタル以上ハ其ノ目的タル地所ノ反別ガ或事情ノ為減少セラルルコトアルモ売主ノ責ニ帰スベキ事由ニ由リタルモノニ非ザル以上ハ、其ノ減少ノ為生ジタル損害ガ其ノ買主ノ負担ニ帰スベキハ普通一般ノ場合ニ於テ論ナキ所ナルノミナラズ、之ト同ジク本件ノ場合ニ於ケルガ如ク其ノ売買契約履行後ニ於テ所謂耕地整理ニ基ク換地処分ニ原因シ、売主所有ノ他ノ地所ガ其ノ反別ヲ増加シタルニ反シ、買主ニ交付セラレタル地所ガ買受地所ニ比シ其ノ反別ノ減少ヲ来シタルハ固ヨリ売主ノ責ニ帰スベキ事由ニ因リタルモノト謂フヲ得ザレバ、此場合ニ限リ為ニ生ジタル損害ヲ買主ニ負担セシムベカラザル理由アルコトナク且若シ斯ル場合ニ於テ其ノ救済ヲ為スコトヲ許容スルトキハ、売買契約履行後幾多ノ星霜ヲ経過シタル後ニ於テ発生シタル場合ト雖其ノ減少シタル反別ノ割合ニ応ジ其ノ売主ヨリ買主ニ対シ売買代金ニ相応シタル金額ヲ返還セザルベカラザル結果ヲ生ズルニ至リ取引ノ安全ヲ保持スルニ由ナキヲ以テナリ」（大判大一一・四・二八民集一・二二八、平野・判民大正一一年度三三事件、谷口・二二八頁）。

換地は、位置・地形・地質等の諸般の事情を考慮して等価値の土地として行われるのであるから、Xの買受けた土地の坪数が換地の結果減少したというだけでは、Xに損失があるとはいえない。しかし、X取得の土地が坪数を減少し、しかも等位が毫も上昇しないのに、他方Y取得の土地がそれに対応して増加し、且つ等位が下降していないとすると、Yは法律上の原因なくしてXの損失において利得したことになる（谷口・二二九頁、平野・判民大正一一年三三事件は民法五六五条の場合と精神上同一視すべきものとする）。したがつて、かかる場合には、XからYに対する不当利得返還請求権を認むべきである。

法律上の原因なきこと

松坂佐一

一　意　義

民法は、不当利得の要件として、法律上の原因のないことをあげている（七〇三条）。これは、スイス債務法が「不当な方法において」"in ungerechtfertigter Weise" というのと同じ意味であつて、利得の不当性を示すものである（松坂・二七〇頁以下、事務管理・不当利得五九頁以下、石田・二三三頁）。それでは、いかなる場合に利得が不当性ありとして、これを返還しなければならないか。不当利得制度の基礎と関連する困難な問題であつて、各種の不当利得について統一的基礎を求める説は、法律上の原因なしとの意義についてもまた、これを統一的に定めようと努め、これに反し、各種の不当利得について個別的にその基礎を明かにしようとする説は、それぞれの不当利得についてその意義を定めようとする（末弘・九四一頁、ドイツではこの立場にたつ学者が多い。谷口・四二頁参照）。判例の中には前の立場をとつて、「抑所謂法律上ノ原因トハ猶正当ナル原因ト云フガ如シ、何ヲカ正当ト云フ歟ハ必シモ二三法条ニ踞蹐スルコト無ク善ク大処高処ニ立チ以テ当該利得ハ正義公平ノ観念上之ヲ正当トスルヤ否ヤヲ討スルニ因リテ始メテ暁ルヲ得ベキ問題ト為ス」と判示しているものがある（大判昭一一・一・一七民集一五・一〇一〔因果18〕）。この判例の見解は統一説の中でも、公平説に属するものである。この説は、法律上の原因なしとは、一般第三者に対する関係においては一応利得者に帰属した利得を、そのまま損失者に対する関係においてもまた保有せしめることが、公平の原則に反することを意味すると解するものである（我妻・三一頁・五三頁以下、東・判民昭和一〇年度一四事件）。私もこの説に賛する。けだし、非統一説の主張するように、固より各種の不当利得について、法律上の原因の意味を具体的に明かにすることは必要であるが、ローマ法におけるように各種の不当利得が個別的にでなく、現代法にあつては不当利得制度として統一的に把握さるべきものである限り、その要件たる法律上の原因なしとの意味もまた統一的に定めらるべきである。そして、統一説の中にも種々の学説があるが（松坂・二七〇頁以下、事務管理・不当利得六〇頁以下参照）、公平説が最も不当利得制度の趣旨に適する。しかし、公平の観念は柔軟性に富む代りに漠然たるを免れないので、各種の不当利得について、その具体的内容を明かにすることに努めなければならない。その場合にも飽くまで公平の理念をもつてその指導原理とする点で、非統一説と区別される。

二　法律上の原因なしとせられる場合

もともと、不当利得制度は、給付行為が原因を欠く場合について発達したものであるが、後に給付行為以外の事由による不当利得の場合を包摂し、同じ訴をもつて訴求せられるに至つたので、学者は給付行為以外の事由による不当利得の場合をも、給付行為に基づく不当利得の観念をもつて統一しようと試みた。かくて、原因なくして（sine causa）ということが、不当利得の一般的特徴と考えられるようになつた。しかし、このように、両者はその沿革上の理由を異にしているから、利得の不当性すなわち法律上の原因なしとの具体的意義を定めるについては、両者を区別して考察するのが便宜である（松坂・二八一頁以下、事務管理・不当利得六四頁以下参照）。

一　利得が給付行為に基づく場合

出捐行為は、一定の経済上の目的を達成するために行われるのが常である。この目的は、出捐をなすに至らしめたものであるから、また出捐行為の原因（causa）とよばれる。したがつて、出捐行為がその原因を欠く場合に、受領者をして給付を保留せしめることは、公平の理想に反する。それ故、給付行為に基づく不当利得においては、その出捐の原因がすなわち法律上の原因である（我妻・五三頁）。判例もこのことを認めている。次に場合を分けて考察しよう。

（一）当初から目的を欠く場合　出捐の原因を含む法律行為、すなわち債権行為が成立しないか或は無効なときは、給付は目的を欠き不当利得となることは、判例学説の認めるところである。すなわち、判例は、譲渡契約の目的たる債権不存在のため無効な譲渡契約に基づいて対価たる金銭が交付せられた場合（大判大三・一一・二七【1】）、虚無の名を署したために無効な株式申込に基づいて証拠金が払込まれた場合（大判明四四・一一・九【2】）、要素に錯誤があるため無効な売買契約に際し手附として手形が授受せられた場合（大判大九・三・九【3】）、無権代理人の相手方が本人に対しその追認前に給付をなした場合（大判大八・一二・一二【4】）には法律の原因なしとする。

【1】　YはAに対し金五百円の債権を有すと称しXにこれを譲渡したるも、右金五百円はYがAらの組織せる鰤大敷網組合に将来加入した場合の出資金として組合に交付したもので、もし組合に加入しないときはAにおいて引受けて返還すべく約したところ、その後Yが同組合に加入した結果Aから返還を要せざるに至り、YのAに対する権利は譲渡当時すでにその存在を有しないに至つたに拘らず、Yはその事実を熟知しながら貸金債権を有すと称してXに譲渡したものであつた。そこでXは該債権譲渡契約は目的物の不存在により初めから有効に成立しなかつたものであるから、YがXより支払を受けた譲渡代金三百二十円は法律上の原因なくして不当に利得したものであるとして、これが返還を請求する。第一審第二審ともにY敗訴。Y上告。棄却。

「譲渡契約ニ基キ譲渡人ガ譲受人ヨリ対価ヲ受ケタル場合ト雖モ、譲渡契約ガ法律上無効ナルニ於テハ即チ法律上ノ原因ナクシテ之ヲ受ケタルモノニ外ナラズ。本件ニ付原院ハ当事者ガ譲渡契約ノ目的トセシ債権ハ上告人YガA等ノ組織セル鰤大敷網組合ニ加入シタルニ因リテ消滅シ、譲渡当時既ニ存在セザリシ事実ヲ認メタルガ故ニ該譲渡契約ヲ無効ナリト判定シタルモノナルコト判文上明白ナリ。左レバ譲渡人タルYガ債権ノ対価トシテ被上告人Xヨリ金三百二十円ヲ受取リタルハ法律上ノ原因ナキコト多言ヲ要セズ。原院ガXノ不当利得金返還ノ請求ヲ理由アリト判定シタルハ正当ニシテ、Yノ本訴譲渡契約ヲ詐欺ニ因ル意思表示トシテノ論難ハ原院ノ判旨ニ副ハズ」(大判大三・一一・二七民録二〇・九九一、民抄録五一・一一九九七)。

【2】 Xは虚偽の名義を用いて株式の申込をしたものであるから、その申込は初めからなかつたと同一で、証拠金の払込は法律上何らの原因がないとして証拠金の利息の償還をY会社発起人に対して請求する。原審ではX敗訴。X上告。棄却。

「株式ノ申込ヲ為サントスル者ハ株式申込証二通ニ其引受クベキ株式ノ数ヲ記載シ之ニ署名スルコトヲ要スルハ商法第一二六条ノ明定スル所ニシテ、其署名ハ自己ノ名ヲ署スルノ義ナルコトハ言ヲ俟タザル所ナレバ、虚無人ノ名ヲ署シテ為シタル株式申込ハ発起人ガ之ヲ知レルト否トヲ問ハズ絶対ニ其効ナキモノトス。然レバ上告人Xガ虚無人ノ名ヲ以テ為シタル株式ノ申込ハ無効ニシテ、之ニ基キ払込ミタル証拠金ハ被上告会社Yノ発起人ニ於テ法律上ノ原因ナクシテ受ケタル利益ナリト謂フヲ得ベシト雖モ、虚無人ノ名ヲ以テ為シタル申込ナルコトヲ発起人ガ知リ居リタルノ事実ハ原院ノ否定シタル所ニシテ、発起人ハ善意ノ受益者ナレバ其受ケタル利益ノ利息ヲ償還スルノ義務ナキハ民法第七〇四条ノ反面解釈上明ナル所ナリ。Xノ第二ノ請求金千六円三十五銭ハ発起人ガXノ払込ミタル証拠金ヲ利用シテ収得シタル利息ノ内Y会社ニ現存スルモノ即現存スル不当利得トシテ請求スルモノナレドモ、其実不当ニ利得シタル証拠金ニ対スル利息ヲ請求スルモノニ外ナラザレバ、其請求金ノ内虚無人ノ名ヲ以テ為シタル株式申込ノ証拠金ニ対スル利息ノ請求ハ其理由ナキモノトス。自己ノ名ヲ以テ為シタル株式申込ニ至リテハ固ヨリ有効ニシテ、之ニ基キ払込ミタル証拠金ハ之ヲ不当利得ナリト謂フヲ得ザレバ、右請求金額中其証拠金ニ対スル利息ノ請求ハ前段ノ論理ヲ以テ之ヲ排斥スルヲ得ズト雖モ、後ニ上告論旨第五点ニ対シ説明スル所ニ依リ明ナルガ如ク其請求モ亦不当タルヲ免レズ。之ヲ要スルニ原院ガ虚無人ノ名ヲ以テ為シタル株式申込ヲ有効ナリト判示シタルハ違法ナリト雖モ請求ヲ却下シタルハ結局正当ナリト謂ハザル可ラズ」。但し、この判決は、株式の申込人が株式の割当を得ない場合、発起人は証拠金を返還しなければならないが、それは不当利得返還義務ではなく、寄託関係から生ずる義務に基づくものであるとする。「Xノ名ヲ以テセル株式申込ノ証拠金ヲ利用シテ得タル利息ノ請求ニ関シ原院ノ裁判ガ所論ノ如ク不法ナリヤ否ヤヲ按ズルニ、株式申込人ガ株式ノ割当ヲ得ザルトキハ株式引受ガ成立セザルニ止マリ、之ガ為メ株式申込ハ無効トナルモノニ非ザレバ、此場合ニ於テモ申込無効トナリテ証拠金ノ払込ハ無原因ニ帰ストノXノ主張ハ原院ノ見解如何ニ拘ラズ法理上理由ナキモノトシテ之ヲ排斥セザルベカラズ。故ニ原院ガ此主張ニ対シ言及スル所ナカリシハ不法ナリトスルモ以テ原判決ヲ破毀スルニ足ラズ、又株式申込ノ証拠金ナルモノハ申込人ガ他日株式引受ノ成立シタル場合ニ払込ムベキ株金ノ払込ヲ怠リテ失権シタル場合ニ於ケル違約金トシテ株式引受ガ成立セザルトキハ之レガ返還ヲ受クベキ条件ノ下ニ其処分ヲ許シテ発起人ニ寄託スルモノナルハ一般ノ慣習トシテ認メラレタル所ナレバ、申込人ガ株式ノ割当ヲ得ザルニ於テハ発起人ハ之ヲ申込人ニ返還セザル可ラザルハ勿論ナリト雖モ、是レ寄託関係ヨリ生ズル義務ヲ履行スルモノニシテ不当利得トシテ返還スベキモノニ非ズ。而シテ証拠金ハ発起人ニ於テ之ヲ処分スルコトヲ得ルモノナル以上ハ其所有権ハ其払込ト同時ニ発起人ニ移転シ、従テ発起人ガ之ヲ利用シテ利息ヲ得ルコトハ其当然ノ権利ニ属スルガ故ニ、特別ノ約束ナキ限リハ其利息ヲ申込人ニ返還スルノ義務ナキハ寔ニ原院判示ノ如シ」(大判明四四・一一・九民録一七・六八五民抄録四二・九六一五)。

【3】 XはYの詐欺により本件山林売買契約を締結したが、後に該売買は目的物に関する錯誤、すなわち法律行為の要素に錯誤があり無効のものなることを理由に、該契約に当り手附としてYに交付した金五百円の約束手形の返還を請求する。原審ではXの請求がいれられたので、Yから上告。棄却。

「当事者間ニ於ケル手形ノ授受ガ特定ノ法律行為ニ基キ為サレタル場合ニ其法律行為ガ無効ナリシトキハ当事者間ノ授受ハ其原因ヲ欠クヲ以テ手形ヲ交付シタル者ハ之ヲ受取リタル相手方ニ対シ該手形ノ返還ヲ求メ得ベ

キモノトス。而シテ本件ニ於テハ被上告人Xハ上告人Yニ対シXガ買受ケタル山林売買代金ノ内金ノ支払ニ充ツルタメYヲ受取人ト為シタル約束手形ヲ振出シYニ交付シタルニ、該山林売買契約ハ要素ニ錯誤アルヲ以テ無効ナリシコトハ原判決ノ確定シタル事実ナルヲ以テ、当事者間手形授受ノ原因ヲ欠クモノナレバ、Yハ其交付ヲ受ケタル係争手形ヲXニ返還スベキ義務アルモノニシテ、Yガ係争手形ノ現時ノ所持人ニ非ザリシコトハYニ於テ第一審以来之ヲ主張セザリシコト第一審及原審口頭弁論調書ニ依リ明カナルヲ以テ、原判決ガ其受取人トシテ交付ヲ受ケタル手形ノ返還ヲYニ命ジタルハ正当ニシテ論旨ハ理由ナシ」（大判大九・一二・九民録二六・一八九五民抄録九〇・二二三一一）。

【4】　MはAの代理人だと称してAのためにX_1及びX_2の先代Bの両名に対して、A所有の山林数十筆を代金三千余円で売渡し、同時に右代金中から金三百二十八円余をもつて、さきにMがYに対しAの代理人と称してA所有の前記土地に抵当権を設定しYから借受けた債務の弁済方を$X_1$$X_2$両名に委託し、両名は無権代理の事実を知らないで右売買をなし、かつ代金の一部をもつてこれが弁済をなしたが、AはMの無権代理行為を追認しなかつた。$X_1$$X_2$からYに対し右金員の受領は法律上の原因を欠く故に、不当利得としてその返還を請求する。

「無権代理人ノ為シタル契約ハ本人ガ其追認ヲ為スニアラザレバ本人ニ対シ効力ヲ生ゼザルヲ以テ、相手方ハ本人ニ対シ契約上ノ債務ヲ負担セザルコト勿論ナレバ、其追認前ニ於テ本人ニ対スル契約上ノ債務ノ履行トシテ相手方ノ為シタル給付ハ即チ法律上ノ原因ナクシテ為シタル給付ニ外ナラザレバ、其利得者ハ不当利得ノ原則ニ従ヒ之ガ返還ヲ為スノ義務アルモノトス。本訴ニ於テ原審ノ確定スル所ニ依レバ訴外Mハ代理権ナキニ拘ラズ訴外Aノ代理人トシテ同人ノ為メニ上告人X_1及ビ同X_2ノ先代Bノ両名ニ対シA所有ノ山林数十筆ヲ代金三千余円ニテ売渡シ同時ニ右代金中ヨリ金三百二十八円八十銭ヲ以テ曩キニ訴外Mガ被上告人Yニ対シ代理権ナキニ拘ハラズAノ代理人トシテ同人ノ為メニ同人所有ノ前記土地ニ抵当権ヲ設定シYヨリ借受ケタル債務ノ弁済方ヲ上告人両名ニ委託シ、上告人両名ハ無権代理ノ事実ヲ知ラズシテ右売買ヲ為シ且ツ代金ノ一部ヲ以テ之ガ弁済ヲ為シAハ未ダ訴外Mノ無権代理行為ヲ追認セズト云フニ在リテ、訴外Mガ訴外Aノ無権代理人トシテX_1及ビX_2先代Bトノ間ニ為シタル土地売買契約並ニYトノ間ニ為シタル消費貸借契約及ビ抵当権設定行為ハ何レモ訴外Aガ追認ヲ為スニアラザレバ同人ニ対シ効力ヲ生ゼザルヲ以テ上告人等ハ代金支払ノ義務ナク、従テ其債務履行ノ一部トシテ訴外Mノ委託ニ基キYニ対シ為シタル金員ノ支払ハ即チ法律上ノ原因ナクシテ為シタル給付ナルト同時ニ、Yハ訴外Mノ無権代理行為ニ依リ訴外Aニ対シ未ダ前示消費貸借上ノ債権ヲ取得セザルヲ以テ、上告人両名ノ訴外Aノ債務弁済トシテ為シタル給付ノ受領ハ即チ法律上原因ナクシテ他人ノ財産ニ依リ利得シタルモノニ外ナラザレバ、Yハ不当利得トシテ右金員ノ返還ヲ為サザルベカラザルヤ明白ナリトス」（大判大八・一二・一二民録二五・二二八六民抄録八六・二〇七七四）但し、この判決の結論には賛成できない。

なお、法律行為が後になつて取消または解除された結果、目的が遡及的にその存在を失うに至る場合もまた同じく、法律上の原因がないこととなる。法律行為が取消された場合に、判例は原状回復義務と不当利得返還義務との競合を認めている（大判明四五・二・三【5】）。しかし、買主が売主から一部の履行を受けたに過ぎないのに全部の代金を支払つた場合においても、売買契約が解除せられない限り、買主は全部の代金を支払うべき義務を有するから、超過代金は不当利得とならない（大判大八・一二・一一【6】）。

【5】　Xは株式定期売買をなすために証拠金として金三百円を取引所仲買人たるYに交付し、株の買建をYに委託したが、Xは当時未成年で右行為は親権者の同意を得なかつたのでこれを取消し、右金員の返還を請求する。

「民法第一二一条ノ規定ニ依レバ取消シタル法律行為ハ初メヨリ無効ナリシモノト看做スヲ以テ、第一ニ取消アリタル法律行為ノ効力ハ当然未ダ曽テ発生セザリシト同一ノ状態即チ原状ニ復スルモノトス。故ニ該行為ニ因リテ利益ヲ取得シタルモノハ悉ク之ヲ相手方ニ返還セザルベカラズ。従テ法律行為ニ因リテ給付ヲ為シタル者ハ其行為取消ノ後其効力トシテ相手方ニ対シ斯ル給付ニ因リテ取得シタル利益ノ返還ヲ請求スルコトヲ得ベク、第二ニ当事者ノ一方ガ他方ニ対シ財産上ノ給付ヲ為スノ原因タル法律行為ガ取消サレタルトキハ、財産上ノ給付ヲ受ケタル者ハ法律上ノ原因ナクシテ他人ノ財産ニ因リ利益ヲ受ケ之ガ為ニ他人ニ損失ヲ及ボシタル者ト為ル。従テ斯ル行為ニ因リテ財産上ノ給付ヲ為シタル者ハ之ヲ受ケタル相手方ニ対シ不当利得ノ原則ニ基キ利益ノ返還ヲ請求スルコトヲ得ベシ。而シテ法律行為ニ因リテ財産上ノ給付ヲ為シタル者ハ法律上別段ノ制限ナキヲ以テ、其行為取消ノ後自己ノ選択ニ従ヒ取消ノ効力トシテ利益ノ返還ヲ請求シ、又ハ不当利得ノ原則ニ基キテ利益ノ返還ヲ請求スルヲ得ルコト言ヲ俟タザル所トス。今本件記録ヲ閲スルニ本件ノ要旨ハ上告人Xニ於テ株式定期売買ヲ為スガ為メ証拠金トシテ金三百円ヲ大阪株式取引所仲買人タル被上告人Yニ交付シ東京鉄道株七十株及ビ神戸電鉄株八十株ノ買建ヲYニ委託シタルモ、Xハ其当時未成年ニシテ右行為ハ親権者ノ同意ヲ得ズシテ為シタルモノナルガ故ニ右証拠金ト同額ノ金円ノ返還ヲ請求スト云フニ在ルニ止マルヲ以テ、其請求ガ法律行為取消ノ効力ニ基因スルヤ又ハ不当利得ノ原則ニ根拠スルヤ不明ニ属ス。故ニ裁判所ハ民事訴訟法第一一二条ノ規定ニ従ヒ事件ノ関係ヲ定ムルニ必要ナル陳述ヲ為サシメ以テ其何レナルカヲ明カニセザルベカラズ。然ルニ原裁判所ハ事玆ニ出デズシテ『被控訴人X請求ノ訴旨ハXハ株式定期売買ヲ委託スル為メ証拠金トシテ金三百円ヲ控訴人Yニ交付シ該金ノ所有権ヲ移シ以テ東京鉄道株七十株及ビ神戸電鉄株八十株ノ買建ヲYニ委託シタルニ、Xハ其当時未成年者ニシテ右行為ハ親権者ノ同意ヲ得ズシテ為シタルモノナルガ故ニ之ヲ取消シ、右交付シタル証拠金ト同額ノ金円ノ返還ヲ求ムト云フニ在ルコトハXノ主張自体ニ徴シ明カナル所ナリ。果シテ然ラバXハ不当利得ヲ以テ其請求原因ト為スモノト謂ハザル可カラズ。何トナレバXハ其為シタル右行為ヲ取消スヲ以テ交付シタル金額ト同額ノ金三百円ヲ請求スト云フニ在リテ、而シテ取消ハ行為ヲ初メヨリ無効ナリト看做サシムル効力アルガ故ニXノ請求ハ畢竟Yガ法律上ノ原因ナクシテ得タル利益ノ返還ヲ求ムト云フニ帰着スレバナリ』ト判示シXニ敗訴ノ判決ヲ為シタルハ前示ノ法則ヲ適用セザルノ不法アルモノトス。従テ本論旨ハ結局理由アリテ原判決ハ全部破毀ヲ免カレザルモノトス」（大判明四五・二・三民録一八・九九）。

【6】「原判決事実摘示ニ依レバ本件甲第一号証ノ売買契約ガ解除セラレタルニアラザルコト原審ニ於テ争ナカリシモノト謂フベク、売買契約ガ未ダ解除セラレザル間ハ買主ハ契約ニ定メタル総テノ財産権ノ移転ヲ求

ムルノ権利ヲ有スルト同時ニ契約所定ノ代金ノ全部ヲ支払フノ義務ヲ有スルモノニシテ、売主ガ一部ノ履行ヲ為シタル場合ト雖モ全部ノ代金ヲ支払フベキ買主ノ義務ハ依然存続シ、唯売主ヨリ超過代金ノ支払ヲ請求セラレタル場合ニ於テ同時履行ノ抗弁ヲ提出スルコトヲ得ルニ過ギザルモノナルコトヲ、売買契約ノ双務契約タル性質ヨリ当然生ズル帰結ナリトス。故ニ買主ガ売主ヨリ一部履行トシテ受取リタル目的物ノ代金ヨリ以上ノ金額ヲ支払ヒタル場合ニ於テモ其超過額ハ法律上ノ原因ナクシテ支払ヲ為シタルモノニアラザルヲ以テ不当利得トナルモノト謂フベカラズ。従テ上告人ガ原審ニ於テ請求シタル売買代金ノ過渡金ハ被上告人ノ為メニ不当利得トナリタルモノニアラザレバ、其返還ノ請求ハ不当ナリトシテ排斥セラレザルベカラザルモノニシテ原裁判所ガ其請求ヲ排斥シタルハ結局相当ニ帰ス」（大判大八・一二・一一民録二五・二二八〇民抄録八六・二〇七七二）。

また、債務が存在しないに拘らず、誤つて弁済として給付がなされた場合も同様であつて、判例は旧債務者が更改によりすでに消滅した債務を弁済した場合（大判大六・五・一四【7】）、買戻約款附で土地を売渡しこれを賃借する者が、買戻権の行使後賃借料を支払つた場合（大判昭五・六・一二民集九・五三二）にこのことを認めている。但し、この場合には七〇五条の制限を受ける（我妻・五四頁、鳩山・八〇五頁）。

【7】「原判決ノ認ムル所ニ依レバ被上告人ガ上告人ニ対シテ負担シタル金百八十円ノ利息債務ハ訴外Aニテ引受ケ債務者ノ交替ニ因ル更改ニ依リ既ニ消滅シタルニ拘ハラズ、被上告人ハ誤テ余分ノ支払ヲ為シ上告人ハ之ガ為メニ不当ナル利益ヲ取得シタリト云フニ在ルヲ以テ、上告人ガ其過払金ノ返還ヲ為スベキハ当然ニシテ、Aノ引受ケタル金百八十円ノ債務ヲ果シテAヨリ上告人ニ弁済シタリシヤ又ハ之ヲ弁済スルノ資力アリヤ否ヤ等ノ事実ハ毫モ本件請求ノ当否ニ影響スル所ナキヲ以テ、原審ガ此等ノ点ニ付キ判断ヲ与フルノ要ナシト判示シタルハ固ヨリ相当ニシテ論旨ハ上告ノ理由ト為ラズ」（大判大六・五・一四民録二三・七八六民抄録七一・一六三〇三）。

（二）目的不到達の場合　将来成立する目的のために給付がなされたけれども、その目的が不成立に終つた場合に法律上の原因のないこともまた、判例学説によつて認められている（我妻・五六頁、松坂・三三〇頁註一四〇参照）。例えば、他人の使用人に雇入れられることを目的として謝金契約を締結したのに、雇入れられなかつた場合（大判大七・七・一六【8】）、結納を交付した後婚姻が合意の上解除せられた場合（大判大六・二・二八【9】）の如くである。その他、弁済を受けることを前提として受取証書を交付したに拘らず、債務者が弁済をしなかつた場合、停止条件附債務において条件の成就を予期して弁済したけれども、その条件が不成就に終つた場合においてもまた同様である（松坂・二九四頁、事務管理・不当利得六八頁参照）。

【8】　YはXの周旋によつてAに雇入れられることを条件として、Xに謝金七十円を給付すべきことを約したが、結局Aに雇入れられなかつた。然るにXは右債務の履行を請求する。

「或結果ノ発生ヲ目的トシテ義務ヲ負担シタル場合ニ其結果ガ発生セザルニ至リタルトキハ、権利者ハ法律上ノ原因ナクシテ利得シタルモノナルガ故ニ、義務者ハ権利者ニ対シ不当利得ノ返還トシテ其負担シタル義務ノ排除ヲ請求スルコトヲ得ルハ勿論、返還請求権ヲ行使セズシテ義務履行ノ請求ヲ拒絶スルコトヲモ得ベシ。被上告人Yが上告人Xノ周旋ニテAノ使用人ニ雇入レラルルコトヲ条件トシテXニ謝金七十円ヲ給付スベキコトヲ約シ、当事者間ニ該謝金ヲ目的トシテ消費貸借ヲ為シタルハ原判決ノ確定シタル所ナルコト判旨ニ徴シテ之ヲ知ル可シ。其所謂条件ノ意義如何ハ疑義ヲ容ルベキ余地ナキニ非ザレドモ、之ヲ停止条件ノ意義ニ解センカYガXノ周旋ニ依リテA家ニ雇入レラルル迄ハ謝金給付ノ義務ハ未ダ発生セズ給付スベキ謝金存セザレバ、之ヲ目的トシテ消費貸借ヲ為スコトハ理論上不可能ニ属シ原判決ノ認定ハ没理ニ帰スルヲ以テ、所謂条件ハ之ヲA家ニ雇入レラルルコトヲ謝金契約ノ目的ト為シタルノ意ニ解スルヲ以テ真意ヲ得タルモノトス。条件ノ意義ニシテ如此ナル以上ハ謝金契約ハ単純ニ其効力ヲ発生シ、謝金ヲ目的トシタル消費貸借ノ有効ナルコト言ヲ俟タズ。然レドモ謝金契約ノ目的トシタル結果ガ不発生ニ帰シタルコト原判決ノ確定シタルガ如クナル以上ハ、

Xノ得タル謝金債権ハ法律上ノ原因ナキ利得トナリ、従テ謝金ヲ目的トナシタル消費貸借上ノ債権モ亦不当利得ナルヲ以テ、Yハ其債務履行ノ請求ヲ拒絶スルコトヲ得ベキハ当然ナリ。原判決ガXハYヲA家ノ使用人ニ推薦スルコト能ハザリシニ因リYハ謝金ヲ給付スベキ義務ナク、従テ謝金ヲ目的トシタル準消費貸借ハ其効力ヲ発生セザルモノトナシ、此理由ヲ以テ消費貸借ニ基ク本件請求ヲ排斥シタルハ正当ナラザレドモ、Yガ謝金契約ノ目的トシタル結果ノ不発生ヲ事由トシテ本訴請求ヲ拒絶スルハ理由アルヲ以テ原判決ハ結局正当ナリト謂ハザル可ラズ」(大判大七・七・一六民録二四・一四八八民抄録七九・一八五一四)。

【9】 Xの長男AとYの二女Bとの間に婚約が成立し、XからYに結納金を交付した。後に右婚約が合意の上解除されたのでXからYに対し右の金員を不当利得として返還を求める。Yは未だ贈与契約そのものは消滅していないと争う。「男女ノ婚姻成立ニ際シ嫁聟ノ両家ヨリ相互ニ又ハ其一方ヨリ他ノ一方ニ対シ結納ト称シテ金銭布帛ノ類ヲ贈ルハ我国ニ於テ古来行ハルル顕著ナル式礼ニシテ、目的トスル所ハ其主トシテ婚姻予約ノ成立ヲ確証スルニ在ルモ、両者ノ希望セル婚姻ガ将来ニ於テ成立シテ親族関係ノ生ジタル上ハ相互間ニ於ケル親愛ナル情誼ヲ厚フセンガ為メニ之ヲ授受スルモノナルコトモ又我国一般ノ風習トシテ毫モ疑ヲ容レザル所ナリ。故ニ結納ナルモノハ他日婚姻ノ成立スベキコトヲ予想シ授受スル一種ノ贈与ニシテ、婚約ガ後ニ至リ当事者双方ノ合意上解除セラルル場合ニ於テハ当然其効力ヲ失ヒ、給付ヲ受ケタル者ハ其目的物ヲ相手方ニ返還スベキ義務ヲ帯有スルモノトス。蓋シ結納ヲ授受スル当事者ノ意思表示ノ内容ハ単ニ無償ニテ財産権ノ移転ヲ目的トスルモノニアラズシテ、如上婚姻予約ノ成立ヲ証スルト共ニ併セテ将来成立スベキ婚姻ヲ前提トシ、其親族関係ヨリ生ズル相互ノ情誼ヲ厚フスルコトヲ目的トスルモノナレバ、婚姻ノ予約解除セラレ婚姻ノ成立スルコト能ハザルニ至リタルトキハ、之ニ依リテ証スベキ予約ハ消滅シ又温情ヲ致スベキ親族関係ハ発生スルニ至ラズシテ止ミ究局結納ヲ給付シタル目的ヲ達スルコト能ハザルガ故ニ、斯ノ如キ目的ノ下ニ其給付ヲ受ケタル者ハ之ヲ自己ニ保留スベキ何等法律上ノ原因ヲ欠クモノニシテ、不当利得トシテ給付者ニ返還スベキヲ当然トスレバナリ。然レバ本件ニ於テ原院ガ前示ト同一ノ趣旨ニ於テ婚姻予約ノ解除セラレタル結果結納金授受ノ目

的ヲ達スルコト能ハザルガ為メ贈与ノ消滅シタルコト、随テ受益者ガ其目的物ヲ自己ニ保留スベキ法律上ノ原因ヲ欠クモノニシテ民法第七〇三条ニ依リ不当利得トシテ給付者ニ之ヲ返還スベキ旨ヲ判示シタルハ洵ニ適当ニシテ本論旨ハ総テ採用スルニ足ラズ」（大判大六・二・二八民録二三・二九二民抄録七〇・一五九五四）。

（三）　目的消滅の場合　出捐の目的が有効に定められたばかりでなく、一旦達せられたが後に至つて消滅した場合、例えば、消費貸借によつて債務が成立したので、これを証する目的で証書を交付したが、後になつて弁済によつて債務が消滅した場合に、これを保留すべき法律上の原因のないことは、民法四八七条の規定するところであるが、更改・相殺・免除その他の理由で債権の消滅した場合にも、判例はこれを認め（大判大四・二・二四【10】）、また発起人団体が株式引受人から第一回の払込を受領後創立総会で資本減少を決議し、引受人の承諾を得てその引受株全部を消却した場合（大判大一一・六・一四【11】）、衆議員議員が才費を受領した後期間の中途において辞職した場合（大判大五・四・二一【12】）にも法律上の原因なしとした。なお最後の判例は「支給ハ権利ナクシテ受ケタルモノニシテ即チ法律上ノ原因ナクシテ之ヲ利得シタルニ外ナラザレバ」といつて、権利説（松坂・二七八頁、事務管理・不当利得六三頁以下参照）の影響が認められる。その他、賃料を前払した後に賃貸借が解除せられた場合、終期もしくは解除条件附契約に基づいて給付がなされた後に、終期が到来しもしくは解除条件が成就した場合にも同様に考えられる。

【10】　XはYに対して貸金請求の訴を起したところ、相殺の抗弁をもつて対抗せられ、却て債権証書返還請求の反訴を提起せられ敗訴した。そこでXは上告して、元来債権証書の所有権は債権者にあり、かつ相殺によつて債権が消滅した場合には四八七条のようなこれを返還すべき旨の特別の規定がないから、原審がYの反訴請求を認容したのは不当だと主張した。棄却。

「債権証書ノ所有権ガ債権者ニ存スルコトハ所論ノ如シト雖モ、民法第四八七条ノ規定ヲ以テ弁済者ニ債権証書返還ノ請求権ヲ認メタル立法上ノ趣旨ハ畢竟債権証書ハ債権ノ成立ヲ証明スルノ具ニ過ギザルヲ以テ、債権ガ弁済ニ依リ消滅セル以上債権者ハ之ヲ保有スル必要ナキノミナラズ、或ハ債権者ハ其手裡ノ債権証書ヲ利用シ再ビ弁済ヲ請求スルノ危険アルヲ慮ルニ出デタルモノナレバ、此規定ノ精神ハ独リ債権ガ弁済ニ依リ消滅シタル場合ノミナラズ、更改相殺免除其他ノ原因ニ依リ債権ノ消滅シタル場合ニモ箝当シ得ベキモノナルヲ以テ、弁済以外ノ原因ニ依リ債権全部消滅ニ帰シタル場合ニモ亦債務者ハ債権証書返還ノ請求権ヲ有スルモノナリト解スルヲ妥当トス。本件ニ於テ原審ハ当事者間ニ互ニ有セル各百円ノ債権ガ被上告人Yノ相殺ノ意思表示ニ依リ消滅ニ帰シタルコトヲ認メ、上告人Xニ対シYヨリ受取リタル債権証書ノ返還ヲ為スベキ旨ヲ命ジYノ返還請求権ヲ認容シタルハ相当ニシテ原判決ハ法則ヲ不当ニ適用シタル違法アルコトナシ」（大判大四・二・二四民録二一・一八〇民抄録五三・一二三〇四）。

【11】 XはY株式会社の設立に際し応募して七千株の引受をなし、第一回払込として二万七千五百円を支払つた。後に、Y株式会社の創立総会で減資の決議をなし、Xの承諾を得てその七千株を含めて一万株の減少を決議した。しかし、その際Xの払込金を返還せずそのまま創立総会を終結し、Y株式会社はこれによつて成立したので、Xは払込金の返還を請求する。第一審第二審ともX勝訴。YはXから発起人が払込金を受取ったのは有効な株式引受申込の結果としてその支払を受けたのだから、不当利得ではないと上告する。棄却。

「上告Y会社ノ発起人団体ガ株式引受人タル被上告人Xヨリ株金第一回ノ払込トシテ金二万七千五百円ヲ受領シタルハ株式引受ノ結果ニ外ナラズシテ固ヨリ法律上ノ原因ナキモノト云フコトヲ得ズト雖、Y会社ノ創立総会ニ於テ資本減少ノ決議ヲ為シXノ承諾ヲ得テ其ノ引受株全部ヲ消却シタル以上ハ其ノ法律上ノ原因消滅シタルモノニシテ、Y会社ガ成立シ当然其ノ消却株ニ対スル払込金ヲ取得シタルコト論旨第一点説明ノ如クナレバ、Y会社ハ何等法律上ノ原因ナクシテXノ財産ニ因リ利益ヲ受ケ之ガ為ニXニ損失ヲ及ボスモノニ外ナラズシテ、即チ不当ニ利得シタルモノト謂ハザルベカラズ。然ラバ原院ガY会社ノXニ対スル右払込金返還ノ債務ヲ不当利得ニ因リ生ジタルモノト認メタルハ正当ニシテ原判決ハ所論ノ如キ違法アルモノニ非ズ」（大判大一一・六・一四民集一・三一〇、田中（誠）・判民大正一一年度四四事件）

【12】「明治二三年勅令第二六三号帝国議会議長副議長議員歳費及旅費支給規則第五条ニハ議長副議長及ビ議員退職辞職除名ノ場合ニ於テハ其当月分迄ヲ支給スト規定セルヲ以テ、辞職シタル帝国議会ノ議員ハ辞職前ニ既ニ歳費ノ支給ヲ受ケタルト否トヲ問ハズ其歳費トシテ受クベキ金二千円中単ニ辞職ノ当月マデ月割ヲ以テ計算シタル金額ノ支給ヲ受クル権利アルニ止マリ、其残額ノ支給ヲ受クル権利ナキコト明白ナリ。故ニ其議員ガ右支給規則第二条ニ依リ既ニ歳費トシテ一月ヨリ六月ニ至ル半年分ノ支給ヲ受ケタル場合ト雖モ六月ニ入ラザル前ニ辞職シタルトキハ、其六月分ノ支給ハ権利ナクシテ受ケタルモノニシテ即チ法律上ノ原因ナクシテ之ヲ利得シタルニ外ナラザレバ、不当利得ニ関スル民法ノ規定ニ従ヒ返還ノ責ニ任ゼザルベカラズ。従テ其議員ガ自ラ歳費ノ支払ヲ受ケズシテ之ヲ受クベキ債権ノ転付ヲ受ケタル者ガ半年分全部ノ支払ヲ受ケタル場合ニ於テモ亦不当利得返還ノ責任アルコト勿論ナリ」（大判大五・四・二一民録二二・七九六民抄録六六・一四四七七）。

二　利得が給付行為以外の事由による場合

この場合においては、財産の移転は損失者の意思とは無関係に生ずるから、給付行為に基づく場合のような出捐の原因は問題となり得ない。ここでは、法律上の原因は専ら公平の観念に従つて、それぞれ具体的な場合について定める他ない。

（一）利得が利得者の行為に基づく場合

(1) 利得者の事実上の行為に基づく場合　判例は、共有者が持分の範囲を超えて共有物を使用収益した場合（大判明四一・一〇・一【13】）、共有者から持分を譲り受けた者がその範囲を超えて立木を伐採処分した場合（大判昭五・一二・二〇【14】）、他人の山林から雑草木を採収した場合（大判大四・五・二〇【15】）、財産保全のために託せられた土地の返還を求められた後もなおこれを占有して使用収益した場合（大判昭八・五・二九【16】）、他人の土地を権限なくして使用した場合（大判大一一・五・四【17】）、賃借地上の家屋の譲受人が地主に対し買取請求権を行使し、その代金について同時履行の抗弁権を主張して家屋の引渡を拒絶し敷地を明渡さない場合（大判昭一一・五・二六〔因果3〕同旨大判昭一四・八・二四【18】）に、利得者は他人の財産を使用収益または処分する権限ないし権利を有するものでないから、その利得は法律上の原因がないと判示している。

【13】「共有者ノ一人ガ共有物ノ上ニ権利ヲ行使スルニ当リ他ノ共有者ノ権利ヲ故意若クハ過失ニ因リテ侵害スルトキハ不法行為ヲ構成シ、又法律上ノ原因ナクシテ因リテ以テ利益ヲ受ケ之ガ為メニ他ノ共有者ニ損失ヲ及ボシタルトキハ不当利得トナルコト勿論ニシテ原判決ハ毫モ理由ニ齟齬アルコト無シ」（大判明四一・一〇・一民録一四・九三七）。

【14】「上告人Y_1ハ上告人Y_2ヨリ係争立木ノ完全ナル所有権ヲ買受ケル契約ヲ為シタルモ、上告人Y_2ニ於テ該立木ニ付十分ノ二ノ共有持分ヲ有スルニ過ギザリシ以上、上告人Y_1ハ右共有持分以上ノ権利ヲ取得スベキニ非ズ。残余ノ十分ノ八ノ共有持分ハ依然被上告人等ニ属シタルモノトス。故ニ上告人Y_1ハ該立木ヲ伐採シ其伐木ヲ処分シテ其ノ全価格ニ相当スル利得ヲ取得シタル時ニ於テ、其ノ価格ノ十分ノ八ニ付法律上ノ原因ナクシテ被上告人等ノ財産ニ因リテ利益ヲ受ケ之ガ為被上告人等ニ損害ヲ及ボシタルモノト云フベク、従テ被上告人等ニ対シ不当利得返還義務アリト云ハザルベカラズ。上告人$Y_1$$Y_2$間ノ右売買契約ガ有効ナルコトハ右不当利得ノ成立ヲ妨グルモノニ非ズ」（大判昭五・一二・二〇評論二〇民法一四四）。

【15】「民法第一九二条ノ規定ハ現ニ動産タルモノヲ占有シ又ハ権原上動産タルベキ性質ヲ有スルモノヲ其権原ニ基キテ占有シタル場合ニ付キ適用スベキ規定ニシテ、本来不動産ノ一部ヲ組成スルモノヲ事実上ノ行為ニ因リ動産ト為シテ占有シタル場合ニ適用スベキ規定ニ非ズ。本件ニ付原判決ノ確定セル事実ニ拠レバ本件係争地ノ一部ハ被上告人ノ所有ニ属スル二千二百十番山林ニシテ上告人ハ該山林内ヨリ法律上ノ原因ナクシテ明

治三四年以降同四二年迄九年間毎年雑草木ヲ採収シタリト云フニ在リ。然ラバ上告人ハ本来他人ニ属スル不動産ノ一部ヲ組成スルモノヲ事実上ノ行為ニ因リ動産トシテ之ヲ占有シタルニ止マリ、現ニ動産タルモノヲ占有シ又ハ権原上動産タルベキ性質ヲ有スルモノヲ其権原ニ基キテ占有シタル者ニ非ザルヤ明カナリ。然ラバ上告人ハ本件ニ於テ民法第一九二条ノ規定ノ適用ヲ求ムルコトヲ得ザル者ナルコト疑ヲ容レザルヲ以テ、所論指摘ニ係ル原判示ノ部分ノ当否如何ヲ問ハズ原審ガ本件ニ付キ民法該条ヲ適用セザリシハ結局正当ナリト謂ハザル可カラズ」（大判大四・五・二〇民録二一・七三〇民抄録五六・一二七一八）。

【16】「原判決ニ依レバ本件売買ハ上告人先代ガ其ノ養家ト不和ナリシガ為離縁ヲ為サントシ、離縁後ニ於ケル財産保全ノ為本件不動産ヲ実弟タル被上告人先代ノ名義ト為シ置キタルトコロ、被上告人先代ハ明治二一年以来大正一三年九月三日ニ至ル迄右土地ヲ使用収益シ自ラ土地ノ公租公課ヲ完納シ来リタルモノニシテ、此ノ事実及被上告人先代ガ其ノ土地ノ一部ヲ開墾シタルコト並上告人先代ヨリ被上告人先代ニ対シ土地ノ返還ヲ求メタル際、被上告人先代ガ既納ノ公租公課二百円ヲ支払フニアラザレバ土地ヲ返還セズト述ベ上告人先代ハ土地ヲ作リ取ラレタル上ハ右金円ハ返還セズト答ヘタル事実アルニ徴スレバ、被上告人先代ハ上告人先代ヨリ土地ノ使用ヲ許サレ其ノ継続スル間ハ之ヨリ挙ゲ得ベキ収益ハ総テ被上告人先代ノ収入ト為ス黙約アリタルコトヲ認ムルニ足ルヲ以テ、右収益ヨリ生ジタル被上告人先代ノ利得ハ之ヲ不当利得ト為スベカラズト為シ上告人ノ請求ヲ棄却シタルモノナリト雖、右認定ノ事実ニ依ルモ上告人先代ガ被上告人先代ニ本件土地ヲ託シタル事情ハ財産保全ノ為ナリト云ヘバ縦令其ノ占有中ハ之ヲ使用収益スベキ約アリシモノトスルモ、特別ノ事情ナキ限リ被上告人先代ハ上告人側ノ請求アリ次第土地ヲ返還スベク、其ノ後ハ土地ノ使用収益権ヲ失フベキモノト認メラル可キヲ至当トスルヲ以テ、右認定ニ於テモ知リ得ベキガ如ク上告人先代ハ被上告人先代ニ対シ土地ノ返還ヲ求メタルモ被上告人先代ハ之ニ応ゼザリシ事実アリタリトセバ、被上告人先代ハ此ノ時以後ニ於テ本件土地ノ使用収益ヲ為スノ権利ナカリシモノト認メラルベキモノナルガ故ニ、原審ニシテ全然上告人ノ請求ヲ棄却セントセバ須ク被上告人先代ガ上告人先代ノ請求アルモ右土地ノ返還ヲ為スヲ要セザリシ特別事情ヲ認定

スルカ、或ハ其ノ返還ヲ拒ミタル理由ガ留置権ノ行使等ニ起因シ且其ノ後大正一三年九月三日迄ニ至ル収益ガ留置権行使ノ基本タリシ債権ヲ弁済スルニ足ラザリシモノナルカヲ認定スル要アリシモノト云フベシ」（大判昭八・五・二九裁判例(七)民一二八）。

【17】「被上告人（被控訴人原告）ノ金銭ノ支払ノ請求ハ不当利得ヲ原因トスルコト原判決上明ナルトコロナリ。而シテ本件土地ノ使用料ガ一坪ニ付一ケ月金弐銭ニ相当スルコトニ付当事者ニ争ナキヲ以テ、本土地ヲ権限ナクシテ使用シタル上告人ハ右使用料ニ相当スル利益ヲ不当ニ利得シタルモノト認メタルコト原判決上明ニシテ、占有権ヲ有スル土地ヲ上告人（控訴人被告）ノ使用ニヨリ占有スルコト能ハザル被上告人ニ右料金ニ相当スル損失アリ、又料金ヲ支払フコトナクシテ右ノ土地ヲ使用シタル上告人ニ右使用料ニ相当スル利得アリトシ尚ホ其利益ハ現ニ存スルモノト為スハ正当ナリ」（大判大一一・五・四評論一一諸法一九三）。

【18】「借地上ニ於ケル建物ノ第三取得者ガ借地法第一〇条ニ依リ賃貸人ニ対シ該建物ノ買取ヲ請求シタルトキハ、其ノ意思表示ト共ニ第三取得者ト賃貸人トノ間ニハ当該建物ニ付売買契約ヲ為シタルト同一ノ法律上ノ効果ヲ生ジ、建物ノ所有権ハ賃貸人ニ移転シ賃貸人ニ之ガ引渡義務ヲ負担スルト同時ニ、賃貸人ハ第三取得者ニ対シ同人ガ買取請求ヲ為シタル時ノ建物ノ価格ニ相当スル金員ヲ支払フベキ義務ヲ負担スルニ至ルモノニシテ、其ノ結果第三取得者ハ其ノ金員ノ支払アル迄建物ノ引渡ヲ拒絶シ得ベク、恰モ特定物ノ売主ト同様ノ地位ニ立テ同時履行ノ抗弁権若ハ留置権ヲ有スルヨリシテ之等ノ権能ノ下ニ建物延テ其ノ敷地ヲ占有スルコトハ違法ヲ阻却シ不法行為ヲ構成セザルモノト解スルヲ相当トス。……被上告人Yガ其ノ取得シタル地上建物ニ付買取ヲ請求シタル日以後ノ土地占有ヲ目シテ不法行為ト做シ之ヲ理由トシテ損害賠償ノ請求ヲ為スコトハ排斥スベキガ如キモ、同時履行ノ抗弁権若ハ留置権ニ依リ地上建物ノ引渡ヲ拒ミ之ガ占有ヲ継続スル場合ニ於テモ、其ノ占有ニ伴ヒ他人ノ敷地ヲ利用スル関係ハ不当利得ヲ成立セシムルコトナキヲ保セザルヲ以テ、原審トシテハ上告人ニ対シ右賠償請求ニ付此ノ利得返還ノ請求ヲモ包含セシムルモノニ非ザルヤ否ヤヲ一応釈明シ適当ニ裁断ヲ下スヲ相当トスベク、従テ此ノ点ニ付釈明ヲ為サズ直ニ賠償請求ヲ排斥シ去リタル原判決ニハ審理不

尽ノ憾ミアリ」（大判昭一四・八・二四民集一八・八七八、林・判民昭和一四年度六〇事件）。

けだし、かかる利得者の受益行為は他人の財産に介入するものであるから、これをなすことを正当とせられる権利、例えば、賃借権・地上権その他使用収益権を有しない限り違法であり、その利得は不当性を帯びる。したがつて、右の場合において、法律上の原因なしとは、かかる権利なきことを意味すると解すべきである（我妻・五七頁、鳩山・八一〇頁、末弘・九五八頁、石田・二三六頁）。

(2)　利得者の法律行為に基づく場合　無権利者が権利者に対して有効な処分をなした場合には、その処分によつて取得した利得は不当利得となる。判例は、譲渡担保権者が弁済期到来前に目的物を処分した場合に、この理を認めている（大判大九・六・二一【19】）。また、MがYの代理人と詐称してXから騙取した金銭でYの債務を弁済した場合に、債権者が一九二条によつて所有権を取得したときはYの債務は消滅するから、YはXに対し不当利得返還の義務があるとした（大判大九・一一・二四民録二六・一八六二【因果7】）。

【19】　Xは訴外Aから電話加入権を買受けた際、その代金に充てるためYから借金し、その弁済を確保するため、電話加入権を売渡担保とした。ところがYは弁済期が到来しないに拘らずこれを他に売却した。そこでXから不当利得を理由にその売買代金の返還を求める。原審ではXの請求が入れられたのでYから上告。棄却。「売渡担保ハ名義ハ売買ナルモ其実担保ニ過ギザレバ、債務者ガ期限ニ弁済ヲ為サザルガ為メ債権者ニ目的物ヲ売却シタルトキト雖モ、債権者ハ唯其代金ヲ以テ債権ノ弁済ニ充当スルコトヲ得ルノミニシテ若シ残余アルトキハ之ヲ債務者ニ返還スルコトヲ要ス。是其代金ハ固ヨリ債務者ニ帰属スベキモノニシテ当然債権者ノ所得タルモノニ非ルガ故ナリ。原院ノ確定セル所ニ依レバ本訴電話加入権ハ被上告人Xガ大正六年一〇月三日之ヲ訴外Aヨリ買受ケタル際其代金ニ充ツル為金一千円ヲ利息月二十円ノ約ニテ特ニ弁済期ヲ定メズシテ上告人Y

ヨリ借受ケタルニ付、之レガ弁済ヲ確保スル為メ売渡担保ト為シタルモノナル所、Yニ於テ大正七年一一月一三日弁済期ノ到来セザルニ拘ハラズ之ヲ代金二千六十五円ニテ訴外Bニ売却シタルモノナレバ、其代金ハXニ帰属スベキモノニシテ未ダ弁済ニモ充当セラレタルニモ非ザルヲ以テ債権者タルYノ所得タルベキ謂レナシ。然ルニYガ之ヲ自己ノ所得トシ而カモ該電話加入権ハ自己ガAヨリ買受ケXニ賃貸セシモノニシテXノ売渡担保ト為シタルモノニ非ズ、仮ニ売渡担保タリシモノトスルモXノ買戻権ハ期日弁済ヲ為サザリシ為メ当然消滅ニ帰シタルヲ以テ大正七年一一月ニ至リ之ヲ売却シタリトテ何等ノ責任ナキ旨抗弁セルモノナルガ故ニ、原院ガYノ右代金取得ヲ法律ノ原因ナキ所謂不当利得ナリト判定シタルハ正当ナリ。若シYノ売却行為ニシテXノ権利ヲ侵害スル所アラバ不法行為タルコトY所論ノ如ケンモ、不法行為ヲ構成スルト同時ニ法律上ノ原因ナクシテ他人ノ財産ニ因リ利益ヲ受ケ為メニ他人ニ損害ヲ及ボシタル所アルトキハ不当利得ヲモ構成スルコト本院判例（明治四一年(オ)第二七九号同年一〇月一日言渡）ニモ示ス如クナレバ、単ニ一面ニ於テ不法行為又ハ債務不履行タルガ故ニ不当利得タラザルガ如キコトヲ論拠トシテ原判決ヲ非難スル本論旨ハ理由ナシ」（大判大九・六・二一民録二六・一〇二八民抄録八九・二一六六九）。

かように、権利なくして他人の財産権を処分する行為は本来無効な筈であるが、取引安全の考慮から有効とされるに過ぎない。したがつて、利得者の行為は原権利者に対して違法であり、受益は不当利得となる。この場合においてもまた法律上の原因なしとは、かかる行為をなす権利なきの意味に解することができる（鳩山・八〇九頁、末弘・九五九頁、石田・二三六頁）。

（二）利得が利得者の執行行為に基づく場合　強制執行は実体上の請求権の満足を目的とするに拘らず、執行機関は債務名義に基づいて執行の申請を受けるときは、その債務名義に表示せられたところが、現在果して実体関係に一致するか否かを審査することなく、執行をなすべきものとせられる。

その結果、実体上の請求権なくして執行がなされることがある。かかる場合には、債務者は執行の継続中に請求に関する異議の訴(民訴五四五条・五六〇条)を提起し得ることは勿論であるが、一旦執行行為が完了するともはや異議の申立を許されないことは判例の認めるところである(大判明四三・一・二九民録一六・二七民抄録三八・八五七七、同旨大判大八・一一・二九民録二五・二一三九民抄録八六・二〇六四九頁、転付命令の場合につき大判昭九・二・一三法学三巻一〇七三頁)。

その結果、債権者に利得が残留することとなるが、かかる利得は法律上の原因を有すると解すべきか。判例は、執行手続上適法に発せられた差押命令および転付命令は、その執行の基本となつた債務名義が虚偽の債権に基づく場合においてもその効力を失うものではないが、それがため実体上の効力をも生ずるものではないとする。

【20】「差押命令及ビ転付命令ノ如キ法律ノ規定ニ依ル命令ハ適法ノ手段ニ依リ其執行ヲ停止シ若クハ之ヲ取消サザル限リ其効力ヲ失ハザルモノニシテ、強制執行ノ基本タル債務名義ガ虚偽ノ債権ニ基ク無効ノモノタルコトニ因リ当然無効ニ帰スベキモノニ非ザルコトハ当院判例ノ存スル所ナリ(明治四一年一一月五日第一民事部判決参照)。蓋シ斯カル債務名義ニ基キ発セラレタル差押命令及転付命令ト雖モ適法ノ手続ニ依リテ執行ヲ停止セラレ若クハ取消サレザル以上ハ形式上確定シ、債務者又ハ第三債務者ハ之ヲ拒否スルコトヲ得ザルハ勿論ナルモ之ガ為メニ実体上ノ効力ヲ生ジ債権者ニ非ザル者ガ債権者ト為ルベキモノニ非ズ」(大判大六・一〇・二〇民録二三・一八二四民抄録七五・一七一〇四)。

したがつて、債務名義の内容である債権が転付命令の当時すでに時効によつて消滅した場合(大判大一三・二・一五【21】)、債務名義(調停事件調書)の内容たる債権が調停条項履行の結果消滅した場合(大判昭七・一〇・二六【22】)には、債務者は執行債権者に対して不当利得返還請求権を有する。

【21】「執行手続上適法ニ発セラレタル債権差押及転付ノ命令ハ更ニ適法ノ手続ニ依リ其ノ執行ヲ停止シ又ハ之ヲ取消サザル限リハ当然法律所定ノ効力ヲ生ズルモノニシテ、仮令該執行ノ基本ト為リタル債務名義ガ虚偽ノ債権ニ基クトキト雖モ其ノ効力ヲ生ズルノ妨ト為ラザルコトハ本院判例ノ示ス所ナリ（明治四一年(オ)第三七三号同年一一月五日判決及大正六年(オ)第七五〇号同年一〇月二〇日判決参照）。従テ本件ノ如キ債務名義ノ内容タル債権ガ既ニ時効ニ因リ消滅ニ帰シタル場合ニ於テモ、其ノ債務名義ニ基キ執行手続上適法ニ発セラレタル債権差押及転付ノ命令ハ送達アリタル時ニ於テ完全ニ其ノ効力ヲ生ジ、即転付セラレタル債権ハ実体上有効ニ差押債権者ニ移転シ、債権ノ譲渡アリタル場合ト同ジク差押債権者ニ於テ之ヲ取得スルモノニシテ、其ノ効力ヲ生ズルコトハ当時債務名義ノ内容タル債権ガ既ニ時効ニ因リ消滅シタル事実アルガ為ニ毫モ妨ゲラレザルモノト謂ハザルヲ得ズ。蓋債務名義ノ内容タル債権ガ其ノ実存在セザルトキト雖、其ノ存否ハ執行裁判所ガ債権差押及転付ノ命令ヲ発スルニ当リ之ヲ審査スベキモノニ非ズシテ、又転付命令ノ送達ヲ受ケタル第三債務者ニ於テ之ガ危険ヲ負担スベキ理由ナキヲ以テ、之ガ為ニ毫モ右命令ノ如上効力発生ニ影響ヲ及ボサザルモノト解スルヲ相当トスレバナリ。……債権差押及転付ノ命令ハ債務名義ノ内容タル債権ノ存否ニ拘ラズ其ノ効力ヲ生ジ、転付セラレタル債権ハ実体上有効ニ差押債権者ニ移転スルコトハ前ニ既ニ説明シタルガ如クニシテ、転付命令ガ如上ノ効力ヲ生ズルハ民事訴訟法ノ規定上然ルモノナリト雖、之ガ為ニ転付債権ハ実体上差押債権者ニ移転セザルモノト謂フベカラズ。而シテ法律ノ規定上転付命令ノ効力トシテ差押債権者ガ転付債権ヲ取得スルト同時ニ自己ノ債権ノ弁済ヲ受ケタルモノト看做サルルハ、転付命令ノ基本ト為リタル債務名義ニ基ク執行ノ為ニ債務者ガ斯ノ如キ弁済方法ヲ強制セラレタルニ因ル。然ルニ其ノ債務名義ノ内容タル債権ガ転付命令アリタル当時既ニ時効ニ因リ消滅シタル場合ニ於テハ、差押債権者ハ現ニ債権ヲ有セザルニ拘ラズ債務名義ニ基キ債権ヲ有スルモノトシテ如上ノ利益ヲ受ケタルモノナレバ、其ノ受益ハ畢竟民法第七〇三条ニ所謂法律上ノ原因ナクシテ利益ヲ受ケタルモノニ外ナラズシテ、之ガ為ニ損失ヲ被リタル債務者ハ民法ノ不当利得ニ関スル規定ニ従ヒ救済ヲ求ムルコトヲ得ルモノト解スベキヲ以テ、斯ノ如キ救済ノ途ナキモノノ如ク論ズルハ失当ナ

リ。本院ノ判例トスル明治三五年(オ)第四五八号同年一〇月三〇日言渡ノ判決ニ示ス所ハ結局右ト同一ノ趣旨ニ帰着スルモノニシテ是認スルヲ相当トス」(大判大一三・二・一五民集三・一〇、菊井・判民大正一三年度四事件)。

【22】「執行力アル債務名義ニ基キ債権ニ対スル強制執行トシテ、差押命令ニヨリ差押アリタル債権ニ付転付命令発セラレ民事訴訟法第五九八条第二項ノ手続ノ為サレタルトキハ、差押債権ノ存スル限リ該債権ハ執行債権者ニ移転スベキモノニシテ、債務名義ノ内容ヲ為ス債権ノ存否ハ毫モ該債権ノ移転ニ影響ヲ及ボスモノニアラズ。唯債務名義ノ内容ヲ為ス実体上ノ権利ナキニ拘ラズ強制執行セラレタルモノナルトキハ、執行債務者ハ執行債権者ニ対シ不法行為又ハ不当利得ヲ主張シテ之ガ賠償ヲ求メ得ルニ過ギズ。従テ第三債務者ハ執行債権者又ハ其ノ承継人ニ対シ執行債権不存在ヲ理由トシテ自己ノ債務履行ヲ拒絶シ得ザルヤ勿論ノコトナリトス」(大判昭七・一〇・二六民集一一・二〇四三、菊井・判民昭和七年度一六〇事件)。

右と異り、転付命令そのものが無効なるときは、最初、判例は、執行債権者は第三債務者に対して不当利得返還の義務ありとした。

【23】XがAのYに対する供託金の債権全部について転付命令を得てその全額を受領したが、該債権についてはその前すでにBのために差押命令が発せられていた場合。「原裁判所ニ於テ確定シタル所ニ依レバ本件ノ事実ハ上告人Xガ訴外Aノ被上告人Yニ対スル供託金六百四十五円六十五銭一厘ノ債権ノ全部ニ付キ転付命令ヲ得タルモ、該債権ニ付テハ其前既ニ訴外Bノ為メニ差押命令発セラレ同一債権ニ付キ差押命令競合シタルヲ以テ、Xノ得タル転付命令ハ転付債権額ノ内Bニ配当スベキ限度ニ於テ無効ナルニ拘ラズ、Xハ該転付命令ニ基キ転付債権額ノ全部ニ相当スル金六百四十五円六十五銭一厘ヲYヨリ受領シタルモノナリ。故ニXノ受領シタル右金員中債権転付ノ効力ニ於テ、其配当ヲ受クベキ金三百十円四十一銭三厘ヲ控除シタル残額金三百三十五円二十三銭八厘ハ債権転付ノ効力ヲ有セザル限度ニ属シ権利ナクシテ受領シタルモノナレバ、法律上ノ原因ナクシテYノ財産ニ因リ其損失ニ於テXガ利得シタルモノニ外ナラズ。従テ不当利得ニ関スル民法ノ規定ニ従

ヒXガYニ対シ右残金額ニ相当スル金員ヲ返還スベキ義務ヲ負フコト明白ナリ」（大判大七・一二・八民録二四・二三九一）。

しかし、その後判例は、第三債務者が善意で弁済した場合には、債権準占有者に対する弁済として有効となり、第三債務者は執行債権者に対し不当利得返還請求権を有しないと判示した。

【24】　AはBがY株式取引所に対して有する身元保証金返還請求権について、差押並びに転付命令を得て弁済を受けたが、右転付命令はBの未だ仲買人たる資格存続中になされたから無効であることを理由として、他の債権者Xが取立命令を得てYに請求する。「一般取引上ノ観念ニ於テ債権者ナリト信ゼシメ得可キ事由ニ基キ債権ヲ行使スル者ハ之ヲ債権ノ準占有者ト認ムルヲ妨ケズ。従テ斯ル者ニ対シ弁済スル者ハソノ善意ナル以上民法第四百七十八条ニ依リ弁済ノ効力ヲ生スベキコト論ナシ。而シテ株式取引所仲買人ノ身元保証金返還債権ニ対シ仲買人ノ資格存続中ニ於テ発セラレタル転付命令ガ法律上有効ナリヤ否ノ問題ノ如キハ特別ノ法律知識ヲ有スル者ト雖遽ニ其ノ帰趨ヲ断ジ難キモノアリテ、其他特別ノ事情ナキ限リ転付命令ヲ受ケタル第三債務者ナル取引所ハ苟モ債務者タル仲買人ニ返還スベキモノハ之ヲ債権者ニ引渡サザル可カラズト思料スベキハ一般取引上ノ観念トシテ当然ナルモノト云フヘク、斯ル判断之ヲ過失ニ因ルモノト為シ難キノミナラズ、被上告人Yガ取引所トシテ屢々此ノ如キ事件ニ遭遇スベキ地位ニ在ルノ故ニ其ノ理ヲ異ニスルコトナキヲ以テ、転付命令ガ如上ノ理由ニ因リ無効ナルモノト判断セラルルトキト雖該命令ニ基キ債権ヲ行使スル者ハ之ヲ債権ノ準占有者ナリト云フ可ク、善意ニテ転付債権者ニ為シタル弁済ヲ以テ有効ナルモノト認ムルニ於テ何等ノ不法アルコトナシ」（大判昭三・五・三〇新聞二八九二・九）。

【25】　Aの債権者Yは、AがXから受くべき昭和六年末の賞与金債権に対し、同年一二月四日差押命令並びに転付命令を得、また同じくAの債権者Zは同一債権について一二月一〇日差押命令を得た。ところが右賞与金支給の発令されたのは一二月一一日であつて、Yの転付命令はその前に未発生の債権について発せられたことになり、無効であるのに、Xは該転付命令を有効と信じ、Yに賞与金を支払つてしまつた。そこでXは非債

弁済を理由としてYに支払金額の返還を請求し、Zは配当を受くべかりし金額についてYの不当利得を主張して参加した。第一審第・二審ともにXの敗訴。X上告。棄却。

「訴外Aガ上告人Xヨリ支給ヲ受ケ得ベキ昭和六年度年末賞与金債権ニ付被上告人YガAニ対シ有スル執行力アル公正証書ノ債権金八百八十九円六銭ノ弁済ニ充ツル為東京区裁判所ニ申請シテ同年一二月四日差押命令並転付命令ヲ得、該命令ガ即日第三債務者Xニ翌日債務者Aニ夫々送達アリシモ、一面参加人ZハAニ対シ執行力アル債務名義ニ基キ金三千円ノ債権ヲ有シ、其ノ弁済ニ充ツル為東京区裁判所ヨリ昭和六年一二月一〇日右賞与債権ニ付差押命令ヲ得、該命令ハ即日債務者A及第三債務者Xニ送達アリタルニ、Xハ前記転付命令ヲ有効ナルモノトシ、同月二八日Yヲ転付債権者トシテ同人ニ右賞与金ノ弁済ヲ為シタルコト及右賞与金ハ同月一一日Aニ対シ二百八十五円ヲ支給スベキ旨発令通知アリタルコトハ原判決ノ確定シタル所ニシテ、此ノ事実ニ依レバ転付命令ハ右発令通知ニ因リ確定シタル賞与金債権発生前ニ為サレタルモノナレバ無効ナルモ、差押命令ハ何レモ将来ノ債権ヲ差押ヘタルモノトシテ有効ト為サザルヲ得ズ。而シテXハ転付債権者トシテ弁済ヲ受ケ、其ノ当時ハ賞与金債権已ニ現存セルガ故ニ其ノ準占有者トシテ弁済ヲ受ケタルモノナレバ、Xガ善意ニテ為シタル弁済ハY及Aニ対スル関係ニ於テ有効ナリト云ハザルベカラズ。而シテ斯ク転付命令ノ無効ナルヨリシテ債権差押ノ競合ヲ見タル場合ニ、第三債務者タルXガ其ノ無効ナル転付命令ニ基キ差押債権者ノ一人ナルYニ弁済ヲ為スモ之ヲ以テ他ノ差押債権者タルZニ対抗シ難ク、同人差押債権者トシテ民法第四八一条第一項ニ依リ其ノ損害ヲ受ケタル限ニ於テ更ニXニ弁済ヲ請求シ得ベキモノナルコトハ当院判例ノ趣旨ニ徴シ明ニシテ（明治四三年(オ)第三八三号同四四年五月四日民事聯合部判決明治四五年(オ)第二〇一号大正二年四月一二日第一民事部判決参照）、殊ニ右判示ノ如クXノYニ対スル弁済ガ債権ノ準占有者ニ為シタル善意ノ弁済トシテY及Aニ対スル関係ニ於テハ有効ト為リ非債弁済タラザル以上、Xトシテハ直ニ其ノ弁済物ノ返還ヲYニ請求シ得ベキニ非ズシテ、Zノ請求ニ従ヒ差押債権者ノ為ニ弁済ヲ為シタル場合ニ於テ始テ民法第四八一条第二項ノ規定ニ基キ当初弁済ヲ受ケタル債権者ニ対シ求償権ヲ行使シ得ルニ過キズト云ハザルヲ得ズ。然ラバZ

ノ請求ニ依リ弁済アリタルコトノ主張ナキ本訴ニ於テハXハ右規定ニ基キ求償ノ請求ヲ為スモノニ非ズト云ハザルヲ得ザルニヨリXノ本訴請求ハ到底排斥ヲ免レズ」（大判昭一二・一〇・一八民集一六・一五三五、川島・判民昭和一二年度一〇八事件、末川・民商七巻四号七三〇頁）。

また、判例は転付命令に基づいて金円を受領したとき、反対の事情のない限り、執行債権者は該金円の所有権を取得したものと認められるから、転付命令の有効無効を問わず、債務者の執行債権者に対する債務は弁済せられ、債務者は執行債権者に対して不当利得返還請求権を有しないとする。

【26】YはX会社が訴外Aに対して有する株金払込請求債権のため配当要求の結果受けることになった競売金の債権の差押並びに転付命令を受け、その競売代金の供託してあった大阪本金庫から右金額の払渡を受けた。そこでX会社はYに対して右金円を不当利得としてその返還を請求する。

「凡ソ有効ナル弁済ハ債務者ガ給付ノ目的タル権利ヲ債務者ヨリ移転セラレテ取得シタル場合ニ成立スルノミナラズ、独立ノ原因（例ヘバ即時時効若ハ混和等）ヨリ権利ヲ取得シタル場合ニ於テモ亦成立スルモノナルコトハ夙ニ当院判決ノ趣旨トスル所ナリ。原判決ノ確定シタル事実ニ依レバ被上告人ハ本件転付命令ニ基キ金円ヲ受領シタルモノナルヲ以テ、反対ノ事情ノ認ムベキモノナキ限リ被上告人ハ該金円ノ所有権ヲ取得シタルモノト認ムベク、固ヨリ転付命令ノ有効無効ヲ問ハズ債務者タル上告人ヨリ債権者タル被上告人ニ対スル債務ハ之ニ依リテ有効ニ弁済セラレタルモノト謂フノ外ナキヲ以テ、之ヲ称シテ不当利得ナリトスル論旨ハ其ノ前提ニ於テ誤レルモノト謂ハザルベカラズ」（大判大一一・一二・一四民集一・八五一、鳩山・判民大正一一年度一二一事件）。

さらに、判例は、転付せられた債権が質権の目的となっていたために、質権実行の結果執行債権者がその債権の弁済を得ることができなくなった場合には、執行債務者に対し不当利得返還の請求をなし得るものとする。

【27】「支払ニ換ヘ券面額ニテ債権ヲ転付スル命令アル場合ニ於テハ、其ノ債権ノ存スル限リ民事訴訟法第

五九八条第二項ノ手続ヲ為スニ因リ、債務者ハ債権ノ弁済ヲ為シタルモノト看做スコトハ同条第六〇一条ノ規定スルトコロニシテ、質権ノ目的タル債権ト雖之ヲ転付スルコトヲ妨ゲズ。而シテ転付ノ当時其ノ債権ノ存シタル以上ハ債務者ハ債権ノ弁済ヲ為シタルモノト看做サルルモ、之ガ為質権者ハ質権ヲ失フコトナク又転付権者ハ質権者ニ優先シテ弁済ヲ受クルコトナク、質権者ガ其ノ権利ヲ実行シタルガ為転付者ニ於テ転付債権ノ弁済ヲ受クルコトナクトモ差押債務者ノ弁済ノ効力ニ影響ナキモノナレバ、原判決ガ上告人ノ債権ハ弁済セラレタルモノト看做ス旨ヲ判示シタルハ正当ナリ。若債権者ニシテ差押債権ガ質権ノ目的トナレルガ為之ヲ転付スルモ其ノ債権ノ弁済ヲ得ルコト能ハザルコトヲ虞ルルナラバ、転付命令ヲ求ムルコトヲ為サズ他ノ執行方法ヲ採ルベキノミ。而シテ債権転付ノ為差押債務者ハ弁済ヲ為シタルモノト看做サルルニ拘ラズ、転付債権ニ付質権ヲ有スル者ガ其ノ権利ヲ実行シ差押債権者ニ於テ転付債権ノ弁済ヲ得ルコト能ハザルトキハ、差押債務者ニ於テ不当利得ヲ為スモノナルヲ以テ、差押債権者ハ之ガ返還請求ヲ為スコトヲ得ベシ」（大判大一四・七・三民集四・六一三、加藤・判民大正一四年度一〇事件）。

これに反し、判例は、確定判決は確定の債務名義であるから、確定判決の強制執行は判決の内容の当否に拘らず、不当利得とならないとする（大判明三八・二・二【28】）。けだし、確定判決は実体的関係を確定する効力を有するものであるから、確定判決の当時に債権が存在しないときには、再審（民訴四二〇条以下）その他の手段で確定判決そのものを覆さない限り、これに基づいて執行がなされても、法律上の原因なしとはいうことを得ないからである（谷口・五二六頁参照）。

【28】　XはYから預った積立講金三百円を完済したのに、Yは預証書が手許にあるのを奇貨として、Xに対し預金請求の訴訟を提起して敗訴し、その後さらに預金取戻請求の訴訟を提起し、Xは一事不再理の抗弁をなしたるも敗訴の判決を受け強制執行により弁済したが、右金員は二重の弁済であることを理由に不当利得の原

則に基づいてその返還を請求する。

「本件ノ如ク不当利得ヲ原因トシテ利益返還ノ請求ヲ為シ得ベキ場合ハ、法律上ノ原因ナクシテ自己ノ財産又ハ労務ニ因リ他人ヲ利シ自ラ損ヲ被ムリタル場合ニ限ルコトハ民法第七〇三条ノ規定スル所ナリ。然ルニ確定判決ハ事実ノ真相ヲ得タルモノト否ラザルモノトヲ問ハズ、又被告ガ一事不再理ノ抗弁ノミ為シタル場合ト弁済ノ抗弁ヲモ併セテ為シタル場合トヲ論ゼズ、訴訟当事者ニ在リテハ再審ノ如キ特別ノ救済方法ニ依リ之ヲ取消シ又ハ廃棄スルニ非ザレバ其効力ヲ認メザルヲ得ザルハ固ヨリ論ヲ俟タザル所ナレバ、確定判決ハ実ニ確定ノ債務名義ト謂フベシ。従テ確定判決ノ強制執行上金銭ヲ支払フモ之ヲ以テ法律上ノ原因ナクシテ金銭ヲ支払ヒタルモノト謂フコトヲ得ザレバ、不当利得ヲ原因トシテ之ガ返還ヲ請求スルコトヲ得ザルハ勿論ナリトス」(大判明三八・二・二民録一一・一〇二民抄録二四・四八〇九)。

なお、督促手続において、仮執行宣言附の支払命令が、債務者の異議の申立なきため確定した場合には、確定判決と同一の効力を有するから(民訴四四三条)、右の場合と同様に扱われる。

【29】 YはAらに対し金五十円を貸与し、Xはこれが依頼に応じ一時保証人となったが、XY合意の上該保証義務から釈放せられた。しかるに、YはXが該元利金を弁償する義務ありと称し、Xが当時刑事の嫌疑を受け入檻中その不在を奇貨とし支払命令と同時にX所有の有体動産を金百五十円で競売した。そこでXからYに対し不当利得としてその返還を求める。原審ではX敗訴。Xから上告。棄却。

「督促手続ニ於ケル支払命令ニ付シタル執行命令ハ民事訴訟法第三九四条ノ規定ニ従ヒ故障ヲ申立テザルニ於テハ確定スベク、而シテ其確定シタル執行命令ニ対シテハ民事訴訟法第四七二条第二項ノ規定ニ従ヒ再審ヲ求ムルノ訴ヲ為スニアラザレバ他ニ不服ヲ訴フルノ道ナキモノトス。然ルヲ上告人Xハ前顕ノ法律ニ基キ故障ノ申立又ハ再審ヲ求ムルノ訴ヲ為スノ道ニ由ラズシテ、直チニ被上告人Yガ該命令ノ効力ニ因テ得タル金額ニ対シ本訴ノ償還訴求(不当利得償還請求)ヲ為シタルモノナレバ、Xハ法律上為シ得ベカラザル請求ヲ為シタルモノトス。故ニ原院ニ於テ(中略)支払命令若クハ仮執行命令ガ取消サレザル以上ハ被控訴人(被上告人)Yハ金百五十円ノ支払ヲ控訴人(上告人)Xヨリ受クル権利ヲ法律上有スルモノナレバ云々Xハ本件ノ請求ヲ為スノ権利ナキモノナリト判定シタルハ適法ナリ」(大判明三三・三・一〇民録六・三・五一民抄録五・九〇五)。

但し、確定判決の既判力は原則として当事者間の関係において生ずるに過ぎないから、債権者がこれに基づいて強制執行をなすに当つて、第三者の所有物を競売してその代金を弁済として受領した場合には、第三者は債権者に対し不当利得返還請求権を有する(この問題については谷口・五二四頁以下に詳細な研究がある)。

【30】　「債権者ガ債務者ニ対シテ強制執行ヲ為スニ当リ第三者ノ所有財産ヲ競売シ其代金ヲ弁済トシテ受領スルトキハ、第三者トノ関係ニ於テ不当利得ヲ構成スルコト本院ノ判例(大正三年(オ)第五一八号大正四年五月一四日言渡)トスル所ナリ。蓋シ債権者ハ第三者ヨリ弁済ヲ受クベキ何等法律上ノ関係アルモノニアラズ。然ルニ第三者ノ財産売却代金ヲ領得スルハ即チ民法第七〇三条ノ『法律上ノ原因ナクシテ他人ノ財産ニ因リ利益ヲ受ケ之レカ為メ他人ニ損失ヲ及ホシタル者』ニ該当スルヲ以テナリ。原審ノ確定セル所ニ依レバ上告人ハ訴外勝又弘次(前名佐太郎)ニ対スル約束手形金債権ノ弁済ヲ得ンガ為メ同人ニ対シ強制執行ヲ為スニ当リ、被上告人ノ所有ニ属スル檜製硝子障子十六本外数品ヲ弘次ノ所有物トシテ競売シタル代金八十七円ヲ受領シ為メニ被上告人ヲシテ之ヲ損失セシメタルモノナレバ、被上告人ノ関係ニ於テ不当利得ヲ為シタルモノニ外ナラザルヲ以テ、前掲法条ニ従ヒ返還ノ義務ヲ負フモノト為サザルヲ得ズ」(大判大八・五・二六民録二五・九〇〇民抄録八三・一九八五四)。

【31】　AはXに朝鮮米を売却しこれを運送に託したが、自己を名宛人として貨物引換証を発行せしめ、これをYに裏書譲渡した。そこで到着地においてXY両人がこれを受取ろうとして相争うに至つたので、運送人はこれを換価して代金を供託した。然るにXはAに対し白米引渡の訴を提起して勝訴し、この判決に基づいて右の供託金を受領したので、Yは貨物引換証の裏書譲渡により白米の所有権を取得したものであるから、その換価金は自己に属すとの理由でXに対し不当利得返還の請求をする。

「被上告人Yハ本件貨物引換証ヲ裏書ニ依リテ譲受ケ、之ニ因リテ其貨物ノ所有権ヲ取得シ其引受ヲ受ケタルモノナレバ、其換価金ノYノ所有ニ属スルコト論ヲ俟タズ。上告人XハAニ対スル判決ノ趣旨ニ従ヒ其執行トシテ右換価金ヲ受領シタレドモ、判決ハ其当事者ニ効力アルニ止マリ第三者ニ其効力ヲ及ボスヲ得ザレバ、判決ノ執行ニ依リ得タル換価金ガYノ所有ナル以上ハ、Yトノ関係ニ於テハ法律上ノ原因ナクシテYノ財産ニ因リ利益ヲ受ケ之ガ為メニYニ損失ヲ及ボシタルモノト謂フ可シ。判決ノ執行ガ不当利得ノ原因トナラザルハ其当事者間ニ於テ然ルモノニシテ、第三者トノ関係ヲ律ス可カラズ。原院ガXノ換価金受領ヲ以テ法律上ノ原因ナキモノトシXノ抗弁ヲ排斥シタルハ畢竟右ノ趣旨ニ出デタルモノニシテ何等間然スル所ナシ」（大判大四・五・一四民録二一・七六四民抄録五六・一二七四四）。

上述の場合においてもまた法律上の原因の有無、すなわち不当性の存否を決するについては、実体上の権利の有無がその標準となると解することができる。

また、抵当権の実行のために競売がなされたが、その基礎となつた抵当権が実体上存しない場合にはたとい競売手続は形式上有効に行われても、競売の目的物について所有権移転の実体上の効力を生じないこと確定した判例である（大判大二・六・二六民録一九・五一三、同旨大判明四〇・九・二六民録一三・九一五、大民聯判大一一・九・二三民集一・五二五（我妻・判民大正一一年度七八事件））。この点は判決手続と異る。したがつて、競落人は代金の配当を受けた競売申立人（債権者）に対して不当利得の返還を請求し得ることになる。但し、抵当権の目的物が債務者に属しない場合には、競落人は民法五六八条により債務者に対し売買を解除した上、先ず債務者に対し、債務者が無資力なる場合に始めて債権者に対し代金の返還を請求することができる。

【32】 訴外AはYのために本件不動産上に抵当権を設定し、Yは該抵当権に基づいて競売法による右不動産

競売の申立をなし、Xは該競売申立に基づく競売手続において右不動産の競落人として金六千四百十円を裁判所に交付し、内金六千三百二十余円は配当名義の下にYに交付せられた。しかし、その後右不動産は訴外Aの所有でなかつたことの判決が確定し、したがつて、Yの右抵当権の設定は初から無効でかつXもまた競落により右不動産の所有権を取得しなかつたものであることが確定した。そこで結局Yは無効の抵当権に基づいて債務者でない第三者所有の不動産に対して競売申立をなし、実体上無効の競売手続により競売機関を介してXから金六千三百二十余円を不当に利得したものに外ならないから、XはYに対しその返還を求める。

「民法第五六八条ニ規定セル強制競売ハ法律ノ規定ニ従ヒ国家ノ機関ニ依リテ強制的ニ行ハルル競売ヲ意味シ其民事訴訟法ニ依ルト否トヲ区別セズ又民法制定当時ノ法律ニ依ルト否トヲ区別セザルガ故ニ、競売法ニ従ヒ抵当権ノ実行トシテ行ハルル競売モ亦所謂強制競売ナリト謂ハザルベカラズ。而シテ債権者ガ債務者所有ノ不動産上ニ抵当権ヲ有スト称シテ競売法ニ従ヒ抵当不動産ノ競売ヲ申立テ、競売裁判所ガ其権限内ニ於テ之ヲ受理シ適法ニ競売手続ヲ進行セシメ競落許可決定ガ確定シタルトキハ、後日ニ至リ縦令其不動産ガ債務者以外ノ第三者ノ所有ニ属シ其申立人ガ本来抵当権ヲ有セザルコトノ判明シタル場合ニ於テモ其競落許可決定ハ有効ニシテ、民法第五六八条ニ依リ抵当不動産ノ売主ト認メラルベキ債務者ハ第三者ヨリ其不動産ノ所有権ヲ取得シテ之ヲ買主ト認メラルベキ競落人ニ移転スベキ義務ヲ負フベク、唯第三者ハ該決定ニ依リ自己ノ所有権ニ何等ノ影響ヲモ受ケザルハ勿論競落人モ其所有権ヲ取得スルモノニ非ズ。従テ競落人ガ競落ノ結果トシテ所有権取得ノ登記ヲ為シタルトキハ第三者ハ自己ノ所有権ニ基キテ其登記ノ抹消ヲ請求スルコトヲ得ベシ。斯ノ如ク競落許可決定ハ有効ニシテ債務者対競落人間ニ第三者ノ所有物ヲ売買シタルト同一ノ効力ヲ生ズルヲ以テ、競落人ヨリ支出シタル競落代金ガ競売裁判所ニ依リ競売申立人ニ債権ノ弁済トシテ交付セラレタリト雖モ、競落人ハ競売不動産ノ所有権ヲ取得セザルコトヲ理由トシテ直ニ競売申立人ニ対シ其代金ニ関スル不当利得ノ返還ヲ請求スルコトヲ得ズシテ、先ヅ民法第五六八条第一項ニ依リ債務者ニ対シ競売手続ニ依ル売買契約ヲ解除シ、債務者ガ其代金ヲ返還スル資力ナキ場合ニ於テ始メテ、代金ノ配当ヲ受ケタル者ニ対シテ其返還ヲ請求シ得ルモノトス。当院大正二年(オ)第二二九号事件ノ判決(大正二年六月二六日言渡)ハ競売手続ノ基本タル抵当権ニシテ無効ナル以上ハ競落人ハ第三者ニ属スル競売不動産ノ所有権ヲ取得セザルコトヲ判示シタルニ止マリ競売手続ガ当然無効ナルコトヲ判示シタルモノニ非ザレバ、其判決ハ叙上ノ説明ト抵触スルモノニ非ズ。然リ而シテ上告人Xガ原審ニ於テ本訴請求ノ原因トシテ主張シタル事実関係ノ要旨ハ論旨第二点ノ冒頭ニ掲記セル如クニシテ、競売法ニ依ル本件ノ競売手続ガ適法ニ完結シタル後ニ至リ債務者Aノ為シタル抵当権設定行為ハ無効ニシテ、競落人タルXハ競売不動産ノ所有権ヲ取得セザルコトノ判決確定シタルコト明カナルヲ以テ、Xハ未ダ其不動産ノ所有権ヲ取得セザレドモ、競落手続上発生シタル債務者A対X間ノ売買契約ハ有効ニシテ、Aヲシテ正当ノ権利者ヨリ競売不動産ノ所有権ヲ取得シテ之ヲXニ移転セシムル権利ヲ有スルモノト謂ハザルベカラズ。従テ其競売手続ノ無効ヲ原因トスルXノ請求ハ不当タルヲ免レズ」(大判大八・五・三民録二五・七二九民抄録八三・一九七一七)。

これに反し、動産質権による競売においては、たとい質権が無効なる場合においても、競落人は民法一九二条によつて所有権を取得し得るから、質権の所有者は競売代金から弁債を受けた債権者に対し、不当利得返還請求権を有すると解されている(我妻・六〇頁以下、谷口・五三一頁以下)。判例もこの理を認め、債権者が破産財団に対し質権の実行により弁済を受くべき権利のない場合に、質権を実行して弁済を受けたときは、財団に対して不当利得を構成するとしている。

【33】　「破産財団ニ対シ質権ノ実行ニ因リ弁済ヲ受クベキ権利ナキ者ガ質権ヲ実行シテ其質物ノ売却代金ヨリ弁済ヲ受ケタルトキハ、即チ其者ハ法律上ノ原因ナクシテ破産財団ニ属スベキ財産ニ因リ利益ヲ受ケ之レガ為メニ右財団ニ損失ヲ及ボシタルモノナルガ故ニ、右行為ハ不当利得ヲ構成スルコト論ヲ俟タズ。而シテ原審ノ確定スル所ニ拠レバ本件ニ於テ上告人ハ破産財団ニ対シ質権ノ実行ニ因リ債権ノ弁済ヲ受クベキ権利ナキモノナルニ拘ハラズ、質権ヲ実行シテ質物売却代金ヨリ本訴金額ノ弁済ヲ受ケタルモノナレバ、上告人ノ行為ハ財

団ニ対シテ不当利得ヲ構成スルコト論ヲ俟タザルモノトス」(大判大四・八・二六民録二一・一四一七民抄録六〇・一三三二七)。

したがつて、競売手続にあつても、法律上の原因なしとは競売の基礎たる担保物権が存在しないことの意である。

(三)　利得が損失者の行為に基づくも、その意思に基づかない場合　　利得は損失者が他人をしてこれを得せしめることを欲しないに拘らず、その行為によつて生ずることがある(松坂・三三四頁註一六〇参照)。判例は賃借人がその賃借地に改良を加えた場合(大判明四五・一・二〇【34】)、旧法の下において父の認知前に母が子を扶養した場合(大判大一三・一・二四【35】)に不当利得返還請求権が成立するものとする。

【34】　XはYの土地を賃借中その労力によつて改良した。賃貸借終了してXは土地をYに返還したが、後に改良に要した費用を不当利得としてその返還を請求する。原審はこれを認めたので、Yは賃借人の労力投資により土地価額の増加があつたとしても、土地の賃貸借たる法律関係から当然賃貸人において享受すべき利益であり不当利得ではないと上告した。棄却。

「賃借人ハ賃借物ヲ改良シタルトキト雖賃貸借ガ終了シ賃借物ヲ賃貸人ニ返還スルニ方リテハ、改良シタル儘ノ現状ニ於テ返還セザル可カラズ。其結果改良ニ因リ賃借物ニ生ジタル価格ノ増加ハ当然賃貸人ノ利益ニ帰シ賃貸人ノ此利益ヲ享受スルハ之ヲ法律上ノ原因ナキモノト謂フヲ得ザレドモ、賃借人ガ改良ニ要セル費用ヲ弁償セズシテ改良ニ因ル利益ヲ収ムルハ、他人ヲ損シテ自ラ利スルモノニシテ条理上正当ナリト謂フ可カラズ。此意味ニ於テ賃貸人ハ不当ニ改良費ヲ利得シタルモノナルヲ以テ、改良ノ利益ヲ受ケタル限度即チ増加額ノ限度ニ於テ賃借人ニ改良費ヲ償還スル義務アルモノトス。原判決ニハ増加額ヲ不当ノ利得ナリトシ投資額ノ範囲ニ於テ増加額ヲ償還スルノ義務アルモノト為セドモ、立言ノ同ジカラザルニ止マリテ其実質ニ於テハ彼此異ナル所ナシ。之ヲ要スルニ原院ガ賃貸人タル上告人ヲ以テ法律上ノ原因ナクシテ利得シタルモノト為シタルハ穏当ナラザルモ、不当ニ利得シタルモノト謂ヒ得ベキヲ以テ 其利得ノ償還ヲ命ジタルハ 相当ナリトス」（大判明四五・一・二〇民録一八・一民抄録四三・九八三三）。

【35】 Xの母AはYと私通し訴外Bを分娩したが、YはBを引取らずまた認知の手続もしないので、やむなくAはBを養育してきたが、その後BはYに対し認知請求の訴を起して勝訴した。そこで認知の効力は出生時に遡るから、AにおいてBを扶養するため金銭を支出したのは右認知以後においては法律上の原因を欠くこととなり、Yはこれによつて不当利益を受けることになるから、AはYに対し不当利得返還の請求権を取得したものであるとして、その遺産相続人のXからYに対し不当利得返還の訴を提起する。第一審第二審ともX敗訴。Xから上告。破毀差戻。

「父ノ認知ニ因リ其ノ家ニ入ルベキ私生子ガ右認知ナキ為母ノ家ニ入リタルトキハ、母ハ民法第九五五条第九五六条ニ依リ其ノ子ニ対シ父ニ先チ扶養義務ヲ履行スルコトヲ要スベキモ、後日父ニ於テ其ノ子ヲ認知シタルトキハ同法第八三二条ニ依リ認知ノ効力ハ出生ノ時ニ遡ルガ故ニ子ハ出生ノ当時ヨリ父ノ家ニ入リ、従テ父ハ最初ヨリ母ニ先チ扶養義務ヲ履行スルヲ要セシモノト看做サルベキモノトス。然レバ母ガ右認知以前先順位ニ在ル自己ノ扶養義務ヲ履行スル意思ヲ以テ子ニ対シ扶養料ヲ支出シタリトセバ、此ノ出捐ハ父ノ認知後ニ於テハ法律上ノ原因ヲ欠クコトト為リ、又父ハ之ニ因リテ不当ニ自己ノ義務ヲ免レタルコトト為ルベキガ故ニ、母ハ父ニ対シ不当利得返還ノ請求権ヲ取得スルニ至ルベキヤ明ナリ」（大判大正一三・一・二四民集三・四五、平野・判民大正一三年度九事件、菅原・論叢一三巻一号一四二頁）。

但し、妻が離婚によつて夫の家を去つた後に、その子を養育した場合については反対の判例がある（谷口・四八七頁以下参照）。

【36】 X女はY男と明治二八年婚姻したが、夫婦仲が悪くなり明治四一年一〇月実家へ帰つた。その際三女A（当時五歳）四女B（当時三歳）がXを慕うのでこれを引連れて養育し、明治四二年五月協議離婚成立後も引続いてXの手許で養育した。XからYに対し、Yは父として法律上これを養育すべき義務があるのにXが代

つて自己の膝下にこれを養育したのであるから、養育費用の償還を求めるために本訴に及んだ。原審ではX敗訴。X上告。棄却。

「婚姻ヨリ生ズル一切ノ費用ハ夫之ヲ負担スベキハ民法第七九八条第一項ニ規定シタル所ナルモ、同条第二項ニ依レバ此規定ハ同法第八章ノ規定ノ適用ヲ妨ゲザルガ故ニ、当事者ノ子ニシテ配偶者モ卑属親モナキ幼女A及ビBニ対スル扶養ノ義務ハ同法第九五五条第九五六条ニ従ヒ当事者ノ婚姻中ハ各当事者其資力ニ応ジテ之ヲ分担シ、其離婚後ハ家ニ在ル被上告人Y先ヅ之ヲ負担セザル可カラズ。故ニ原院ガ婚姻中ハYノミ扶養ノ義務ヲ負担ス可キモノト為シタルハ法律ノ適用ヲ誤リタルノミナラズ、離婚ノ前後ニ於テ上告人Xノ為シタル両児ノ養育ヲ以テ自己ノ扶養義務ヲ履行シタルモノト為シタルハ不法ニ扶養義務ノ負担ヲ認メタルモノニシテ、之ニ依リXニ養育費償還ノ請求権ナシト判断シタルハ正当ナラズ。抑Xガ其両児ヲ養育シタルハYノ負担スル扶養義務ノ範囲ニ於テハYノ為メニ其扶養義務ヲ履行シタルモノナランカ、Xハ其範囲ニ於テハYニ対シ民法第七〇二条第一項ニ従ヒ養育ノ為メ支出シタル費用ノ償還ヲ請求シ、又ハ同条第三項ニ従ヒYノ現ニ受ケタル利益ノ返還ヲ請求シ得ベシト雖モ、Xハ原判決ニ確定シタルガ如ク両児ニ対スル愛情ヨリ之ヲ其膝下ニ置カンガ為メニ之ヲ養育シタルモノニシテ、Yノ為メニスル意思ヲ以テ其扶養義務ヲ履行シタルモノニ非ズ。従テ前掲法条ヲ適用スベキ限ニ在ラザレバYニ対シ養育費ノ償還又ハ不当利得ノ返還ヲ請求スルノ権利ヲ有セザルモノトス。Xノ所論ハ苟モ両児ヲ養育シタル以上ハ扶養義務者タルYニ対シ不当利得返還ノ請求権アリト為スモノナレドモ謬論ニシテ採ルニ足ラズ。何トナレバ其養育ニシテYノ為メニ其扶養義務ヲ履行シタルニ非ザルニ於テハYノ扶養義務ハ依然トシテ存在シ、Yハ之ニ因リテ何等利得スル所ナク唯扶養権利者ガ過去ノ扶養料ヲ請求スルヲ得ザルノ結果其履行ヲ免カルルニ過ギザレバナリ。然レバ原院ガXヲ以テ扶養義務ヲ履行シタルモノト為シ之ヲ以テ請求却下ノ一理由ト為シタルハ違法タルヲ免レザルモ、請求ヲ却下シタルハ結局正当ナリ」

（大判大五・二・二九民録二二・一七二民抄録六四・一四〇四一）。

また、判例は、内縁関係にある女が家事に従事した場合には、後に内縁関係が解消されても、男に対し不当利得の返還を請求することを得ないとする。

【37】 X女はY男と「婚姻ノ予約ヲ為シ儀式ヲ挙ゲテ」Yと同棲し、後婚姻をしないこととなつて実家に帰つた。そこでXはYに対し、XがY方に同居しその家事に従事したのは婚姻を成立させる目的のためであつてYの利益にもなつたが、婚姻をしないこととなりYと同居家事に従事したことはその目的を欠くに至つたので不当利得返還の請求をする。第一審第二審ともX敗訴。X上告。棄却。

「原判決ノ趣旨トスル所ハ元来夫婦ガ同居スルハ専ラ夫ノ利益ノ為メニスルモノニアラズ。夫婦共同ノ為メニ之ヲ為スモノトス。本件当事者ハ婚姻ノ予約ヲ為シ慣習上儀式ヲ挙ゲ同居シ事実上夫婦同様ノ生活ヲ為シタルモノニシテ、右夫婦同居ノ場合ト異ル所ナク当事者双方共互ニ共同ノ利益ノ為メニ家事ニ従事シタルモノナレバ、其後双方合意ノ上婚姻ヲ為サザルコトトナシ上告人Xガ実家ニ帰リタレバトテ、X右同居中ニ為シタル勤労ハ全然其損失ニ帰シ被上告人Yハ之ニ依リ不当ニ利得ヲ為シタルモノト謂フコトヲ得ズ。故ニXハYニ対シ民法第七〇三条ニ依リ利得返還ノ請求ヲ為スコトヲ得ズト謂フニ在ルモノトス。而シテ此原判決ハ相当ト認ム」(大判大一〇・五・一七民録二七・九三四民抄録九二・二三一四九)。

これらの場合において、利得は損失者の意思に基づくものではないから、ここでは出損の原因の有無を論ずることを得ない。利得者をしてかかる利得を保有せしめることが、公平の理想に合致するか否かによつて決すべきである。上述の明治四五・一・二〇の判決【34】も賃貸人において「賃借人ガ改良ニ要セシ費用ヲ弁償セズシテ改良ニ因ル利益ヲ収ムルハ他人ヲ損シテ自ラ利得スルモノニシテ、条理上正当ナリト謂フ可カラズ」といつておる。一般にはこれらの場合において、法律上の原因なしとは、利得を受くべき権利なきことであると説かれている(末弘・九六一頁、鳩山・八一一頁、石田・二三七頁)。しかし、具体的の場合においてかかる権利ありや否やは、結局公平の理想によって決する他ない（我妻・六一頁）。

（四）　利得が第三者の行為によって生じた場合　判例は、債務者が善意で債権の準占有者に弁済したために真の債権者が債権を失った場合（四七八条・四八〇条、大判大七・一二・七【38】）、裁判所が競売手続において競売代金を配当するに当り、配当を受くべき権利なき者に配当した場合（大判明四三・一一・二五【39】）、後順位抵当権者が先順位抵当権者に先立って配当を受けた場合（大判昭八・一〇・一八【40】）、強制競売の配当手続において配当を受くべき権利なき者に配当した場合（大判大四・六・一二【41】）、指名債権の譲渡人が譲渡の通知をしない以前に、債務者がこれに弁済した場合（大判明三七・五・三一【42】）に不当利得が成立することを認めている。

【38】　Yは貯米講なる一種の組合に属する債権を事実上Aから譲受け、自己の為めにする意思をもって債務者Xと示談契約を遂げ、Xは善意をもって五十円をYに支払った。Xは民法四七八条の規定は善意の債務者をして二重弁済をさせないためこれを保護するにあって、真の債権者でない債権の準占有者のなした弁済受領の行為までも効力を生ぜしめるものではないとの理由で、Yに対し不当利得としてその返還を求める。

「民法第四七八条ハ債権ノ準占有者ガ真ノ債権者ニ非ザル場合ニ於テモ之ニ対シテ為シタル弁済ヲ有効ナラシメ、善意ノ弁済者ヲ保護スル趣旨ニ出タルモノナレバ、真ノ債権者ガ弁済受領ノ準占有者ニ対シ不当利得返還ノ請求権ヲ有スルモ、善意ニテ弁済シタル債務者ニ於テモ同一ノ請求権ヲ有スルモノト解スベキニ非ザルハ勿論、債務者ガ悪意ニシテ其弁済ノ無効ナル場合ト同一視スベキモノニ非ズ」（大判大七・一二・七民録二四・二三一〇民抄録八一・一九一〇三）。

【39】　「本件ニ於テ上告人ガ第一審以来請求ノ原因タル事実ナリト主張シタル所ハ、X及ビ被上告人ハ共ニ債務者Aノ不動産ニ付キ抵当権ヲ有シ、被上告人ハ其抵当権実行ノ為メ競売ノ申請ヲ為シタルニ因リ、競売裁判所ハ其競売代金中被上告人申出ノ債権額ニ相当スル金銭ヲ第一番抵当権者タル被上告人ニ交付シ一部ヲ第三番抵当権者タル上告人ニ交付シタルモ、被上告人ノ申出デタル債権額中年一割五分ノ割合ヲ以テ計算シタル遅延

利息ハ仮令当事者間ニ約定アリトスルモ其登記ナキヲ以テ、登記アル約定利率年一割ヲ超過スル分ハ之ヲ以テ第三者タル上告人ニ対抗スルコトヲ得ズ。従テ其超過分ニ相当スル金七百十四円六十八銭ハ被上告人ニ於テ受取ルベキモノニ非ズシテ、未ダ債権全部ノ弁済ヲ受ケザル上告人ニ於テ受取ルベキモノナリト云フニ在リ。果シテ右上告人ノ主張ヲ真実ナリトセバ実体上係争金額ノ配当ヲ受クベキ者ハ被上告人ニ非ズシテ上告人ナルコト毫モ疑ヲ容レズ。裁判所ガ競売法第三三条ニ依リ競売代金ヲ交付スル行為ハ実体上ノ権利ヲ確定スルモノニ非ザルヲ以テ、其代金ノ配当ヲ受クベキ権利ナキ者ガ交付ヲ受ケタレバトテ実体上之ヲ受クベキ権利ヲ有スルモノト謂フヲ得ズ。而シテ其配当ヲ受クベカラザリシ者ガ誤テ配当ヲ受ケ之ガ為メニ当ニ配当ヲ受クベカリシ者ガ却テ配当ヲ受ケザリシ場合ニ於テハ、前者ハ法律上ノ原因ナクシテ後者ノ当ニ受クベカリシ財産ニ因リ利益ヲ受ケ之ガ為ニ後者ニ損失ヲ及ボシタルモノニシテ、民法第七〇三条ニ依リ不当利得ノ責ニ任ゼザルベカラズ。蓋同条ニ所謂法律上ノ原因ナクシテ利益ヲ受クルトハ実体上ノ権利ニ基カズシテ利得スルノ謂ヒニシテ、又所謂他人ノ財産ニ因リ利益ヲ受ケ之ガ為メニ他人ニ損失ヲ及ボストハ啻ニ他人ノ現在ノ財産ニ因リ利益ヲ受ケ之ガ為メニ其財産ノ減少ヲ来タスガ如キ場合ノミナラズ、他人ノ権利上当ニ受クベカリシ財産ニ因リ利益ヲ受ケ之ガ為メニ其他人ノ当ニ増加スベカリシ財産ノ不増加ニ帰スルガ如キ場合ヲモ包含スルノ趣旨ニ出デタルモノト解スルヲ相当トス。然レバ若シ前示上告人ノ主張事実ヲ真実ナリトセバ、係争金額ハ上告人ガ其抵当権ニ基キ当ニ配当ヲ受クベカリシモノナルニ被上告人之ガ交付ヲ受ケタル為メニ上告人ハ之ヲ受取ルコトヲ得ザリシモノナレバ、被上告人ニ不当利得ノ責アリト謂ハザルヲ得ズ」（大判明四三・一一・二五民集一六・七九五民抄録三九・九〇四一、同旨大判大三・七・一民録二〇・五七〇民抄録五〇・一一七一八、大判昭一六・一二・五民集二〇・一四四九、最判昭三二・四・一六民集一一・四・六三八）。

【40】「競売法第三三条ニ依リ裁判所ガ競売代金ヲ交付スル行為ハ実体上ノ権利ヲ確定スルモノニ非ザルヲ以テ、其ノ配当ヲ受クベカラザリシ者ガ誤テ配当ヲ受ケ為ニ当ニ配当ヲ受クベカリシ者ガ之ヲ受ケ得ザリシ場合ニハ、前者ハ民法第七〇三条ニ従ヒ後者ニ対シテ不当利得返還ノ責ニ任ゼザルベカラザルコト当院ノ判例（大正三年（オ）第二一四号大正三年七月一日当院言渡判決参照）トスルトコロニシテ、競売裁判所ガ其ノ配当

ニ当リ民事訴訟法第六九七条第六三〇条以下強制競売ニ因ル配当ノ実施ニ関スル規定ニ準拠シ得ベシト為シ、斯ル手続ニ倣ヒ之ヲ実施シタレバトテ配当ヲ受クベカリシ者ガ之ヲ受ケザリシ場合ニ於テハ、誤テ配当ヲ受ケタル者ニ対シ訴ヲ以テ不当利得ノ返還請求権ヲ主張スルノ妨ト為ルモノニ非ズ。従テ原審ノ認定スル如ク仮ニ上告人（控訴人原告）ヲ以テ第一順位ノ抵当権者ニシテ被上告人（被控訴人被告）ノ抵当権ニ優先スベキモノナリトセバ、抵当物件タル本訴船舶ノ競売代金ニ付配当ヲ受ケザリシ上告人ガ之ガ配当ヲ受ケタル被上告人ニ対シ不当利得ヲ原因トシテ其ノ返還ヲ求メ得ベキ筋合ナルニ拘ラズ、原審ガ反対ノ見解ニ立脚シテ其ノ返還ヲ求ムル上告人ノ本訴請求ヲ排斥シタルハ法則ヲ不当ニ適用シタル失当アルニ帰シ破毀ヲ免レズ」（大判昭八・一〇・一八裁判例（七）民二四二）。

【41】「不当利得ハ権利ナクシテ他人ノ財物又ハ労務ニ因リ利益ヲ受ケ之ガ為メニ他人ニ損失ヲ及ボスコトヲ謂フモノナレバ、不当利得ハ独リ利得ガ給付ニ因リテ生ジタル場合ニノミ存スルモノニ非ズシテ、利得ガ第三者ノ行為其他ノ事実ニ因リテ生ジタル場合ト雖、苟モ受益者ニ於テ利益ヲ受クベキ権利ヲ有セザル以上ハ不当利得ノ成立スルコトヲ妨ゲズ。従テ縦令受益者ガ強制競売ノ配当手続ニ於テ裁判所ヨリ配当金ヲ受領シタル場合ニ在リテモ、若シ其受益者ニシテ売得金ノ配当ヲ受クベキ基本債権ヲ有セザランニハ其配当金ノ受領ハ権利ナキ利得ニ係リ、而カモ債務者ノ財産ニ損失ヲ及ボスモノナルガ故ニ之ヲ以テ不当利得ナリト為サザルベカラズ。然レバ原判決ニ於テ上告人ガ虚偽ノ債権ニ基キテ被上告人ニ対スル強制執行ニ配当加入ヲ為シ競売売得金ノ配当ヲ受ケタルヲ不当利得ナリト説明シタルハ正当ニシテ本論旨ハ理由ナシ」（大判大四・六・一二民録二一・九二四民抄録五・七・一二八八、谷口・二三七頁）。

但し、右の場合において、虚偽の債権に基づき配当金を受領した者が不当利得返還義務を負うのは、債務者に対してであつて、差押債権者に対してではないとする。〔因果20〕参照。

【42】「原判決ノ確定シタル事実ニ依レバ上告人ノ訴外人Aニ対スル指名債権ハ一タビ転付命令ニ依リ被上告人ニ移転シタルモ、上告人ハ更ニ被上告人ヨリ之ヲ譲受ケタルコト明白ナルヲ以テ、若上告人ガ原審ニ於テ

主張セシガ如ク被上告人ハ該債権ノ譲渡ヲ債務者Aニ通知セズシテ自ラ其債権ノ弁済ヲ得タリトセバ、被上告人ヲ以テ上告人ノ財産ニ因リ法律上ノ原因ナクシテ利益ヲ受ケ之ガ為メ上告人ニ損失ヲ及ボシタルモノト為サザル可カラズ。何トナレバ指名債権ノ譲渡ハ当事者間ニ在リテハ其意思表示ノミニ因リテ其効力ヲ生ズルガ故ニ、当事者間ノ関係ニ於テハ上告人ヲ以テ債権者ト看サザルヲ得ザルモ、債務者ニ対シテハ譲渡人ヨリ譲渡ノ通知ヲ為スカ又ハ債務者ガ之ヲ承諾スルニ非ザレバ譲渡ヲ以テ対抗スルヲ得ザルヲ以テ、債務者Aガ被上告人ニ対シ為シタル弁済ハ有効ニシテ、上告人ハ債務者Aニ対シ更ニ弁済ヲ請求スル権利ヲ有セズ随テ被上告人ハ畢竟上告人ノ財産権タル債権ニ因リ自ラ利益ヲ得タルモノト謂ハザルベカラザレバナリ。然ルニ原判決ハ被上告人ヨリ債務者Aニ対シ債権譲渡ノ通知ヲ為シタルヤ又ハ同人ハ之ヲ承諾シタルヤ否ヤノ事実ヲ確定セズシテ、被上告人ガ上告人ニ譲渡シタル債権ノ弁済トシテ債務者ヨリ得タル金銭ハ債務者ノ財産ニ因リ受ケタル利益ニシテ上告人ノ財産ニ因リ受ケタル利益ニアラズト為シ以テ上告人ノ請求ヲ棄却シタルハ不法ナリ」(大判明三七・五・三一民録一〇・七八一)。

これらの場合において、明治四三・一一・二五の判決【39】は、七〇三条にいわゆる「法律上ノ原因ナクシテ利益ヲ受クルトハ実体上ノ権利ニ基カズシテ利得スルノ謂ヒ」だとするが、私は(三)の場合におけると同じく、法律上の原因の有無は、利得者をして利得を保有せしめることが、公平の理想に合致するや否やにより決せらるべきであると考える(我妻・六二頁、学説については松坂・三三八頁註一六九参照)。なお、学説においても、法律上の原因とは損失者の財産に介入し得べき第三者の権利なりと解する説がある(川名・要論六八七頁、Enneccerus-Lehmann, §219, II 2)。しかし、この説をもつては、債務者の準占有者に対する弁済の場合を説明するは困難であるばかりでなく、第三者がかかる行為をなすべき権利を有することは、第三者の行為を有効ならしめるも、必ずしも利得者をして損失者に対する関係において利得を正当ならしめるものではない(末弘・各論二頁註七八参照)。

(五)　利得が直接に法律の規定によつて生ずる場合　一定の事実が発生した場合に当事者の意思に関係なく、直接に法律の規定によつて利得を生ぜしめられることがある。

(1)　即時取得　判例は最初、Mの占有するX所有の白米の換価金をMが自分のYに対する債務の弁済に充てた事案について、「弁済トシテ他人ノ物又ハ他人ノ有ニ帰スベキ物ヲ債権者ニ交付シタル場合ニ於テ、債権者ガ民法第一九二条ニ規定スル占有ヲ為シタルトキハ、債権者ハ其物ニ対シテ確定不可動ノ権利ヲ取得スルト同時ニ其弁済モ亦有効トナルノ結果ヲ生ズルモノニシテ、此場合ニ於テ弁済ガ其効力ヲ生ズルハ債権者ガ真正ノ権利者ヨリ回復ノ請求又ハ利得返還ノ請求ヲ受クルノ虞ナクシテ完全ニ弁済ノ利益ヲ享受スルコトヲ得ルガ為メニ外ナラズ」と判示した(大判大元・一〇・二民録一八・七七二〔因果2〕)。この趣旨はその後も踏襲せられた(大判大九・一一・二四民録二六・一八六二〔因果7〕)。しかし、昭和一〇年に至り、その見解を改めて「金円ノ所有権ハ混和(民法二四五条)ニ因リテモ之ヲ取得ス即時時効ト限ルベカラズ。而モ該金円ノ所有権ガ取得セラレタレバコソ即チ不当利得ノ問題ハ起ルナレ、所有権ノ取得ヲ援テ以テ直チニ不当利得ヲ排セムトスルハ無権原占有者ニ対スル物権的返還請求権ト不当利得返還請求権トヲ混ズルモノニ庶幾シ」とした(大判昭一〇・三・一二民集一四・四六七〔因果17〕)。かつ、判例は即時取得については添附のような規定(民法二四八条)はないが、その法意からこれを知るに難くないとし、「例バ買主ガ是ニ依リテ当該動産(所有権)ヲ取得シタルトキハ、其ノ所有者ハ売主ニ対シ其ノ代金ヲ不当利得トシテ請求スルヲ得ベク、若シ贈与ナリシナラバ所有者ハ受贈者即チ即時時効ニ因リ所有権ヲ取得シタル者ニ対シ、不当利得トシテ当該動産(所有権)ソノモノノ返還ヲ請求スルヲ得ベシ。夫レ爾リ即時時効ニ因ル権利取得ハ成法上ノ原因ヲ具フル取得タルニ紛無シ。独此ノ取得ハ所謂法律上ノ原因ニ基クヤ否ヤ幷ハ正義公平ノ大乗的見地ヨリ解釈セラルベキ別個ノ問題トス。即時時効ト不当利得ノ相悖ラザルハ夫ノ添附ト不当利得ノ相容ルルト毫モ其ノ択ブトコロヲ見ズ」と判示している（大判昭一一・一・一七民集一五・一〇一〔因果18〕）。通説は、即時取得は取引の安全を保護して善意取得者に利得を保有させようとするもので、単に所有権または質権の帰属だけを決定しようとするものではないという理由で、不当利得を成立せしめないとする（我妻・六三頁註二三、物権法一三九頁、石田・二三八頁、末弘・九六七頁、鳩山・八一三頁、末川「不当利得と不法行為との相関対比」不法行為並に権利濫用の研究九頁）。通説の如く、権利の形式的移転だけでなく、その実質的移転すなわち利得の保有を認めることが、公信の原則を撤する所以とも考えられるが、しかし、その結果は原所有者の利益を甚だしく犠牲にすることになる。例えば、処分者が贈与をなした場合にも、原所有者はもはや善意の取得者に対して不当利得返還請求権を有せず、ただ処分者に対して債務不履行または不法行為に基づく損害賠償請求権を有するに過ぎない。したがつて、処分者が無資力なるときは、これらの請求権は実効がない。これは制度の目的を超えて取得者の保護に偏するものといわねばならない。ドイツ民法はこの場合に善意の無償取得者に不当利得の返還義務を負わしめている（八一六条一項後段）。これに反し、有償取得者は、その取得は直接に権利者の損失に基づくものでなく、かつ処分者との間の法律関係において法律上の原因を有すると解せられている。思うに、取引の安全すなわち善意取得者の保護は所有権の形式的移転だけで足るのではなかろうか。善意の第三者が処分者から有償で取得した場合には利得が存しないから、原所有者に対し不当利得返還の問題を生じない。これに反し、無償で取得した場合には、第三者が利得したこと明かで、しかも処分者との間に存する贈与原因はこれをもつて原所有者に対抗することを得ない。したがつて、第三者は利得を保有すべき法律上の原因を有しないと解したい（岡村・六一三頁以下、中央大学民事判例研究録一巻六五〇頁以下、「即時取得の範囲と不当利得」新報五九巻四一頁以下、板木・民商四巻一八二頁以下、谷口・一三八頁以下）。

(2)　添附　判例は「或ハ添附ト云ヒ或ハ即時時効ト云ヒ社会経済上ノ利害若ハ一般取引上ノ安定ヲ慮ルニ出デタル一ノ窮策ト云フモ過言ニ非ズ（夫ノ所謂物権契約ノ如キ亦此ノ品類タリ）。是故ニ添附ハ即チ物権取得ノ儼タル法律上ノ原因ナルト共ニ、不当利得ハ則チ是ニ由リテ之ヲ生ズ。民法第二四八条ハ其ノ返還ノ方法ヲ常ニ金銭ノ支払ニ限定シタル点ニ於テノミ意味アル規定ナリ」と判示している（大判昭一一・一・一七〔因果18〕）。学者の説もまた、法律が添附によつて生じた物の上に二個の独立した所有権は認め難く、また共有権を認めることも不便なので、旧物の所有者の一方をして新物の所有権を取得せしめたにとどまり、財産上の利益を与える趣旨ではないから、不当利得の規定に従つて当事者間の公平を図るべきものとしている（我妻・六三頁、鳩山・八一三頁、末弘・九六八頁、石田・二三八頁、岡村・六一二頁以下、反対中島「不当利得ヲ論ス」（民法論文集）八八頁）。

なお、福岡高等昭和三一・六・二二の判決（民集九・七・四四八）は、借家人Xが家屋に下屋を附築して、それが附合によつて家主Yに帰属した後に、Xが該家屋を買受けたところ、たまたま道路改良工事のため該下屋が切断除去され、Xが下屋の価格に充たない補償金を受領した場合に、さらにその後XY間の売買契約が合意解除されたときは、それによつて下屋を含む家屋所有権がYに復帰する結果、Xはあたかも Yの権利に属する下屋の補償金を受領したことになつて、不当利得としてYに返還すべき義務があるようだが、XもYに対し附合による償還請求権を有するわけであるから、公平と正義を基調とする不当利得制度の性質から、Xが補償金を受領すると同時にXのYに対する償還請求は受領金額の限度において消滅し、かつYのXに対する不当利得返還請求権も対等額で消滅すると解すべきだとしている。

(3)　善意占有者の果実取得　判例は、善意の占有者はその収取した果実について、不当利得返還の義務なしとする（大判大一四・一・二〇【43】）。学説でも、善意の占有者をして果実を収取せしめる趣旨は、その保護のためにこれに元物から生ずる収益を終局的に帰せしめるにあり、このことは一九六条一項但書から推知せられる。したがつて、善意の占有者は不当利得返還の義務を負わないと解せられている（末弘・九六七頁、反対岡村・六二〇頁、中央大学民事判例研究録一巻六五一頁以下）。

【43】　Xが未成年中にその後見人が親族会の同意を得ないで、X所有の建物をYに売渡したが、後にXは親族会の同意を得ていないとの理由で右売買契約を取消し、Yに対し該建物の返還とともにその居住によつて受けた利益を不当利得として返還を請求する。原審では売買の目的たる二棟の建物の中Yが第三者に賃貸したものについては賃料を返還する義務なしとされたが、Y自ら居住したものについては、それによつて得た利益の返還義務ありと判決された。Yから上告。破毀差戻。

「善意ノ占有者ハ占有物ヨリ生ズル天然果実及法定果実ヲ取得スルコトハ民法第一八九条ノ規定スル処ナルガ故ニ、上告人Yガ本件第一号建物ヲ善意ニテ占有セル間ハ縦令之ヨリ法定果実ヲ生ズルモ被上告人Xニ於テ之ヲ取得スルコトヲ得ザルモノトス。然レバYガ善意ニテ為セル占有ノ為ニXガ該建物ヲ他ニ賃貸シ其ノ賃料ヲ収取スルコトヲ得ザリシトスルモ、右賃料ノ如キハ建物ノ法定果実ニシテXハ前記ノ規定ニ依リ本来之ヲ取得スルコトヲ得ザルモノナレバ、Xニ於テ不当ニ損害ヲ被リタルモノト謂フヲ得ズ。然ルニ原審ハ右ト反対ノ解釈ヲ採リXヲ以テ不当ニ損害ヲ被レルモノトナシ、其ノ不当利得返還ノ請求ヲ是認セルガ故ニ、原判決中右ノ部分ハ違法ト謂フベク到底破毀ヲ免レズ」（大判大一四・一・二〇民集四・一、平野・判民大正一四年度一事件）。

思うに、これら利得が直接に法律の規定によつて生ずる場合に、不当利得となるや否やは、一に利得を生ぜしめた法規の理由並びに目的によつて決せられる。もし法規が取引の安全とか法技術的な便宜上の理由から、一先ず形式上その権利を利得者に帰属せしめたに過ぎないときは不当利得となるが、終局的に実質上もまたこれを保有せしめんとする趣旨、すなわち財産状態の究極的な新秩序を生ぜしめる目的であるときは不当利得とならない（我妻・六三頁、鳩山・八一二頁以下、石田・二三七頁、松坂三三八頁註一七一参照）。したがつて、法律の規定によつて生ずる利得を直ちに法律上の原因があるということはできない。時効は永続せる一定の事実状態を尊重してこれを法律関係に高め、もつて社会の秩序を維持しようとする制度であるから、時効による取得は究極的でなければならない。したがつて、不当利得返還請求権を生ぜしめないことについては、わが国においては谷口教授が、不当利得返還請求権の消滅時効完成の援用があるまでは返還請求を認むべきだとせられる（一四一頁）以外には、殆ど反対説を見ないようであるが、ドイツでは学説が分かれている（松坂・三四〇頁註一七七参照）。

不法原因給付

松坂佐一

一　七〇八条の立法趣旨

民法七〇八条の立法趣旨について、判例は、同条は「自己ノ不法行為ヲ理由トシテ法律ノ保護ヲ仰グコトヲ得ザラシムル趣旨ニ出デタルモノ」であるとし（大判大五・六・一民録二二・一一二一民抄録六六・一四七〇六）、学説でも、その説明の仕方は異るが（松坂・三七九頁註一八参照）、要するに、自ら不徳な行為をしておきながら、しかもそれを理由として自己の損失を取戻そうとするような者は、その心情において非難せらるべきだから、法もまたこれを保護しないというにある。したがつて、イギリスの衡平法における He who comes into equity must come with clean hands.（衡平法法廷にはいる者は、汚れのない手をもつてはいらなければならない）、フランス法における Nemo auditur propriam turpitudiuem allegans.（何人も自己の恥ずべき行為を援用する者はその要求を容れられない）という原則と同一の思想に基づくものと解されている。それ故に、本条では給付者の人格に対する非難が、その中核となつている（松坂・三八〇頁註一九・二〇）。

二　七〇八条本文適用の要件

一　不　法

判例は、特にその理由を明かにしていないが、古くから、七〇八条にいわゆる「不法」とは、例えば賭博や人を殺傷することを約して金銭を授受するように、「行為ガ性質トシテ当然醜悪ナル場合」でなければならないとし、法律の禁制に違反する場合を含まないものとする。民法施行前においてもそうであったという。

【1】 XはYから駿甲鉄道会社の発起許可以前において、その株式を得べき権利の譲渡を受けた。Xはその譲渡代金の取戻を請求する。原審はかかる権利の売買を無効とし、これに旧商法一八〇条「株金額少クトモ四分ノ一ノ払込前ニ為シタル株式ノ譲渡ハ無効タリ」の規定を適用し、該「契約ハ法律ノ禁制ニ違反スル不法行為ニシテ、不法行為ヲ原因トスル請求ハ法律ノ之ヲ保護セザルハ論ヲ俟タザル所ナレバ」として、Xの請求を排斥した。Xは、抑も不法なる行為によってなした給付の取戻し得ないためには、その行為の性質が醜汚なることを要するが、本件の該権利の譲渡はその行為の性質上当然醜汚たるものではなくして、旧商法一八〇条の規定によって無効たるに過ぎないと上告した。破毀差戻。

「旧商法第一八〇条ニ所謂無効ナル場合ハ法律ノ禁制ニ違反シタル行為ナリト雖モ、法律ノ禁制ニ違反シタル行為ニ依リテ為シタル給付ハ必ズシモ取戻シ得ベカラザルモノニアラズ。其取戻シ得ベカラザル給付ハ、其行為ガ性質トシテ当然醜悪ナル場合ナラザルベカラズ。例ヘバ人ヲ殺傷スルコトヲ約シ、為メニ金銭ヲ授受シタルガ如トキ是ナリ。然リ而シテ登記前ニ係ル会社ノ株式ノ譲渡又ハ将来設立セラルベキ会社ノ株式ヲ得ル権利（普通権利株ト称ス）ノ譲渡ニ関スル給付ハ、性質上醜悪ナル行為ニ原因シタリト云フヲ得ザルモノトス。何トナレバ登記前ノ株式又ハ権利株ノ譲渡ハ其性質トシテ当然醜悪ナル行為ニ非ズシテ、旧商法第一八〇条ノ規定ニ依リ其行為ガ無効トナルニ過ギザルモノナレバナリ。然ルヲ原院ガ総テノ不法行為ヲ原因トスル給付ハ法律ノ保護セザルモノトシ以テXノ請求ヲ排斥シタル原判決ハ、不法ナルヲ以テ破毀ヲ免レザルモノトス」（大判明三三・五・二四民録六・五・七四民抄録六・一〇二三、谷口・不法原因二一頁）。

【2】 民法施行前において、XはYを県会議員たらしめるために、その資格をつくる必要上その所有田地の所有権をYに移転したが、その実質は貸借であった。後に、Xからその返還を求めたところ、Yは、不法の目的を達するために本件係争物件の所有権を移転したとすれば、その契約が売買なると貸借なるとを問わず、概

してその合意は不法であるから、かかる目的から成立した法律行為で一朝論争を醸すに至つても、法律の保護によつてその権利の回復を望むべからざるは、法理の然らしめる所であると争つた。Yから上告。棄却。

「民法実施前ニ在リテ法律ノ禁制ニ違反シタル行為ニ因リテ為シタル給付ハ、常ニ必シモ取戻シ得可カラザルモノニアラズ。其取戻シ得可カラザル給付ハ其行為ガ性質トシテ当然醜悪ナル場合、例之バ犯罪ヲ約シテ金銭物品ヲ授受シタルガ如キ場合ニ限ルコトヲ法則トセルコトハ、当院判例ノ認ムル所ナリ。今ヤ本件ハ明治二六年中上告人Yガ被上告人Xニ県会議員トナルガ為メニ名ヲ売買ニ藉リテ本件ノ不動産ヲ借受ケタリト云フニ在リテ、其事ノ発生ハ民法実施（明治三一年七月）前ノ所為ニ属シ、而シテ如上ノ事項ハ性質上醜悪ナル行為ニ原因シタルモノト云フヲ得ザレバ、原院ガ本件Xノ請求ヲ容レタルハ相当ニシテ本論旨ハ採用スルヲ得ズ」（大判明三九・二・二六民録一二・二八一民抄録二八・五八八三）。

【3】　XはYから未だ発起認可を得ないA会社の株式を得べき権利の譲渡を受けたが、それは旧商法一八〇条の規定に違反し、無効であつた。そこで、Xは売買代金を不当利得としてその返還を求める。Yは、不法の原因のために給付したものの取戻は、法律の保護すべき限りでないと抗弁する。原審ではX敗訴。X上告。破毀差戻。

「公ノ秩序又ハ善良ナル風俗ニ反スル行為ハ不法ナリ、又法律ノ禁制ニ違反スル行為ハ概シテ公ノ秩序ニ反スル行為ナルベケレバ亦不法アリト謂フヲ得ベシ。而シテ不法ナル行為ハ概シテ無効ナリト雖モ又取消シ得ベキモノナキニ非ズ。重婚ノ如キハ即チ其一例ナルベシ。而シテ不法ナル行為ガ無効ナル場合ト雖モ、其行為ニ因リテ為シタル給付ハ必シモ取戻シ得ベカラザルモノニ非ズ。不法ナル行為ニ因リテ為シタル給付ヲ取戻シ得ザルガ為メニハ、其行為ノ性質ガ給付ヲ為シタル者又ハ当事者双方ニ関シテ醜汚ナルコト、例ヘバ賭博ノ如キ又ハ金銭ヲ授受シテ他人ノ致死ヲ約スルガ如キモノナラザルベカラズ。登記前ニ係ル株式ノ譲渡ハ最初ノ譲渡人ニ関シテハ概シテ醜汚ノ行為ナルベシト雖モ、譲受人ニ関シテ此事実ヲ推定スルノ失当ナルヤ論ナシ。蓋シ登記前ノ株式ノ譲渡ハ其性質トシテ当然醜汚ナルモノニ非ズシテ、商法第一八〇条ノ規定ニ依リ無効タルニ過ギザルヲ以テナリ」（大判明三二・二・二八民録五・二・一二四民抄録二一・三五七）。

そして後に、醜悪とは法律上の意味をなさないとの非難に対して、「聊カ明瞭ヲ欠クノ嫌ナキニアラザレドモ、其所謂醜悪トハ畢竟公ノ秩序又ハ善良ノ風俗ニ反スル意義ニ外ナラ」ずと判示した。

【4】 Yから権利株を買受けたXが、Yに対し売買の無効確認並びに代金の返還を求める。原審が、権利株売買は性質上当然醜悪なものではないとしてXの請求をいれたので、Yは上告して、商法一四九条但書「但第百四十一条第一項ノ規定ニ従ヒ本店ノ所在地ニ於テ登記ヲ為スマテハ之ヲ譲渡シ又ハ其譲渡ノ予約ヲ為スコトヲ得ス」の規定は絶対的強行法であるから、これに反する行為は当然不適法行為で、それに基づいてなされた給付に無効を惹起するにとどまらず、七〇八条にいわゆる不法原因に基づく給付である。また醜汚とは法律上何らの意味をなさぬから、これをもつて不法原因なりや否やの分界となすには先ず法律上の意義を確定しなければ、本訴請求が不法原因に基づく給付の返還を求むるものなりや否やを判断し得ないと主張した。棄却。

「民法第七〇八条ニ所謂不法ノ原因トハ、其原因タル行為ガ公ノ秩序又ハ善良ノ風俗ニ反スル事項ヲ目的トスル場合ヲ云フモノニシテ、法律ノ規定ニ反スル行為ハ必ズシモ公ノ秩序又ハ善良ノ風俗ニ反スルモノノミニ限ラザルガ故ニ、不適法ノ行為ハ常ニ不法ノ原因ナリト論ズルヲ得ズ。本件株式ノ売買ノ如キ固ヨリ法律ノ規定ニ反スル行為ニシテ当然無効タルベキハ勿論ナルモ、公ノ秩序若クハ善良ノ風俗ニ反スルモノニアラザルヲ以テ、原判決ガ本件ノ場合ハ民法第七〇八条ニ該当セザルモノトシ、上告人Yノ抗弁ヲ排斥シタルハ洵ニ相当ニシテ本論旨前段ハ其理由ナシ。又原判決ガ『不法ノ原因トハ其原因タル行為ガ性質上当然醜悪ナル場合ノ謂ナリ』ト説示シタルハ聊カ明瞭ヲ欠クノ嫌ナキニアラザレドモ、其所謂醜悪トハ畢竟公ノ秩序又ハ善良ノ風俗ニ反スルノ意義ニ外ナラザレバ本論旨後段モ亦其理由ナシ」（大判明四一・五・九民録一四・五四六民抄録三四・七六一九、谷口・不法原因二一頁）。

このように、七〇八条にいわゆる不法を行為の単に強行法違反でなく、「公ノ秩序又ハ善良ノ風俗」

違反に限ろうとする判例の態度は、その後の判例においても維持せられている。尤も、明治四二・二・二七の判決は、債権者詐害の目的をもつてなされた財産隠匿行為によつて給付せられた物の返還請求について、その隠匿行為が虚偽表示たるときは所有権が移転しないから、その返還は所有権に基づくもので、その場合には七〇八条の適用がないが、仮に不当利得の訴としても、「抑同条ノ規定ニ依レバ、給付ヲ為シタル原因ノ不法ナル場合ニ在ラザレバ、其適用アラザルコト極メテ明白ナルヲ以テ、若シ給付ノ原因ハ法律行為ナリトセンカ必ズヤ其行為ハ公ノ秩序若クハ善良ノ風俗ニ反シ、即チ民法九〇条ノ規定ニ依リテ無効ナル場合ナラザルベカラズ」。然るに、詐害行為は家資分散の際でなければ、公序良俗に反する行為といえないから、この点からも七〇八条を適用すべきでないと判示している（民録一五・一七二〔15〕）。

【5】　YからXに対して金千二百五十円を支払うべき債務をさらにA会社株式百株を交付すべき債務に更改し、Xは新債務の履行として株式の譲渡を受けたが、該譲渡は会社設立登記前のため無効なので、最初の契約に基づき金千二百五十円の支払を求めた。原審はXの請求をいれたのでYから上告。七〇八条の不法原因とは必ずしも公序良風を紊る行為のみを意味せずして、汎く法則を侵す行為を包含するものと解すべきだと主張した。棄却。

「法律ノ禁制ニ違犯シタル行為ニ因リテ為シタル給付ハ常ニ必ズシモ取戻シ得可カラザルモノニ非ズ。其取戻シ得可カラザル給付ハ其行為ガ公ノ秩序若クハ善良ノ風俗ヲ害スル場合、仮令犯罪ヲ約シテ金銭物品ヲ授受シタルガ如キ場合ニ限ルコトハ当院ノ判例（明治三三年五月二四日言渡明治三二年（オ）第二八三号株式譲渡代金取戻事件、明治四一年（オ）第一三七号明治四一年五月九日言渡売買無効確認並ニ代金払込金額返還請求事件）トセル所ニシテ、本件ノ如キ会社設立登記前ノ株式譲渡ニ関スル給付ノ如キハ公ノ秩序若クハ善良ノ風俗ニ反スル行為ニ原因シタルモノト云フヲ得ザレバ、本件ノ場合ニハ上告論旨ノ如ク民法第七〇八条ヲ適用ス可キモノニ非ザレバ本論旨ハ採用スルヲ得ズ」（大判明四三・七・四民録一六・五〇一民抄録三九・八八五一、谷口・不法原因二二頁、同旨大判明四三・九・二六民録一六・五六八、谷口・不法原因二二頁）。

【6】 Yが分家しようというので、Xは地所を譲与し、その登記名義をY所有に書換えたところ、Yが分家の届出をしないので、Xは右の所有権移転登記は無効であるとしてその抹消を請求する。Yはこれを不法原因給付なりとして争う。棄却。

「本件ニ於テ原院ノ確定セル事実ニ依レバ、上告人Yハ被上告人Xニ対シ他ニ分家シテ独立ノ生計ヲ営ムベキコトヲ約シ、Xハ之ニ対シ係争地所ヲYニ譲与スベキコトヲ約シ、Yガ分家ノ手続ヲ為サザルニ先チ、Xハ右地所ノ登記名義ヲY所有ニ書換ヘタルモノナリ。凡ソ家族ガ分家ヲ為サント欲シ而シテ戸主ノ同意ヲ得ルトキハ分家ヲ為スコトヲ得ルモノナレバ、家族ガ戸主其他ノ者ニ対シ分家ヲ為サンコトヲ約シタル場合ニ於テモ、任意ニ之ガ履行ヲ為ス以上ハ何等不法ノ目スベキモノアルコトナシト雖モ、後日意思ノ変更ニ因リ分家ノ届出ヲ肯ンセザルニ当リ、他ヨリ強制シテ分家ヲ為サシムルハ即チ人ノ自由ヲ害シ公ノ秩序ニ反スルモノナルヲ以テ、斯ノ如キ契約ハ当初ヨリ無効ナリ。而シテ民法第七〇八条ニ所謂不法ノ原因ノ為メ為シタル給付トハ、常ニ必ズシモ返還ヲ請求シ得可カラザルモノニアラズ。其返還ヲ請求シ得可カラザル給付ハ、其行為ガ例令犯罪ヲ約シテ金銭物品ヲ授受スルガ如ク、公ノ秩序若クハ善良ノ風俗ニ反スル場合ニ限ルコトハ当院判例ノ存スル所ナリ(明治四三年（オ）第一九〇号同年七月四日民事部判決参照)。如上分家ノ契約ハ同条ノ不法ノ原因ニ該当セズ。随テXノ譲与シタル地所ハ之ガ返還ヲ請求シ得可カラザル給付ニアラズ。然レバ原院ガ如上分家ヲ目的トスル契約ハ法律上当然無効ニシテ、之ニ伴ヒ其内容ヲ為セル地所譲与ノ約諾モ亦無効ナル旨ヲ判示シXノ登記抹消ノ請求ヲ採用シタルハ結局適当ニシテ本論旨ハ理由ナシ」（大判明四四・一〇・一六民録一七・五八〇民抄録四一・九五六〇、谷口・不法原因一〇八頁）。

この判例は分家をなすことの対価として不動産を譲渡した場合に、分家契約（分家の予約）は「後日意思ノ変更ニ因リ分家ノ届出ヲ肯ンゼザルニ当リ、他ヨリ強制シテ分家ヲ為サシムルハ、即チ人ノ自由ヲ害シ公ノ秩序ニ反スルモノナルヲ以テ」当初から無効である。しかし、分家をなすことを約することは「公ノ秩序若クハ善良ノ風俗」に反しないから、七〇八条の「不法ノ原因」に該当せず、したがつて、不動産の返還を請求し得るとなすものであつて、結論としては正当であるが、分家契約が外部からその実行を強制することを得ないからといつて、それが当然に無効であるとする理論には賛成できない。現に判例もいわゆる婚姻予約についてはそれに基づき届出を強制することはできないけれども、正当の理由なくして違約した者に対し損害賠償を請求し得るという意味で、その有効性を認めていることは周知の如くである(大判大四・一・二六民聯録二一・四九)。或は分家というような身分行為を財産的利益と関連させることによつて不法性を帯びるに至るのではないかとの疑問があるかも知れないが、旧法時代において、分家して新たに一家をたてるというような場合には、そのために財産が分与されるのが、けだし通常であろうから、これをもつて公序良俗に反する行為とはなし難い(谷口・九九五頁以下、不法原因一一〇頁以下参照)。このように、分家の契約が有効だとすれば、分家を約した者が土地の譲渡を受けながら、分家届出をしない場合には、相手方は届出を強制することはできないが、その不履行を理由として契約を解除し、土地の返還を請求することができる。このことは広く、例えば婚姻・縁組などのような届出によつて成立する身分行為をなすことを約し、それと対価的に財産の給付がなされた場合にあてはまるであろう。

ところが、大正七・二・二一の大審院判決は、取立委任の形式で担保に供した恩給証書の返還請求について、「第七〇八条ノ規定ハ給付ノ原因自体ガ公ノ秩序又ハ善良ノ風俗ニ反スル場合ニ関スルモノナレバ、其原因ガ公ノ秩序若クハ善良ノ風俗ニ反セザル限リ、同条ノ適用アルベキニ非ザルコト勿論ナリ」。したがつて、「本件ノ如ク金銭ヲ借受クル者ガ委任ノ形式ヲ以テ恩給証書ヲ担保ト為シタレバトテ、給付ノ原因ガ公ノ秩序又ハ善良ノ風俗ニ反スルモノト謂フ可カラザレバ」と判示し、また大正一五・四・二〇の判決は、外国人の給付した土地売買契約手附金の返還請求について、「給付ノ原因自体」が公序良俗に反するや否やが標準となることを繰り返した。

【7】 XはYから恩給を担保に金銭を借り恩給証書を交付したが、後に右担保契約の無効を理由として、所有権に基づいて恩給証書の返還を請求する。原審は「恩給年金ノ支給ヲ受クル権利ヲ他ニ譲渡シ又ハ質権ノ目的トナスガ如キハ法律ノ許サザル所ナリト雖モ、斯ル行為ハ其レ自体公ノ秩序又ハ善良ノ風俗ニ反スル行為ト認ムルヲ得ザルガ故ニ……年金証書ヲ債権者ニ交付シタル行為ハ右法条（七〇八条）ニ所謂不法ノ原因ノ為メ給付シタルモノナリト謂フヲ得ズ」とした。Yは上告して、かかる契約は公の秩序に反する醜悪な行為であり、これに基づき給付した恩給証書の返還を求めることは、法律の保護に値しないものだと主張した。棄却。

「民法第七〇八条ノ規定ハ給付ノ原因自体ガ公ノ秩序又ハ善良ノ風俗ニ反スル場合ニ関スルモノナレバ、其原因ガ公ノ秩序若クハ善良ノ風俗ニ反セザル限リ同条ノ適用アルベキニ非ザルコト勿論ナリ。而シテ本件ノ如ク金銭ヲ借受クル者ガ委任ノ形式ヲ以テ恩給証書ヲ担保ト為シタレバトテ、給付ノ原因ガ公ノ秩序又ハ善良ノ風俗ニ反スルモノト謂フ可カラザレバ、原審ガ被上告人Xノ係争恩給証書ヲ上告人Yニ引渡シタル行為ハ同条ニ所謂不法原因ノ為メノ給付ニ非ザル旨判示シタルハ正当ナルノミナラズ、Xハ所有権ニ基キ本訴ノ請求ヲ為スモノニシテ、不当利得ヲ原因トシ之レガ返還ヲ請求スルモノニ非ザレバ、民法第七〇八条ノ適用アルベシトスル本論旨ノ失当ナルコト多言ヲ竢タズ」（大判大七・二・二一民録二四・二六六民抄録七六・一七六二六、谷口・不法原因六〇頁）。

【8】 中華民国人Xは、大正一二年日本人Yから不動産を代金八千円で買受け、手附金千円を支払った。しかし、当時の法律上外国人は土地所有権を取得し得ないのでその契約は無効であるから、Xは不当利得を理由として手附金の返還を請求する。原審は、「本件土地売買契約ハ前記法令（明治六年太政官布告第一八号地所質入書入規則第一一条）ノ禁止規定ニ違反シ無効ナレドモ、該行為自体ハ公ノ秩序善良ノ風俗ニ反スルモノト認メ得ザルヲ以テ、被控訴人ノ右手附金ノ給付ハ同条ノ所謂不法原因ノ為メノ給付ナリト謂フヲ得ズ」とした。そこでYは上告して、強行法規に違反する以上は不法原因に基づく給付となさざるを得ないと主張した。破毀自判。

「民法第七〇八条ノ所謂不法原因トハ給付ノ原因自体ガ公ノ秩序又ハ善良ノ風俗ニ反スル場合ヲ謂フモノナル

コトハ、当院ノ判例（大正七年（オ）第三八号大正七年二月二一日第二民事部判決参照）トスル所ナリ。而シテ外国人ハ現ニ我国ニ於テ土地ヲ所有スルコトヲ得ザルハ、明治六年太政官布告第一八号地所質入書入規則第一一条ニ明規スル所ニシテ、該規則タルヤ公ノ秩序ニ関スル強行法規ナルヲ以テ之ニ違背シ外国人ヲシテ土地ノ所有権ヲ取得セシムル行為ノ無効タルハ勿論、其ノ行為ヲ原因トシテ為シタル給付ハ其ノ原因ガ公ノ秩序ニ反スルモノナルヲ以テ、民法第七〇八条ノ所謂不法原因ノ給付ニ該当スルモノト解セザルベカラズ。然ラバ原判決ガ論旨摘録ノ如ク判示シ、本件土地ノ売買契約ハ前記法令ノ禁止規定ニ違反シ無効ナレドモ、該行為自体ハ公ノ秩序善良ノ風俗ニ反スルモノト認メ得ザルヲ以テ、被上告人Xノ為シタル本件手附金ノ給付ハ民法第七〇八条ノ所謂不法原因ノ為ノ給付ナリト謂フヲ得ズト為シタルハ違法ニシテ、論旨ハ此ノ点ニ於テ理由アルヲ以テ原判決ハ破毀ヲ免レズ。従テ他ノ論旨ニ付説明ヲ省略ス。而シテ原判決ノ確定シタル事実ニ依レバ大正一二年三月一六日Xト上告人Yノ代理人タル訴外Aトノ間ニ於テXガY所有ノ松本市大字比深志東町一一六五番ロ号番地六十八坪七合五勺ヲ代金八千円ニテ買受ケ、即時手附金一千円ヲ支払ヒ残金ハ同月二五日弁済スベキ旨ノ契約ヲ締結シ、即時Xハ該手附金ヲ右代理人ニ支払ヒタル事実ハ当事者間ニ争ナク、右契約当時Xハ外国人ナリト云フニ在ルヲ以テ、該売買契約ガ法規ニ違背シ無効ナルコトヲ理由トシテ右手附金ノ返還ヲ求ムルXノ本訴請求ハ、不法原因ノ給付ノ返還ヲ請求スルモノニシテ当然排斥ヲ免レザルモノトス」（大判大一五・四・二〇民集五・二六二、谷口・不法原因九五頁、我妻・判民大正一五年度三九事件参照）。

この判旨には反対であること後に述べる如くである。

ここにいわゆる「給付ノ原因自体」の意味は必ずしも明瞭ではないが、我妻教授は「この場合かかる脱法行為と見るべきものは、結局強行法違反として無効ではあるが、給付の原因自体は『恩給受領の委任』であつて、何等不法はないといふ意味に解すべきであろうか」とされている（我妻・前掲参照）。

判例はさらにこの考え方を進めて、昭和四・一〇・二六の判決は、大正七年の判決【7】と同一事案について、「恩給ヲ受クルノ権利ヲ担保ニ供スルコトハ恩給法ノ規定ニ依リ禁止セラルル」法禁行為であることを認めつつ、それが公序良俗に反するか否かを決定するに当つては、「凡ソ債権弁済ノ為担保ヲ供スルコトソレ自体ハ何等公序良俗ニ反セザルガ故ニ」、強行法違反の故をもって直ちに右担保契約を公序良俗に反するものということを得ないとしている。すなわち、これは恩給権を担保に提供するという具体的行為が公序良俗に反するや否やを考察しないで、それから担保の提供だけを捨象して考察の対象とするものである。

しかし、このような論法を押し進めて行くならば、犯罪行為のために金銭を授受するような場合を除き殆ど公序良俗に反する行為は存在しないことになるであろう（杉之原・判民昭和四年度七四事件参照）。

【9】「民法第七〇八条ニ所謂不法ノ原因トハ公序良俗ニ反スル場合ヲ指スモノニシテ、法律ノ禁制ニ違反シタル行為ニ因リテ為セル給付ト雖其ノ行為自体ガ公序良俗ヲ害スルモノト云フヲ得ザル場合ニハ、不当利得ノ原則ニ基キ給付シタルモノノ返還ヲ求ルコトヲ妨ゲズ。而シテ恩給ヲ受クルノ権利ヲ担保ニ供スルコトハ恩給法ノ規定ニ依リ禁止セラルルモ、凡ソ債権弁済ノ為担保ヲ供スルコトソレ自体ハ何等公序良俗ニ反セザルガ故ニ、右禁止ノ故ヲ以テ直ニ右担保ノ契約ヲ目シテ直ニ公序良俗ニ反スト做スベキニ非ズ。従テ恩給法ノ規定ノ結果右担保契約ノ無効タル以上、該契約ニ基キ曩ニ交付セル恩給証書ノ返還ヲ求ムル本訴請求ハ之ヲ認容スベク、原審判決ハ此点ニ於テ上告人所論ノ如キ違法アルモノニ非ズ」（大判昭四・一〇・二六民集八・七九九、谷口・不法原因六一頁、杉之原・前掲）。

この「給付ノ原因自体」という標準もまた必ずしも一貫せられているわけではない。大正八・九・一五の判決は斤先掘契約において、斤先掘人が鉱業権者のために鉱区に関する諸税金を代納した場合の返還請求について、大正七年の判決の筆法をもってすれば斤先掘契約は強行法違反で無効であるけれども、給付の原因自体は「税金の代納」であつて公序良俗に反するものではないと解し得べきに拘らず、ここでは「本件斤先掘契約ハ右鉱業法第一七条ニ違背スルモノナルヲ以テ、民法第九〇条ニ所謂公ノ秩序ニ反スル事項ヲ目的トスル法律行為ナリト謂ハザルベカラズ」といつて、簡単に返還請求権を否定している（我妻・判民大正一五年度三九事件二〇七頁参照）。

このように、判例は七〇八条にいわゆる不法かどうかは単に強行法違反でなく、行為の倫理的意義を考慮して決すべきものとしている。通説は判例の態度に反対して強行法違反を含むと解するけれども（学説については、谷口・不法原因一八一頁以下に詳細な説明がある。通説、鳩山・八二八頁以下、末弘・九八二頁、谷口・不法原因一九〇頁以下）、近時、判例を支持して公序良俗違反に限らんとする説がしだいに多くなりつつある（我妻・七七頁、石田・二四六頁、岡村・六四八頁、等）。さらに一歩を進めて、これを善良の風俗違反に限る学者もある（有泉・六九〇頁以下）。けだし、七〇八条は「自己の不徳なる行為を主張して法の保護を受くることを得ず」という法の理想の顕現であり、法が倫理的原則をとり入れたものであるから、時代の倫理思想に基づくものでなく専ら国家の政策的立場から定められる禁止規定の違反に同条を適用すべきではないからである。ただ、各当事者が禁止規定の存在を知りながら、なお敢て違反行為をしたことが、いわゆる「公の秩序善良の風俗」に反すると認められる場合には適用があると考える。もし、本条を禁止規定違反にまで拡張して、すでになされた給付の返還請求を阻止するときは、我妻教授が説かれるように、禁止規定が禁遏せんとした行為が事実行われてそのまま肯認せられることになり、実際には、却つて禁止規定の趣旨を蹂躙する結果となるであろう（我妻・七七頁参照）。

判例理論の具体的事例を示せば次の通りである。

(1)　権利株売買に基づく給付　会社成立前の株式、すなわち株式引受人としての地位の譲渡、いわゆる権利株の譲渡は、これを自由にすると徒らに投機を誘発するばかりでなく、発起人の無責任な売逃げ等の弊害を生ずるので、旧商法一四九条但書はこれを禁止していた。しかし、実際界においては、譲渡人が株式申込証拠金領収証（払込期日以後は株式払込金領収証となる）に株式名義書換請求の委任状をつけて譲受人に交付することによって一般に行われた。その結果として、売買代金返還請求がしばしば問題となり、その交付代金が七〇八条にいわゆる不法原因給付なりや否やが争われた。判例は一貫して権利株の売買は法律の禁止に違反する行為で無効であるが、その行為は性質上当然醜悪なるものでもまたは公の秩序もしくは善良の風俗に違反するものでもないから、七〇八条に該当せざるものとしている（大判明三三・五・二四【1】、同明三二・二・二八【3】、同明四一・五・九【4】、同明四三・七・四【5】、同明四三・九・二六民録一七・五六八、谷口・不法原因二〇頁以下）。

したがつて、権利株売買当事者間において、会社の増資につき主務官庁の許可を得ることができず、その増資による新株募集が取消されたときは、売買代金を返還すべき旨の特約をなすことは、七〇八条に違反しないばかりでなく、何ら公序良俗に反する事項を目的とするものでないから有効だとされている。

【10】　「株式会社ノ設立登記前ニ於ケル株式又ハ増資登記前ニ於ケル新株即所謂権利株売買ニ関スル代金ノ給付ハ、民法第七〇八条所謂不法ノ原因ノ為メノ給付ニアラザルコト当院判例（明治四三年（オ）第一九〇号同年七月四日第二民事部判決参照）ノ夙ニ認ムル所ニシテ未ダ之ヲ変更スベキ理由アルヲ見ズ。故ニ右代金ノ給付ヲ受ケタル売主ガ買主ニ対シ或事実ノ到来ヲ条件トシテ之ガ返還ヲ約スルモ、該契約ハ所論ノ如ク前記法条ニ違背シタルモノト云フコトヲ得ズ。本件ニ付原院ノ確定シタル事実ニ依レバ上告人ハ小樽貨物火災保険株

式会社第四回ノ増資ニ因ル所謂権利株百株ヲ代金八百五十円ニテ被上告人ニ売却シ、其ノ代金ノ支払ヲ受クルト同時ニ被上告人ニ対シ、右会社ニ於テ増資ニ付主務官庁タル農商務省ノ認可ヲ得ルコト能ハズシテ其ノ増資ニ因ル新株募集ヲ取消シタルトキハ右代金ヲ被上告人ニ返還スベキ特約ヲ為シタル処、其ノ後同会社ニ於テ右認可ヲ得ルニ至ラズ増資ニ因ル新株募集ヲ取消シタリト云フニ在ルガ故ニ、本件売買代金ノ給付ハ民法第七〇八条ニ所謂不法原因ノ為ノ給付ニ非ズ。従テ右特約ハ同法条ニ違背セザルノミナラズ何等公序良俗ニ反スル事項ヲ目的トスルモノニアラザルガ故ニ、原院ガ右特約ヲ有効ト認メタルハ正当トス」（大判大一一・七・五新聞二〇二四・一九、谷口・不法原因二三頁）。

学説では、権利株売買に関する旧商法一四九条但書（二一七条三項）の規定は強行法規であつて、自ら法律の禁止する行為をなしたことを理由として給付の返還を請求する者は、自ら公序良俗に反する行為をなしたことを理由としてこれを請求する者と同じく、法律の保護に値せざるものであるから、それを原因とする給付は不法原因給付だと解する者が多い（鳩山・八二九頁、谷口・不法原因二四頁）。

しかし、権利株の売買は経済界において実際に慣行せられるところであるから、売買当事者に不法の認識を欠くことが多いであろうし、たといこれを有する場合でも一般に慣行されている実情の下において、当事者に道徳的非難を課し難いばかりでなく、代金の取戻を拒否することは当事者間の公平を失することにもなるので、私は判例の態度を支持する（我妻・七六頁、石田・二四七頁）。我妻教授も「勿論権利株売買の場合に、代金の返還請求権なしとすれば、権利株売買を禁圧する効果は多からう。けれども、私はこの禁圧は寧ろ別の方法を以つて企図すべきで、七〇八条にこの目的を達せしめんとするは、本来の使命以上のものを達せしめんとするのであつて、決して妥当なことではないと考へる」といつておら

れる（我妻・判民大正一五年度三九事件二一一頁）。

なお、新会社法が権利株売買を少くとも当事者間においては有効に成立するものとしたこと（改商一九〇条一項・三七〇条一項（昭和二六年の改正で削除）・二〇四条二項）を注意すべきである。

(2)　債権者詐害の目的をもつて行われる財産隠匿行為　債務者が債権者の執行を免れるために、他人と通謀して自己の財産を仮装譲渡した場合に、最初判例はかかる譲渡はすべて不法原因給付であるから、取戻し得ないと解していた。

【11】　X先代Aが身代限とならんとする際、債権者詐害の目的で、その所有家屋をY先代Bに仮装譲渡した。後にAの相続人Xがその返還を求める。

「原判決ハ上告人X先代Aガ幾多ノ負債アリテ将ニ身代限ト為ラントスルニ際シ、其債権者ニ対シ無資力ナルコトヲ示シ債権ノ減額ヲ求ムルノ目的ヲ以テ、名ヲ売買ニ仮装シ本件ノ家屋ヲ被上告人先代Bノ所有名義ニ為シタル事実ヲ認定シ、而シテ本件Xノ請求ハ此ノ不法ノ原因ヲ憑拠トスルモノナルガ故ニ法律ノ保護スベキモノニアラズシテ其請求ヲ棄却シタルモノナルコトハ其判文上明白ナリトス。而シテ原判決ノ認定シタルX先代Aノ行為タルヤ其目的ニ於テ不法ナルヲ以テ不法ノ行為トシテ論ズベキモノニシテ、仮令X自身ニハ毫モ不法ノ行為ナシトスルモ其先代ノ為シタル不法行為ヲ原因トシテ請求ヲ為ス以上ハ、法律ハ之ニ救済ヲ与フベキモノニアラザルヤ毫モ疑ヲ容レズ」（大判明三二・二・一四民録五・二・五六民抄録二・三四五、谷口・不法原因四頁、松坂・三八七頁註四八）。

【12】　Xは債権者詐害の目的で、Yに売買に仮装して土地の保管を委託し、後にその返還を求める。原審はXの請求を認容したので、Yは上告して、Xの取戻の請求は不法行為に基づき法律の保護を受けようとするものであるから却下さるべきだと抗弁したのに、原審がこの争点を不問に付しXの請求を排斥しなかつたのは違法だと主張した。棄却。

「若シ果シテ被上告人Xガ債権者ヲ詐害スルノ目的ヲ以テ財産ヲ隠匿スル為メニ本訴係争地ノ保管ヲ上告人Yニ託シ仮装ノ売買ヲ為シタリトセバ即チ不法行為ナルヲ以テ、其隠匿シタル地所ヲ取戻サンガ為メニ法律ノ保護ヲ受クルヲ得ザルニ依リ、Yガ此理由ヲ以テ抗弁セシナラバ是即チ本訴請求ノ消長ニ影響アル必要ノ争点ナルヲ以テ固ヨリ判断ヲ与ヘザルベカラズ。然レドモ原裁判所ノ弁論調書ヲ閲スルニXガ事実ノ陳述中『被控訴人(X)ハ他ノ告訴ニ依リ嫌疑ヲ受ケ一時入監スルコト、ナリタリ。当時家族ハ小児ト妻ノミニテ控訴人(Y)並ニ多田温作ニ於テ論地ハ一時他人ノ名義ニナシ置ク方可ナラントノ勧メニ従ヒ、控訴人ニ委託保管ヲ為サシメタリ』トアリ。而シテYノ申立中ニ『抗弁ノ方法トシテ申立置ク。被控訴人(X)ハ仮装ノ売買ナリト主張スルガ如此コトヲ原因トシテハ法律ノ保護ヲ与フベキモノニアラズ』トアルノミニシテ、債権者ヲ詐害スルノ目的ニ出デタル仮装ノ売買ナリト抗弁シタル事跡ナシ。夫レ斯ノ如ク単ニ仮装ノ売買ハ法律ノ保護ヲ受クベキモノニアラズト抗弁シタルノミナレバ、本訴ニ付キ必要ノ争点ニアラズ。何トナレバ不法行為ニ起因セザル仮装売買ノ登記取消ハ法律上保護ヲ与ヘザルノ限リニアラザルヲ以テナリ。故ニ原裁判所ガ此争点ニ対シ判断ヲ下サヽリシハ違法ニアラズ」(大判明三二・四・二六民録五・四・八一民抄録二・四二五、谷口・不法原因八六頁)。

【13】　YがXに対し、A等に対する告訴事件について、他日反対にA等から損害賠償を請求せられる虞れがあるから、この際X所有の不動産全部を仮りにYの所有名義に移転せよと勧誘し、Xをしてその所有不動産を売渡した旨虚偽の意思表示をなさしめ、右所有権移転登記手続を経由した。XからYに対し返還請求の附帯私訴を提起する。原審は七〇八条を適用しXの返還請求を排斥したので、Xは上告して、本訴の不動産はYへ給付したものではなく、虚偽の意思表示により唯その所有名義を仮装したに過ぎないから、その所有権は依然Xに存する。したがつて、単に登記の抹消を請求するにとどまり、すでに給付したものの還付を求めるものでない。また民法七〇八条はその当事者において現に不正の行為をなした結果給付したものの返還を請求し得ないとの法意であるところ、Xはその当時A等に対し損害賠償の義務や他に債務を負担していたものでなく、ただYに欺罔されて本件の不動産をその名義に仮装したに過ぎないから、原院がXの請求を排斥したのは不当だと

主張した。棄却破毀移送。

「原院私訴判決並ニ其援用シタル公訴判決ニ依レバ民事原告人XハBノ山林騙取ノ所為ヲ告訴スルニ当リ、Bノ父Aヲ其共犯トシテ誣告シ、其後A等ヨリ損害賠償ヲ請求セラルルノ虞レナキニアラザルヲ以テ、其不動産全部ヲYノ所有名義ニ移転セヨトノYノ勧誘ニ従ヒ、自己ノ財産ノ安固ヲ維持セント欲シ、売買ニ仮装シ本訴不動産ヲYノ所有名義ニ移転シ且ツ第一〇号証ノ四ノ証書ヲ同人ニ交付シタルモノニシテ、A等ヲ害スル意思ヲ以テ右不動産及ビ証書ヲYニ交付シタルモノナレバ、民法七〇八条ニ所謂不法ノ原因ノ為メ給付ヲ為シタルモノニ該当シ、之ヲ取戻サンガ為メ法律ノ保護ヲ受クルヲ得ザルモノトス。故ニ原院ガ其取戻ニ関スル民事原告人Xノ請求ヲ排斥シタルハ相当ニシテ上告ハ其理由ナシ」（大判明四一・三・二〇刑録一四・二八九刑抄録二九・三一五六、谷口・不法原因八八頁）。

しかし、判例は、他人に実印を濫用せられた者が真実負担したのでない債権の執行を免れるために仮装譲渡をなした場合には、不法原因給付ではないとする。

【14】　Xが不在中家事を他人に託したところ実印を濫用せられ、多くの不知の債務を負担し、債権者から強制執行を受ける虞れがあるに至ったので、これを避けるためにYに本件土地を仮装売買し、かつ仮装に抵当権を設定し、それぞれ登記を了した。後にXが虚偽表示の無効を理由に登記の抹消を請求する。原審は土地の売買および抵当権設定の登記が仮装なる以上は給付がないから、民法七〇八条の規定を適用すべきでないと判示した。これに対してYは、売買や抵当権の設定登記を旧に復するため、所有名義の書換および抵当権登記の抹消を請求するのは給付の請求であるのに、そうでないとしたのは違法だと上告に及んだ。棄却。

「当事者間不動産ノ売買及ビ抵当権ノ設定ガ虚偽ノ意思表示ニ出デタルモノト雖モ、登記簿上売主ヨリ買主ニ其所有名義ヲ移シ又ハ所有者ヨリ抵当権ノ登記ヲ為シタルハ民法第七百八条ニ所謂給付ニシテ、此ノ如キ場合ニ於テハ現実不動産ノ引渡ヲ伴フコトナシトモ給付タルコトヲ妨ゲザルモノトス。而シテ不動産ノ真ノ所有者ガ之ヲ旧ニ服スルガ為メニ登記簿上其所有名義ノ書換及び抵当権ノ登記ノ抹消ノ請求ヲ為スハ、其給付ノ返還ヲ請求スルニ外ナラザルモノトス。詳言スレバ之ヲ真実売買アリタル場合ニ徴スルニ、現実其目的ノ引渡シアリタルモ売主ガ買主ノ登記手続ヲ怠ルトキ買主ガ其手続ヲ為スコトヲ請求スルハ、登記簿上所有名義ノ移転ヲ求ムルモノ即チ給付ニシテ、給付ノ目的有形物ニ限レルガ如キ規定ナク、広ク行為不行為ニ付テモ存スルモノトス。依テ原院ガ本件ニ於テ係争土地ノ売買及ビ抵当権ノ仮装ナル以上ハ給付ナシト判示シタルハ給付ノ意義ヲ誤解シタルモノトス。而シテ本件ガY所論ノ如ク不法ノ原因ノ為メXヨリYニ仮装ノ売買ヲ為シ又ハ抵当権ヲ設定シタルモノナランニハ、Xハ民法第七百八条ノ規定アルヲ以テ旧ニ服スル為メ登記簿上所有名義ノ書換及ビ抵当権ノ抹消ヲ請求スルコトヲ得ズト雖モ、本件ハ原院ノ確定シタル所ニ従ヘバXガ係争ノ土地ニ付仮装売買及ビ抵当権ノ設定ヲ為シタルハ、Xノ不在中家事ヲ他人ニ託シタル処実印ヲ濫用セラレ数多不知ノ債権成立シ、其債権者ヨリ強制執行ヲ受クル虞アルヨリ之ヲ避クルガ為メニ出デタルモノニシテ、真実負担シタルニ非ザル債権ノ執行ヲ免カル、為メニ為シタル此ノ如キ行為ハ財産保護ノ一策ニシテ敢テ不正ナラザルヲ以テ、本件ニハ民法第七〇八条ヲ適用スベキモノニ非ズ。故ニ原院ガ以上ノ如ク給付ノ意義ヲ誤リタルニ拘ハラズ本件ニ同条ヲ適用スベキモノニ非ズトシテYノ抗弁ヲ排斥シタルハ結局不当ナラザルモノトス」(大判明三九・一二・二四民録一二・一七〇八民抄録三一・六六二一、谷口・不法原因八七頁)。

その後、判例は見解を改めて、仮装譲渡はただ家資分散の場合には犯罪となるから、不法原因給付となるも、その他の場合には不法原因給付とならないとするに至つた(大判明四二・二・二七【15】)。この判決は二つの理由をあげて、(i)虚偽の意思表示によつて所有権は移転しないから、その登記抹消は所有権に基づくものである。然るに、「不当利得ノ訴ハ債権ヲ基本ト為スモノ」であるから、七〇八条は本訴に適用の余地がない。(ii)仮りに不当利得の訴だとしても、七〇八条の適用あるためには、給付の原因が不法な場合でなければならないから、「若シ給付ノ原因ハ法律行為ナリトセンカ必ズヤ其行為ハ公ノ秩序若クハ善良ノ風俗ニ反シ、即チ民法第九〇条ノ規定ニヨリ無効ナル場合ナラザルベカラズ」。然るに、詐害行為は「家資分散ノ際ニ在ラシメンカ刑法ニ於テ之ヲ犯罪行為トシテ罰スルヲ以テ、之ヲ指シテ不法ノ原因ト謂フコトヲ得ベシト雖モ」、本件のようにそうでない場合には、「目スルニ不法ノ原因ヲ以テスルヲ得ザルコトハ、詐害行為ノ場合ニ於テ特ニ取消ノ規定アルニ徴シテ之ヲ知ルニ難カラズ」とする。私は判例の(i)の理由には、後述の如く、反対であるけれども、(ii)の理由には賛成である(我妻・判民大正一〇年度一四二事件)。しかし、谷口教授はこれに反対せられ、「詐害行為が取消され得る場合には、それは法律の許さぬ行為であつたからであると謂い得べく、やはり広い意義に於て不法な原因の為めの行為であると謂つてよい」が、別の理由、すなわち「事情を承知の上単に預つて置くことを約しつつ預け主の不法な目的を楯に返還しないことは、全く詐取又は騙取であつて、預主の取戻を拒否すれば之を認容すると同じ結果を生じ、取戻拒否により維持される法益よりもより大なる法益が侵されることになる」から、信義を維持する所以でないという仏法流の根拠から民法七〇八条を適用すべきでなく、すなわち取戻を認むべきだとされる(不法原因九三頁以下)。なお、外国の学説については、拙著三八七頁以下を参照されたい。

【15】 Xは債権者を詐害するためにYと通謀して、その所有不動産を仮装譲渡し、その登記名義をYに移転した。後に、Xは民法九四条に基づいて、その移転登記の抹消を求める。原審はこれを不当利得の返還請求なりとして民法七〇八条を適用して、Xの請求を拒けた。Xは上告して、係争土地はXにおいて所有かつ占有しYは登記簿上所有名義を有するだけで何ら利益を受けていないから、不当利得の法則を適用すべき余地がないのに七〇八条を適用し、本訴登記の抹消は不法原因による不当利得の返還なりと断定したのは不当であると主

張した。破毀差戻。

「原判決ニ援用シタル第一審判決ノ事実摘示ニ依レバ、上告人Xハ本訴係争ノ不動産ヲ被上告人Y先代ニ売渡シタル行為ハ仮装即チ虚偽ノ意思表示ナリシ事実ヲ主張シテ請求ヲ為シタルコト極メテ明白ナルヲ以テ、民法第九四条ヲ本訴請求ノ原因トスルモノト為ス本論旨ハ肯綮ニ中ラズト雖モ、請求ノ原因ハ係争不動産ノ所有権Xニ属スト主張スル事実ニシテ、不当利得ノ事実ニ非ザリシコト自明ナリ。然レバ則チ原院ガ本訴ヲ以テ不当利得ヲ原因トスルモノト為シ、民法第七〇八条ヲ適用シテXノ請求ヲ排斥シタルハ失当ノ判決タルコトヲ免レズ。何トナレバ不当利得ノ訴ハ債権ヲ基本ト為スモノナレドモ、本訴ハ物権ヲ基本トスルコト勿論ナレバ、之ヲ混視スルコトヲ許サザレバナリ。加之原院ガ本訴ヲ以テ不当利得ノ訴ト看做シタルハ正鵠ヲ得タルモノト仮定スルモ、其民法第七〇八条ヲ適用シタルハ仍不法ノ裁判タルコトヲ免レズ。抑同条ノ規定ニ依レバ給付ヲ為シタル原因ノ不法ナル場合ニ在ラザレバ其適用アラザルコト極メテ明白ナルヲ以テ、若シ給付ノ原因ハ法律行為ナリトセンカ、必ズヤ其行為ハ公ノ秩序若クハ善良ノ風俗ニ反シ仰チ民法第九〇条ノ規定ニ依リテ無効ナル場合ナラザルベカラズ。本件ハ原判決ニ於テ確定シタル事実ニ依レバ、Xガ債務ノ履行ヲ免レンガ為メニYノ先代ト相通ジテ虚偽ノ意思表示ヲ為シタリト云フニ過ギズ。若シ夫如上ノ行為ヲシテX家資分散ノ際ニ在ラシメンカ刑法ニ於テハ之ヲ犯罪行為トシテ罰スルヲ以テ、之ヲ指シテ不法ノ原因ト謂フコトヲ得ベシト雖モ、本件ノ如ク単ニ債務ヲ免レンガ為メニX所有ノ不動産ヲ売買ニ仮装シテ、Yノ先代ニ所有権移転ノ外観ヲ装ヒタル行為ニ至リテハ、目スルニ不法ノ原因ヲ以テスルヲ得ザルコトハ、詐害行為ノ場合ニ於テ特ニ取消権ノ規定アルニ徴シテ之ヲ知ルニ難カラズ。蓋シ詐害行為ノ場合ニ在リテハ債務者ガ真正ノ意思表示ヲ為スヲ以テ、虚偽ノ意思表示ヲ為ス場合ト事情ヲ異ニスルニ似タレドモ、其債権者ニ不利ヲ被ブラシメント欲スル債務者心術ノ不正不義ナルコト彼此逕庭アルコトナシ。故ニ若シ本件ノ如キ虚偽ノ意思表示ヲ指シテ公ノ秩序若クハ善良ノ風俗ニ反スル行為ナリト云フコトヲ得ベクンバ、詐害行為モ亦然リト謂ハザルヲ得ズ。然レドモ詐害行為ニ付テ特ニ取消権ノ規定アル所以ノモノハ他ナシ。法律ニ於テ之ヲ公ノ秩序若クハ善良ノ風俗ニ反スル行為即チ無効ノ行為ト為サズシテ適法ノ行為ト為シタルニ由ル。何トナレバ不法ノ行為ハ取消ヲ待タズシテ当然無効ナルヲ以テ、取消権ヲ行使スル要アラザレバナリ。然レバ則チ原院ガ本件虚偽ノ意思表示ヲ以テ漫然不法ノ原因ニ該当スルモノト為シ民法第七〇八条ヲ適用シタルハ失当ナルコト復疑ヲ容ルベキニ非ズ」（大判明四二・二・二七民録一五・一七一頁民抄録三六・八一〇三、谷口・不法原因八九頁）。

この判例理論はその後もずっと維持せられた。

【16】 YはAの家資分散の際にAと共謀して、他に財産のないに拘らず、債権者の差押を免れるため係争財産を隠匿脱漏し、債権者XをしてAから弁済を受けることをできなくした。そこでXはYに対し債権侵害による損害賠償請求と同時に、AのYに対する玄米並びに金三千円の返還請求権をAに代位して行使した。原審は給付の不法原因が独り受益者たるYに存するばかりでなく給付者たるAにも存するから、Aは七〇八条によって玄米並びに金三千円の返還を請求することを得ない。Xは玄米については所有権に基づく返還を主張するけれども、不法の原因が給付者にも存する場合には、所有権に基づいても返還を請求することができないと判示した。Xは附帯上告において、給付行為自体が無効な場合には不当利得の問題を生じないから、七〇八条の適用がないと主張した。棄却。

「原裁判所ハ『然ルニ控訴人等（上告人Y）ハA家資分散ノ際ニ同人ト共謀シ債権者ノ差押ヲ免レンガ為メ、Aノ前示財産ヲ隠匿及ビ脱漏シ遂ニ債権者タル被控訴人（被上告人X）ヲシテAヨリ弁済ヲ受クルコト能ハザルニ至ラシメタルモノ』ト判示シ、訴外A及ビY等ノ本件ノ所為ガ何レモ右A家資分散ノ際ニ右Aノ債権者ノ差押ヲ免ルル為メニ為サレタルモノナリトノ事実ヲ確定シタルコト判文上明白ナリ。然ラバ該行為ハ刑法施行法第二五条旧刑法第三八八条ノ規定ニ依リ犯罪行為トシテ罰セラルルモノナルヲ以テ民法第七〇八条ニ所謂不法ノ原因ニ該当シ（明治四一年(オ)第三六九号同四二年二月二七日言渡当院第一民事部判例参照）、之ガ為メ本件ノ給付ヲ為シタル右Aハ受益者タルYニ対シ其給付シタルモノノ返還ヲ請求スルコトヲ得ザルモノトス。

而シテ民法第四二三条ノ定ムル代位訴権ハ債権者ガ其債務者ニ属スル権利ヲ行フニ他ナラザレバ、債務者ガ請求スルコトヲ得ザルモノハ、債権者ニ於テモ之ヲ請求スルコトヲ得ザルノ筋合ナリトス。是ニ依リテ之ヲ観レバ右Aノ債権者タルXハ右AガYニ対シテ返還ヲ請求スルコトヲ得ザルモノヲ請求スルコトヲ得ザルコト言ヲ竢タズ。故ニ原裁判所ニ於テ『Xハ仮令Aニ対シ前示認定ノ如キ債権ヲ有スレバトテ、債務者Aノ為シ得ザル返還請求ニ付キ所謂代位訴権ヲ行使シ得ザルコトモ亦理論上当然ナルヲ以テ、此ノ点ニ関スルXノ請求ハ其理由ナシト認ム』ト判示シ、Xノ主張ヲ排斥シタルハ正当ニシテ附帯上告人X所論ノ違法ナシ。従テ本附帯上告論旨ハ失当ナリ」（大判大五・一一・二一民録二二・二二五〇民抄録六九・一五五〇一、谷口・不法原因四頁）。

【17】 Xは債権者の執行を免れるために土地の所有名義をYに変更しておいたところ、Yはこれを擅に他に売却したので横領罪に問擬せられた。Yは上告して、Xは不法原因のため給付をなしたものであるから、Yに対しその物の返還を請求し得ざる関係にあり、したがつて、またこれに代るべき損害賠償請求権をも有しない。それ故Yの売却は横領罪にならぬと主張した。棄却。

「Xガ単ニ他人ノ債権執行ヲ免ルル為メ被告Yト通ジテ本件不動産ノ売買ヲ仮装シ其登記ヲ為シタル場合ニ於テ、其給付ヲ以テ民法第七〇八条ニ所謂不法原因ニ基クモノト為スコトヲ得ザルハ本院判決ノ夙ニ説示シタル所ノ如シ。而シテ当事者間ニ在リテハ右不動産ノ所有権ハ依然Xニ属シ、Yノ横領行為ノ目的ト為ルコトヲ得ベキハ毫モ疑ヲ容レズ。随テ原判決ガYノ横領罪ヲ認メ且被害者タル被上告人Xノ私訴請求ニ付キ民法第七〇八条ノ適用ナキモノトシ、Yニ敗訴ヲ言渡シタルハ相当ニシテ本論旨ハ其理由ナシ」（大判大五・五・二三刑録二二・八〇五刑抄録六五・八六六二、谷口・不法原因九一頁）。

【18】 Xは債権者の強制執行を免れるために、その不動産をYに仮装売買し所有名義をYに書換えたが、後に売買契約の虚偽で無効なることを理由に所有権移転登記の抹消を請求する。Yは不法原因給付なりと争う。

「本訴請求ハ係争不動産ノ売買契約ハ当事者双方相通ジテ為シタル虚偽ノ意思表示ニシテ、之ニ基ク所有権移転ノ登記ハ実体法上無効ナルヲ以テ、其所有権ハ依然トシテ被上告人Yニ在リトシ、其所有権ニ基キ右登記ノ抹消ヲ求ムルモノナレバ、不当利得ノ返還ヲ求ムルモノニ非ザルハ自明ナリ。而シテ其請求ノ原因タル事実ハ全然原裁判所ノ是認シタル所ナレバ、不当利得ニ関スル民法第七〇八条ノ規定ハ本件ノ場合ニ適用スベキ限リニ在ラズ（明治四一年（オ）第三六九号同四二年二月二七日判決参照）」（大判大七・八・六民録二四・一四九四民抄録七九・一八五二一、谷口・不法原因九一頁）。

【19】 Aは債権者詐害の目的でXにその不動産を仮装売買したが、後にAの養子Bの子Yがその売買登記の抹消を請求する。Xは第一審で勝訴したが、第二審では行為当時事実上家資分散の状態になかつたことを理由に、第七〇八条の適用の余地なしとしてYの請求が認められた。そこでXは上告して、仮装売買は債務者が債権者の執行を免れんことを目的としてなしたもので、かかる行為は現在の社会観念上公序良俗に反することは何人もこれを否認し得ない。そして七〇八条にいわゆる不法とは公序良俗に反する場合を指称するものとなすのが妥当であり、かつその不法は行為の内容に存するを要せず、縁由の不法をもつて足ると解すべきだから（大判大五・六・一）、本件の仮装売買もまたたとい家資分散の際になされたのでなくとも七〇八条の適用あるべきだと主張した。棄却。

「債務者ガ債権ノ執行ヲ免レンガ為メ他人ト通謀シテ自己所有ノ不動産ノ売買ヲ仮装シテ所有権移転ノ登記ヲ為スモ、家資分散ノ際ニ於ケル如ク犯罪ヲ構成スル場合ヲ除クノ外民法第七〇八条ニ所謂不法ノ原因ニ基ク給付ト云フコトヲ得ザルコト当院判例（明治四一年（オ）第三六九号明治四二年二月二七日判決）ノ示ス所ナレバ、原判決ガ本件仮装売買ニ付キ同法条ノ適用ナキモノト判示シタルハ正当ニシテ、論旨引用ノ当院判例ハ本件ニ適切ナラズ故ニ論旨前段ハ理由ナシ」（大判大一〇・一〇・二二民録二七・一七四九民抄録九三・二三七二二、谷口・不法原因九二頁）。

しかし、昭和一六年法律六一号をもつて、刑法九六ノ二の規定が新に設けられ、「強制執行ヲ免ルル目的ヲ以テ財産ヲ隠匿、損壊若クハ仮装譲渡シ又ハ仮装ノ債務ヲ負担」する行為は犯罪として処罰せられることとなつた。そこで、判例もまた「右規定の施行された昭和一六年三月二〇日以後なされたかかる行為は、民法七〇八条の不法の原因のためになされた給付に当るものとして、給付者において給付の返還を請求し得ない場合があることはいうまでもない」とするに至つた。

【20】 Xの先々代Aは強制執行を免れるためにY_1と通謀して自己所有の建物をY_1に仮装譲渡し、同人名義に保存登記を経由した。Y_2は右の事実を知りながら、Y_1から該建物を買受けて所有権移転登記を済ました。後に相続によつて該建物の所有権を取得したXは、Y_1名義の保存登記は通謀虚偽表示による無効のものであるとして、Y_1に対し該建物の所有権の確認、Y_2に対して所有権移転登記を求める。第一、二審ともにX勝訴。$Y_1$$Y_2$上告。棄却。

「民法七〇八条にいう不法の原因のためになされた給付とは、公の秩序若しくは善良の風俗に反してなされた給付をさすものであり、債務者が債権の執行を免かれるため他人と通謀し自己所有の不動産を売買に仮装して他人の所有名義に登記をしても、それが『家資分散ノ際ニ於ケル如ク犯罪ヲ構成スル場合ヲ除クノ外』民法七〇八条にいわゆる不法の原因に基く給付というを得ないことは、従来大審院判例（明治四一年（オ）三六九号同四二年二月二七日第一民事部判決大正一〇年（オ）五五五号同年一〇月二二日第三民事部判決）の示すところであつて、今にわかにこれを変更すべき必要を認めない。ただ昭和一六年法律六一号は、刑法九六条ノ二を新設し、強制執行を免かれる目的で財産を仮装譲渡することを犯罪として処罰することとしたので、右規定の施行された昭和一六年三月二〇日以後なされたかかる行為は、民法七〇八条の不法の原因のためになされた給付に当るものとして、給付者において給付の返還を請求し得ない場合があることはいうまでもない。ところが原判決の確定した事実によると、被上告人（原告）先々代Aは、本件不動産が執行等によつて債権者の手に帰するのを免かれるため、上告人（被告）Y_1と合意の上、登記面の所有名義をY_1に仮装し置くこととして、大正一五年七月二四日同人名義に保存登記をしたというのである。されば、本件の仮装登記は前記刑法の新設規定施行の日から約一五年前になされたものであつて、その当時においてはかかる行為は、いまだ犯罪を構成しなかつたばかりでなく、判例によつても公序良俗違反の行為とは認められないで、これに対しては民法七〇八条

の適用はないものと解されていたのである。そして同条は、実体法上の請求権の有無を規定したものであつて手続法の規定ではないから、同条の不法原因に当るか否かは行為当時の状況を標準として判断すべきことはいうまでもない。それゆえ原審がその認定した事実に対し、民法七〇八条を適用しなかつたことは正当であつて原判決には所論のような違法はない」（最判昭二七・三・一八民集六・三・三二五）。

新に刑法九六条ノ二の規定が設けられた結果として、強制執行を免れるためになされた財産の隠匿行為が公序良俗違反の可能性を増大したことは認めなければならないが、さりとて、常にそれが七〇八条の不法原因給付に当るものと考えることはできない。判例も「給付者において給付の返還を請求し得ない場合があることはいうまでもない」として、請求し得る場合のあることを仄めかしている。現に次の下級審の判例はかかる場合を認めている。

【21】　X女は昭和一五年頃Aと結婚したが性格が合わず協議離婚を約し、昭和二六年一〇月頃Aと別居して事実上離婚し、同年一二月本件不動産を買求め、ここで旅館業を始めた。ところが、AはXとの協議離婚手続が書類の不備で遅れているうちに、昭和二七年九月多額の債務を残して急死した。Xは離婚の手続がすんでいると思つていて相続の放棄もしなかつた。XはAが事実上の離婚後に負担するに至つた多額の債務によつて強制執行を受けるようになることを憂慮し、かねて知合のYとの間に本件不動産について売買を仮装し、所有権移転登記を経由した。後にXはYに対し本件不動産が自己の所有に属することの確認と右登記の抹消登記手続を求める。

「さて強制執行を免れる目的で財産を仮装譲渡することは刑法九六条の二の犯罪であり、刑法上の犯罪にあたる行為をすることは公の秩序善良の風俗に反すること、いうまでもない。そして公序良俗違反行為を原因としてした給付を裁判によつて返還請求することは原則として許されないものといわなければならない。したがつて強制執行を免れる目的で不動産を仮装譲渡して所有権移転登記をしたのち、その所有権移転登記の抹消登記を訴求することは原則として許されない。しかし本件においては特別の事情があることを考えなければならない。すなわち原告XとAとの間の協議離婚の手続が遅滞なく行われていたら、Xは右のような不法なことをする必要がなかつたのである。また、A死亡後Xが相続の放棄をしていたとしたらやはり問題はなかつたのである。いわばXの無智から出た不注意（しかもそうとがめることができない不注意）がXを窮地に追い込んだのである。しかもAの多額の債務はXとAとが事実上の離婚をしたのちに生じたのである。Xをあまり強く責めるのは気の毒のようにも考えられる。かように考えてくると、Xのやつたことは不法であり、もし起訴されるとすれば刑法九六条の二違反として処罰を免れない性質のものではあるが（刑法九六条の二の犯罪が成立するには被告Y主張のように債務名義が存することは必要でない）、その不法性たるやごく微弱であるといわなければならない。このように給付の原因たる行為の不法性が微弱である場合には民法七〇八条本文を適用すべきでないと考える。何となればこのような場合にも民法七〇八条本文を適用すべきであるとすると、不法な行為に協力した相手方をかえつて不当に利得させることになるからである。これ当裁判所が、さきに、強制執行を免れる目的で不動産を仮装譲渡して所有権登記をしたのち、その所有権移転登記の抹消登記を訴求することは、原則として許されないとしたゆえんである。すなわち本件は稀にしかない例外の場合である。通謀仮装行為は無効であるから、本件不動産の所有権は原告に属するものといわなければならない。しかりとすれば、YはXのために前記所有権移転登記の抹消登記手続をする義務を負うものといわなければならない」（東京地判昭三一・一〇・三〇下級民集七・一〇・二八〇〇）。

(3)　担保のためにする恩給証書の交付　金銭貸借に際し、債務者が債権者に恩給証書を交付して恩給請求権の取立を委任し、その受領した恩給金をもつて自己の債務の弁済に充当せしめ、かつ全債務の弁済に至るまで右取立委任を解除せずとの特約を附することが行われている。判例の中には、(a)かかる担保のためにする取立委任は恩給法一一条に対する脱法行為として、不解除特約ばかりでなく取立委任全体を無効だとするものがあるが、(b)多くのものは、不解除特約のみを脱法行為として無効とし、したがつて、債務者は民法六五一条により何時にても委任を解除し得るものとしている。そして恩給証書の返還については、或は所有権に基づく返還請求については七〇八条の適用がないことを理由とし、或は給付の原因自体が公序良俗に反しないことを理由として、また取立委任契約自体を有効と解する場合には委任関係に基づいてその取戻を認めた(谷口・不法原因五八頁以下参照)。

(a)に属する判例。

【22】 A会社の専務取締役たるYが同会社を代表してXに金員を貸与するに当り、Xをして債権の弁済を確保せしめるため年金の受領をYに委任し、受領金をもつて債権の弁済に充つべく、かつ右委任を債務完済まで解除せざる旨を会社に対して約せしめ、そしてYは自らXから年金を受領しこれをもつて会社の債務を弁済することの委任を受けると同時に年金証書を受取り、かつXをして会社に対する債務の完済まで右委任を解除せざる旨を特約せしめた。原審がかかる契約はA会社の債権の弁済を確保し、該会社に対し権利の質入の実を挙げるものであるから、質入禁止の法律を回避する無効の行為だと判断したので、Yは権利質と委任契約とを混同した不法の判決だと上告した。棄却。

「原院ノ確定セル所ニ依レバ上告人Yハ訴外A株式会社ノ専務取締役ニシテ同会社ヲ代表シテ被上告人Xニ金員ヲ貸与スルニ当リ、Xヲシテ債権ノ弁済ヲ確保セシムル為メ本訴年金ノ受領ヲYニ委任シ、Yノ受領金ヲ以テ債権ノ弁済ニ充ツベク、右委任ハ債務完済マデ之ヲ解除セザル旨ヲ会社ニ対シテ契約セシメ、而シテYハ自カラXヨリ年金ヲ受領シ之ヲ以テ会社ノ債務ヲ弁済スルコトノ委任ヲ受クルト同時ニ、本訴年金証書ヲ受取リ且ツXヲシテ前示会社ニ対スル債務ノ完済ニ至ルマデ右委任ヲ解除セザル旨特約セシメタルモノニシテ、原院ハY及ビX間ニ於ケル年金受領及ビ弁済充当ノ委任年金証書ノ授受並ニ右委任ヲ解除セザル旨ノ特約等ノ方法ハ、XトA会社間ノ契約ト相俟テ右会社ニ対スル債務ノ履行ヲ確保スル為メ、年金ノ支給ヲ受クル権利ノ質入ノ実ヲ挙グル趣旨ニ出デタル行為ナルコトヲ認メ、仍テ之ヲ脱法行為ニシテ無効ナリト判定シタルモノナリ。抑金鵄勲章及ビ年金ハ武功抜群ノ者ニ限リ叙賜セラルルモノニシテ、其年金ヲ受クル権利ヲ他ニ譲渡シ又ハ質入スルコトハ固ヨリ法律ノ許サザル所ナルヲ以テ、本訴当事者間ノ行為ガ原院認定ノ如ク質入ノ実ヲ挙グル為メノモノナルニ於テハ、法律ノ禁制ヲ回避スル脱法行為タルコト更ニ多言ヲ俟タズ。故ニ原院ガ委任ハ無効ニシテYニ年金証書返還ノ義務アリト判定シタルハ正当ニシテ本論旨ハ理由ナシ」（大判大四・一二・二民録二一・一九七一民抄録六二・一三六二五、谷口・不法原因五九頁）。

【23】 Xは取立委任の形式で恩給証書を担保に入れてYから借金したが、後にYに対してその返還を訴求する。原審はXの請求を容れたので、Yは原審が取立委任の契約と委任を解除せざる旨の特約とを一箇の法律関係となし、後者の無効を前者にまで及ぼし、その委任契約の遂行に必要な恩給証書を預つた行為までをも無効としたのは擬律錯誤であり、またかかる担保行為は公序良俗に反し、民法七〇八条にいわゆる不法原因に該当すると上告した。棄却。

「原裁判所ハ委任ヲ解除セザル特約ヲ無効ト認メ、其結果委任契約並ニ委任契約ノ遂行ニ必要ナル恩給証書ヲ預リタル行為ヲモ無効ト為スニ至リタルモノニアラズ。本件恩給証書ハ債権ノ担保トシテ交付セラレタルモノト認定シ其担保契約ヲ無効ト認メタルモノナルコトハ原判決理由ノ説明ニ徴シ明カナリ。又民法第七〇八条ハ不当利得ニ関スル規定ニシテ、本件ノ如ク所有権ニ基キ恩給証書ノ返還ヲ求ムル場合ニ適用スベキ規定ニアラズ」（大判大五・二・三民録二二・三五民抄録六四・一三九三五、谷口・不法原因六〇頁、同旨大判大七・二・二一【7】）。

【24】 「本訴ハ陸軍恩給証書ノ返還ヲ目的トスルモノニシテ、軍人ノ恩給ハ之ヲ質権ノ目的ト為シ得ベカラザルモノナルヲ以テ、被上告人ガ上告人ニ対シ其債権担保ノ目的ヲ以テ恩給証書ヲ交付シタルガ如キハ脱法行為トシテ無効ナルハ論ヲ俟タズト雖モ、其行為自体公ノ秩序又ハ善良ノ風俗ニ背反スル事項ニ因由スル不法行為ト謂フベキモノニ非ザルヲ以テ、右行為ハ民法第七〇八条ノ適用ヲ受クベキモノニアラズ」（大判大七・四・一二民録二四・六六

六民抄録七七・一七九一八、谷口・不法原因六一頁参照、同旨大判昭四・一〇・二六【9】）。

(b) に属する判例

【25】　XはYに扶助料の受取り方を委任し、かつ委任を或る期間解除せずとの特約をなしたが、後にこれを解除し、証書の返還を請求する。原審が委任契約は各当事者において何時にても解除し得ることは民法六五一条の規定するところで、その性質上反対の契約をなすことは許さずとしたので、同条の規定は公の秩序に関するものではないから、反対の特約は有効だと上告された。棄却。

「民法上委任ノ規定ハ公ノ秩序ニ関スルモノト認ムベカラザルヲ以テ、委任契約ニ付テハ民法ノ規定ニ異リタル特約ヲ為スコトヲ得ベシ。然レバ原裁判所ガ委任契約ハ各当事者ニ於テ何時ニテモ解除スルヲ得ベキ規定アルヲ以テ反対ノ契約ヲ為スコトハ許スベカラザルモノナリト説明シタルハ不法ナリト雖モ、原判決ニ認定シタル事実ニ拠レバ本件ハ被上告人Xノ扶助料受取方ヲ上告人Yニ委任シタル契約ナレバ、Xニ於テ其委任ノ解除ヲ求ムル以上、委任ハ其性質上仮令或ル期間委任ヲ解除セズト云フガ如キ特約アルモ受任者タルYニ於テ其特約ヲ強要スルヲ得ザルモノナルヲ以テ、原判決ニXガ委任解除ノ意思表示ヲ為シタル事実ヲ認メテ、Xノ証書返還ノ請求ヲ其理由アリト判断シタルハ結局相当ノ裁判ニシテ上告論旨ハ理由ナシ」（大判明三六・一・二三民録九・五三民抄録一六・二九一六、谷口・不法原因六二頁）。

【26】　XはYから金員を借受け、その弁済方法として金鵄勲章年金証書をYに交付し、年金の受取り方をYに委任し、かつ右委任契約はYが受領した年金をもつて債務の弁済の終了するまでこれを解除しない旨の特約をなしたが、後にXは右委任契約を解除し年金証書の返還を訴求する。原審は解除せざる旨の特約は当事者を強制し得べきものでないから、右契約が有効なりや否やを判定しないで委任契約を解除し得るとなした。Yは何故強制し得べきものに非ざるや理由を説明せよと上告した。棄却。

「委任ハ受任者ガ委任者ノ為メニ其事務を処理スルヲ以テ目的トスル所ノ契約ニシテ、委任事務ノ処理ニ付利害関係ヲ有スルモノハ委任者ニシテ受任者ニアラズ。従テ委任者ハ何時ニテモ受任者ヲ解任スルコトヲ得ルハ勿論受任者ハ委任者ヲシテ解除権ヲ抛棄セシムルコトニ依リテ解任ヲ免カレ、委任者ノ意思ニ反シテ委任事務ノ処理ヲ継続スルコトヲ得ズ。是レ他ナシ。委任者ノ意思ニ反シテ委任者ノ為ニ其ノ事務ヲ処理スルコトハ委任ノ性質ニ反スルモノナレバナリ。然レドモ受任者ガ委任者ノ為メノミニ其事務ヲ処理スルニアラズシテ、受任者モ亦事務ノ処理ニ付キ正当ナル利害関係ヲ有スル場合ニ於テハ、受任者ガ委任者ヲシテ解除権ヲ抛棄セシメ因テ以テ其事務ヲ処理シ之ヲ終了スルコトハ其利益ヲ保護スルガ為メニ必要ナルヲ以テ、此場合ニ於ケル委任者解除権ノ抛棄ハ有効ニシテ、委任者ハ謂レナクシテ受任者ヲ解任スルコトヲ得ザルニ依リ、其解任ハ法律上何等ノ効力ヲ生ゼザルモノトス。然レドモ受任者ガ委任者ヲシテ解除権ヲ抛棄セシムルニハ、委任事務ノ処理ニ付キ利害関係ヲ有スルノミヲ以テ足レリトセズ其利害関係ノ正当ナルコトヲ必要トスルヲ以テ、委任者解除権ノ抛棄ガ不当ニ委任者ノ権利ヲ制限シ、受任者ヲシテ法律上享有シ得ベカラザル利益ヲ獲得セシムルヲ以テ目的トスルトキハ、其抛棄ハ委任者ヲ覊束セザルヲ以テ、委任者ノ解除権ハ是レガ為メ毫モ妨ゲラルルコトナシ。故ニ債権者ガ其債権ノ弁済ヲ確保スルガ為メ、債務者ヲシテ第三債務者ニ対スル普通債権ノ取立ヲ委任セシムルト同時ニ委任者ヲシテ解除権ヲ抛棄セシムルハ固ヨリ正当ニシテ、其抛棄ガ有効ナルハ論ヲ俟タズト雖モ、取立委任ノ目的タル債権ガ養料ノ債権恩給金扶助料ノ債権ノ如キ債務者ニ専属シ他人ノ権利ノ目的タリ得ベカラザルモノナルトキハ、債権者ガ債務者ヲシテ解除権ヲ抛棄セシムルニ因リテ之ガ取立ヲ為スハ公ノ秩序ニ反スルヲ以テ、解除権ノ抛棄ハ法律上無効ニシテ、受任者ハ委任者ノ解除権抛棄ニ藉口シテ解任ヲ免カルルコトヲ得ズ。而シテ本件ニ於テ取立委任ノ目的トナリタル金鵄勲章年金ニ付キテハ年金中官吏恩給法及遺族扶助法ニ於ケルガ如ク其売買譲与質入差押等ニ付キ何等制限的規定ノ設ケナシト雖モ、特ニ武功抜群ナル者ヲ優遇スル為メ之ニ叙賜セラルル勲章ニ附帯スル年金ニシテ、年金受領者死亡ノ場合ニ付キ其年度内遺族ニ於テ其下附ヲ受ケルノ特典ヲ享有スルノ外ハ絶対的専属性ヲ有シ、之ヲ以テ売買譲与質入又ハ差押ノ目的ト為シ得ベカラザルハ其性質上一点ノ疑ヲ容レザルヲ以テ、年金受領者ガ自由任意ノ意思ヲ以テ之ガ取立ヲ其債権者ニ委任シ任意ニ其約ヲ履行スルハ格別、債権者ガ之ヲシテ解除権ヲ抛棄セシメ権利トシテ之ガ取立ヲ為スコトハ法律上不可能ナリトス。然レバ原審ガ本件委任契約ハ被上告人Xガ上告人Yニ対スル借用金ノ弁済ヲ終ラザル間ハ之ヲ解除セザル特約即チ解除権ノ抛棄アルコトヲ認メナガラ、之ニ依リ本件当事者ヲ強制シ得可カラザルガ故ニ委任契約ノ解除シ得ベキモノナルコトヲ判示シタルニ止マリ其特約ノ法律上有効ナルヤ否ヲ判定セザルハ充当ナラザルモ、如上ノ理由ニ依リ原判決ハ結局正当ニシテ明治三六年一月二三日附扶助料下附証書返還請求ニ関スル当院判例ハ之ヲ維持スルニ足ルヲ以テ本論旨ハ採用セズ」（大判大四・五・一二民録二一・六八七民抄録五六・一二六八三、谷口・不法原因六二頁）。

【27】【26】と同様な事案ついて、債権者は、不解除特約附の恩給受領委任契約はその契約の内容自体からみても、恩給債権質入と同一の効果をあげようとする脱法行為であって無効であるのに（大判大正四・一二・二参照）、原審が不解除特約のみを無効とし、恩給金受領の委任契約自体を有効としたのは不当だと上告した。棄却。

「恩給金受領ノ委任契約ニ附帯シ債務者タル恩給金受領者ヲシテ委任ノ解除権ヲ抛棄セシメ、債権者ガ之ニ因リテ自己ノ権利トシテ恩給金ヲ取立テ担保ノ実ヲ挙ゲントスルトキハ、其解除権抛棄ハ公ノ秩序ニ反スルヲ以テ無効ナリト雖モ、其恩給金受領者ガ単ニ恩給金ノ受領ヲ債権者ニ委任シ、同時ニ債権者ガ其受領シタル恩給金ヲ以テ債務ノ弁済ニ充当スベキコトヲ約スルハ、仮令担保名義ノ下ニ恩給証書ヲ債権者ニ交付スルモ、債務者ハ何時ニテモ委任ヲ解除シテ之ガ返還ヲ請求シ得ベク、債権者ハ担保ノ実ヲ挙グルコト能ハザルヲ以テ、之ヲ以テ恩給法ノ禁止規定ヲ回避スル脱法行為ト目スベキモノニ非ズ（大正四年五月一二日第三民事部判決同年六月一八日第一民事部判決参照）。論旨ニ援用セル当院ノ判例ハ委任契約ト相待チテ債務者ヲシテ解除権ヲ抛棄セシメ以テ担保ノ実ヲ挙ゲントスル場合ニ付テ判示シタルモノニシテ、被上告人ノ主張事実ガ前点ニ対スル説明ノ如クナル本件ニハ適切ナラズ。然レバ原審ガ被上告人ニ於テ恩給金受領ノ委任ヲ解除セザル旨ヲ特約シタルコトヲ認メタルモ其特約ノ無効ナルコトヲ判示シ、本件ノ委任契約及ビ債務弁済ノ特約ガ何等脱法行為ニ非ズ随テ被上告人ノ委任解除ヲ適法ト為シタルハ相当ニシテ本論旨ハ理由ナシ」（大判大六・一二・一二民録二三・二〇七九民抄録七五・一七二九三、谷口・不法原因六三頁）。

【28】民法六五一条一項は委任契約が受任者の利益を目的とする場合には適用がないと解すべきであるが、

本件委任契約は貸金弁済のためになされたのであるから、債権者たる受任者の利益をも目的とするものであり、したがつて、債務者たる委任者は何時にても解除し得るものではないと上告された。棄却。

「民法第六五一条第一項ノ規定ハ受任者ガ委任者ノ利益ノ為ニノミ事務ヲ処理スル場合ニ適用アルモノニシテ其ノ事務ノ処理ガ委任者ノ利益ノ為ノミナラズ受任者ノ利益ヲモ目的トスルトキハ、委任者ハ同条ニ依リ委任ヲ解除スルコトヲ得ザルモノナルコトハ所論援用ノ当院判例（大正九・四・二四民録二六輯五六二頁民抄録八八巻二一三一六頁）ノ認ムル所ナリ。而シテ本件ニ於テ上告人ト被上告人トノ間ニ締結シタル扶助料受領ニ関スル委任契約ハ、上告人ヨリ被上告人ニ対スル貸金債権ノ弁済ニ充当スル為ニ為サレタルモノナルコト原判決ノ確定シタル事実ニシテ、従ツテ右扶助料受領ノ委任ハ委任者タル被上告人ノ為ノミナラズ受任者タル上告人ノ利益ヲモ目的トスルモノナリト認ムベシト雖モ、恩給法第一一条ニハ恩給ヲ受クルノ権ハ之ヲ担保ニ供スルコトヲ得ズト規定スルヲ以テ、本件ノ如ク恩給ノ受領ニ関スル委任ガ受恩給者ノ債務ノ弁済ニ充当スル為ニ為サレタル場合ニ於テハ、其ノ債務ノ完済ニ至ルマデハ委任ヲ解除セザル旨ノ特約アリタリトスルモ、斯ル特約ノ効力ヲ認ムルコトハ実質的ニハ恩給ヲ受クルノ権利ヲ担保ニ供スルト異ナル所ナキニ至ルヲ以テ、其ノ特約ハ前記恩給法ノ規定ノ精神ニ照シ無効ナリト解スベキノミナラズ、右委任ガ受任者ノ利益ヲモ目的トスルモノナルコトヲ理由トシテ債務ノ完済ニ至ル迄其ノ委任ヲ解除スルコトヲ得ザルモノトセンカ、同ジク右恩給法ノ精神ニ反スルコト明ナルヲ以テ、本件ノ如キ場合ニ在リテハ委任者ハ何時ニテモ其ノ委任ヲ解除スルコトヲ得ルモノナリト解スルヲ相当トス」（大判昭七・三・二五民集一一・四六四、川島・判民昭和七年度三九事件、谷口・不法原因六五頁、同旨大判昭七・三・二九民集一一・五一三、川島・判民昭和七年度四四事件、谷口・不法原因六六頁）。民法六六二条の適用を除外し、消費貸借上の債務の完済ある迄は恩給金受領の委任契約および恩給証書の寄託契約を解除せざる旨の特約に関する。

【29】　本件では債務者Xが恩給受領委任を解除し恩給証書の返還を請求した当時、債権者Yはすでに該債権を他人に譲渡し、証書をも引渡している。原審は受領委任自体は無効でなく、Xはこれを解除して原状回復即ち証書の返還を請求するものだから、Yが証書を現在占有していなくともXの請求を拒否する理由にならぬと

してYを敗訴させた。そこでYは上告して、担保のためにする恩給受領委任は脱法行為として委任全部が無効である。また委任の解除は将来に向つてのみ効力を生ずるもので遡及効を生じないと主張した。棄却。

「被上告人Xハ原審ニ於テ恩給金ヲXニ代リテ受領スベキコトヲ上告人Yニ委任シ、其ノ受領ニ必要ナル本件恩給証書ヲ同人ニ交付シタル事実ヲ主張シタルモノニシテ、右ノ委任ガ形式ニ止マリ真実ノ委任ニ非ザル旨主張シタルモノニ非ザルコト記録上明白ナリ。而シテ斯ル委任ヲ解除セザル旨ノ特約ハ無効ナルモ之ガ為メ委任ハ無効トナルコトナキモノト解スルヲ相当トシ、論旨援用ノ第一、第二ノ判例（昭和六（オ）二八九八号昭和七・五・一一、昭和六（オ）三六九七号昭和七・六・一七）ハ明カニ右ト同趣旨ニ出デタルモノナリ。只第三ノ判例（大正四（オ）一二一号大正四・一二・二）ハ此ノ点説明簡略ニシテ一見右ト反対ナルガ如キモ、能ク之ヲ熟読吟味スレバ其ノ本旨ハ結局右ト同一ニ帰スルモノト解スルヲ相当トスルガ故ニ、原審ガ所論ノ如ク判示シテ上告人Yノ抗弁ヲ排斥シタルハ違法ニ非ズ」。「被上告人Xガ真実委任ノ事実ヲ主張シタルコト既ニ前点ニ対シテ説明シタルガ如クニシテ、本件恩給証書ガ其ノ委任ノ為メニ授受セラレタルモノナルコトハ原審ノ確定セル所ナリ。而シテ凡ソ委任契約ノ解除ハ将来ニ向テノミ効力ヲ生ズルモノナルコト洵ニ所論ノ如クナリト雖、恩給金受領ノ委任事務履行ノ必要上委任者ヨリ受任者ニ交付シタル恩給証書ノ如キハ、委任解除ノ場合ニ於テモ受任者ヨリ残務ノ履行トシテモ之ヲ返還スベキモノニシテ其ノ返還義務ハ畢竟契約上ノ義務タルヲ失ハズ。乃チ当事者ハ委任契約終了ノ上ハ之ヲ返還スベキコトヲモ契約ノ内容トセルモノト解スルヲ相当トス。サレバ原審ガ委任契約解除ノ結果Yハ原状回復義務ノ履行トシテ本件恩給証書ヲ返還スベキ義務アルモノト為シタルハ用語妥当ナラズト雖、原審ハ畢竟右契約上ノ返還義務ヲ捉ヘテ原状回復ノ義務ト称シタルモノニ外ナラザルコト原判文ヲ通読シテ之ヲ諒スルニ難カラザルガ故ニ、右返還義務ヲ認メタルハ正当ニシテ所論ノ如キ違法アルモノニ非ズ」（大判昭九・九・一二民集一三・一六五九、川島・判民昭和九年度一一八事件、末川・民商一巻四号二五八頁、谷口・不法原因六六頁、同旨大判昭和一〇・一〇・一新聞三八九八・九、谷口・不法原因六七頁）。

後に本件と全然同一の事案について、昭和一一・五・二七の判決（民集一五・九二二、東・判民昭和一一年度六二事件）が民法六四六条を理由として恩給証書の返還義務を是認した。「民法第六四六条第一項ニ於テ受任者ハ委任事務ヲ処理スルニ当リテ受取リタル金銭其ノ他ノ物ヲ委任者ニ引渡スコトヲ要スル旨規定シ、右ニ所謂金銭其他ノ物トハ啻ニ委任事務処理ノ結果第三者ヨリ受取リタル物ノミナラズ、該委任事務処理ノ為委任者ヨリ受取リタル物ヲモ均シク包含セルモノト解スルヲ相当トスベク、従テ此ノ後ノ場合ニ在リテハ苟クモ受任者ニ於テ委任事務ヲ処理シ得ザルニ至レル以上、其ノ受取リタル物ヲバ委任者ニ引渡サザルベカラザル義務アルモノト謂ハザルヲ得ズ。之ヲ本件ニ付観ルニXガYニ対シ係争ノ恩給証書ヲ交付シテ恩給金ノ受領方ヲ委任シタルコトハ原判決ノ確定セル処ナルヲ以テ、Yハ右委任解除ニ因リ既ニ前示恩給証書ニ依リ恩給金ヲ受領シ得ザルニ至レルコト当然ナルガ故ニ、YハXニ対シ右恩給証書ヲ引渡スベキ義務アルコト前掲法条ニ照シ明白ナリトス」。

【30】　XはYから金銭を借受け、その弁済方法として自己の恩給証書をYに預けて恩給金の受領を委任したが、その際Yは右貸金債権を何時にても第三者に譲渡しその通知を要せずしてこれを対抗し得ること、而もその場合に恩給金の受領方を任意に第三者に委任し恩給証書を交付して恩給受領の受任者の地位を承継せしめ得るとの特約をした。その後Xは右委任を解除し恩給証書の返還をYに請求する。Yはすでに貸金債権並びに恩給受領の受任者たる地位を第三者に譲渡したと抗弁した。原審はかかる特約は恩給を受くる権利を第三者に譲渡すると同様な結果となるとして無効とした。Yから上告。棄却。

「上告人Yガ原審ニ於テ主張シタル特約ノ趣旨ハ『Yハ其ノ貸金債権ヲ何時ニテモ第三者ニ譲渡シ其ノ通知ヲ要セズシテ之ヲ対抗シ得ベク、而モ此ノ場合ニ於テハ本件恩給金ノ受領方ヲ任意ニ第三者ニ委任シ、同時ニ委任事務ノ処理上恩給証書ヲ同人ニ交付シ、恩給受領ノ受任者ノ地位ヲ承継セシメ得ルモノナリ』ト云フニ在レバ、此ノ特約ハ恩給金受領方ノ委任ヲ受ケタル者ノ意思ノ儘ニ其ノ受任者タル地位ヲ他人ニ承継セシムルコトヲ認メタルモノニ外ナラズ。然ルニ斯ノ如ク受任者タル地位ノ承継ヲ自由ナラシムルニ於テハ、委任者ハ果シテ何人ガ受任者ノ地位ニ在ルカヲ確知スルニ由ナク、事実上委任契約ノ解除ヲ不能ナラシムルモノト為スヲ妨ゲズ。其ノ結果ハ恩給ヲ受クル権利ノ譲渡アリタルト同一ニ帰スルモノト謂フベク、即斯ル特約ハ恩給法第一一条ノ規定ヲ回避セントスルモノニシテ法律上効力ナキモノナルコト勿論ナリ」（大判昭一二・一一・二民集一六・一五七七、戒能・判民昭和一二年度一

一二事件、柚木・民商七巻五号七七七頁、谷口・不法原因六七頁）。

不解除特約のみを無効とする判例理論は川島教授の指摘される如く（判民昭和九年度一一八事件）、借主の保護を単に不当利得・不法行為等の一般法上の救済の可能性に委ねることなく、当事者の約定による委任関係によらしめる作用を営むものであつて、七〇八条但書の精神からみて合理性を有するものと謂われ得ないではないが、余りに技工的であつて、当事者の意思に合致しない。けだし、貸主は元利金完済まで委任を解除されないからこそ金銭を貸すのであつて、もし何時でも解除されるということであれば、恩給金受領の委託を受けることもまた金銭を貸すこともしなかつたであろうと考えられるからである。したがつて、かかる一個の具対的な契約の内容を抽象的に恩給受領委任自体と不解除の特約とに分けて効力を別々に決することは許されないのであつて、全体としてその効力が決せられなければならない。そして全体としてみれば、かかる契約は恩給を受くる権利を担保に供すると同じ結果となるのであるから、恩給法一一条の禁止を回避する脱法行為として全然無効であると解するのが正当である（末川・民商一巻四号六五三頁、谷口・不法原因六八頁）。しかし、今日の金融界において恩給担保は一般に広く行われるところであるから、恐らく、委任者に不法の認識を欠く場合が多く、たといあつたとしても普通の状態の下ではそれが直ちに「公序良俗」に違反する行為とはいい難いであろう。のみならず、旧恩給法の下で民法七〇八条を適用し、恩給証書の返還を拒否するときは、恩給権者は事実上恩給法一一条による保護を受け得ざることとなり、却て恩給法一一条の趣旨が無視される結果を生じた（杉之原・判民昭和四年度七四事件）、改正法は一一条二項に恩給を受ける権利を譲渡し、または恩給金庫以外の者へ担保に供した場合には、「裁定官庁ハ支金庁ニ通知シ恩給ノ支給ヲ差止ム」べき旨を規定した。なお、谷口教授は恩給を受ける権利を担保に供する行為は強行法規に反する行為であるから、恩給証書の交付は不法原因給付であるとせられつつも、借主において不法の認識を欠くことが多いこと、もし取戻を拒絶すれば恩給法一一条の趣旨が無視されること、恩給権を喪失せしめてまでも恩給担保を禁圧することは今日の経済事情に即せざること、不法の原因は給付受領者にのみ存すること、殊に債務弁済後における取戻請求の拒否は預り主の不信義を是認する結果となることなどを根拠として、民法七〇八条の適用が制限せらるべきものと解されている（谷口・不法原因七〇六頁以下）。

(4)　制限超過利息の支払　　利息制限法超過の利息について、判例はかつて、旧法の下において、利息の約定は貸主にとつて法律違反であるばかりでなく、借主にとつてもまた法律違反であるから、借主が任意に支払つた場合には不法原因給付であつてこれを取戻し得ないと判示した。

【31】　「利息制限法ハ公益規定ナルヲ以テ若シ制限ニ超過シタル利率ヲ契約シタルトキハ、独リ債権者ニ背法ノ行為アルノミナラズ債務者モ亦背法ノ行為アルコト勿論ナレバ、債務者ガ任意ニ制限超過ノ利息ヲ債権者ニ支払ヒタル場合ニ於テハ所謂不法ノ原因ノ為メ給付ヲ為シタルモノト云ハザルヲ得ズ。而シテ不法ノ原因ノ為メ給付ヲ為シタル者ハ其給付シタルモノ、返還ヲ請求スルヲ得ザルコトハ民法七〇八条ニ於テ明ニ規定スル所ナリ」。「制限外ノ利息ト雖モ当事者間ニ於テ既ニ任意授受シタルモノハ、債務者返還ノ請求ヲ為スヲ得ザルコトハ前段ニ於テ説明セシ所ノ如シ。故ニ本論告ノ目的トナリタル原判旨ヲシテ、当事者ノ意思ヲ以テ債務者ノ支払ヒタル金額ヲバ先利息ニ充当シ其余金ヲ元金ニ充当シタルモノナリト事実ヲ確定シタルモノナラシメンカ、其判断ハ不法ナリト云フヲ得ザレドモ、原判決ニハ『前略右金円ハ普通ノ法則ニ従ヒ先ヅ其利息ニ充当シ

其余金ヲ元金ニ充当シタリト看做サルベキヲ以テ云々』ト説示シアルヲ以テ、法律上ノ充当ヲ為シタル判旨ナリト云ハザルヲ得ズ。然レバ則チ制限外ノ利息ニ関スル契約ハ当然無効ナルヲ以テ、原院ガ法律上ノ充当ノ場合ニ於テ制限外ノ利息ニ付テ有効ニ充当スルコトヲ得ベキモノト為シタルハ不法ノ裁判タルコトヲ免レズ」（大判明三五・一〇・二五民録八・九・一三四民抄録一五・二六九七、谷口・不法原因七五頁、同旨大判明三九・四・二八民録一二・四・六六六民抄録二九・六〇七四、大判昭五・九・二七、評論一九民法一四六五、谷口・不法原因七六頁）。

その後、判例は別に理由を示さないで、単に債務者が異議を留めず任意に支払つたときには、超過利息を取戻し得ないものとし、さらに一歩を進めて、制限超過の利息を支払つたのでなく、右金額を元金として準消費貸借契約を締結した後、それに基づく債務の弁済として支払つた場合においても取戻し得ないものとする。

【32】「利息制限法所定ノ利率ニ超過シタル利息ヲ支払フコトヲ約シタル場合ニ、債務者ガ何等異議ヲ留メズシテ之ガ支払ヲナシタルトキハ、制限ニ超過シタル利息ヲ支払ヒタルモノトシテ、其超過シタル部分ヲ取戻スコトヲ得ザルモノトス」（大判大一〇・三・五民録二七・四七五民抄録九一・二二八二四、谷口・不法原因七六頁）。

【33】Xは訴外A等の数次に渡るYとの準消費貸借上の債務について、連帯債務者または連帯保証人となり、二回に金九千八百八十余円をYに弁済した。後になつて、Xはその数時の消費貸借においては口銭延期料貸直料および制限外の前利息等が合算して元金となされているが、その部分については消費貸借は成立しないから、右各債務の有効元金および制限内利息について計算すると、Yは法律上の原因なくして金五千八百八十余円だけ不当に利得したことになるとして、その返還を請求した。原審はXは債務の存在しないことを知りながら任意に弁済したのだから、非債弁済として取消し得ないとその請求を排斥した。そこでXは上告して、Xは債務の不存在を知らず、また弁済したのは強制執行をもつて威迫せられたからだと争つた。棄却。

「原判決挙示ノ証拠資料ニ徴スルトキハ原判示事実ヲ認定シ得ザルニ非ザルノミナラズ、原判決ニハ所論ノ如キ判決遺脱ノ違法ナキハ勿論審理不尽理由不備等所論ノ如キ不法アルコトナシ。元来口銭延期料貸直制限外ノ前利息等名目ノ如何ヲ論ゼズ金銭貸借ノ場合ニ利息制限法所定ノ利率ニ超過シタル利息其ノ他ノ金員ヲ支払フコトヲ約シタル場合ニ、債務者ガ異議ヲ留メズシテ之ガ支払ヲ為シタルトキハ、制限超過ノ利息其ノ他ノ金員ヲ支払ヒタルモノトシテ、当該超過部分ヲ取戻スコトヲ得ザルハ勿論（大正九年(オ)第九〇六号同一〇年三月五日本院判決参照）、右金額ヲ元金トシテ準消費貸借契約ヲ締結シタル場合ニ於テモ、之ニ対シ支払ヲ了シタル金員ノ取戻ヲ為スコトヲ得ザルモノトス。此ノ理ハ連帯債務者トシテノ支払ナルト連帯保証人トシテノ支払ナルトニヨリ異ルモノニ非ズシテ、原判決ノ趣旨モ亦之ト帰結ヲ異ニスルコトナシ」（大判昭一三・五・一四民集一七・九五七、来栖・判民昭和一三年度六三事件、末川・民商八巻五号九一六頁、谷口・不法原因七七頁）。

旧法の下における利息制限法超過の利息の支払については、担保のためにする恩給証書の交付と同様に解することができる。すなわち、超過利息の約定は利息制限法違反として無効であるが、特にいわゆる暴利行為と認められる場合の外は「公序良俗」に反する行為ではなく、七〇八条の不法原因に該当しないと解すべきである（我妻・八六頁註一、有泉・六九三頁註一(4)、末川・破毀判例民法研究二巻二一九頁）。これに反し、通説は不法原因給付なりとするが、不法原因は受益者たる貸主の側にのみ存するから、七〇八条但書の適用により超過利息の取戻を認むべきものとする（鳩山・八三四頁、末弘・九八八頁、石田・二四七頁）。しかし、制限超過利息の約定は必ずしも貧困者が生活費を得るために已むを得ず行うとは限らず、企業者が巨利を博するために行うこともあり得るから、常に貸主にのみ不法原因があるとして、一様に七〇八条但書の適用を認めるのは不当である。そこで谷口教授はただ超過利息約定附消費貸借が暴利契約性を具うる場合に限り、七〇八条但書を適用して取戻を認むべく、然らざる場合には取戻を拒否すべきものとせられる（谷口・不法原因八〇頁以下）。尤も超過利息を現実に支払わずに、これを元本として準消費貸借をなした場合には、給付が債務の負担より成る場合であつて、もしこれを強制するときは却て制限法の精神を蹂躙することとなるから、ドイツ民法八一七条後段但書の如く、これを取戻し得るとなす(谷口・不法原因八三頁)。このように、判例理論に対しては学者の反対があつたに拘らず、改正利息制限法(昭和二九年法律一〇〇号)は判例理論をとり入れて、その二条二項に「債務者は前項の超過部分を任意に支払つたときは、同項の規定にかかわらず、その返還を請求することができない」と規定した。しかし、それでは同法の存在意義を殆ど失わしめることになろう。

尤も、債務者が利息制限法所定の率を超過する利息および遅延損害金を任意に支払つた場合でも、右超過部分は元本債権の存在する限り、元本の支払に充てられたものと解すべきだとの最近の下級審の判例がある。

【34】「利息制限法(昭和二九年法律第一〇〇号)第一条によれば、金銭を目的とする消費貸借上の利息の契約は、同条所定の利率を超過する部分につき無効であるが、若し債務者が任意にこれを支払つたときはその返還を請求することができない。しかし、右超過部分の利息の契約は法律上無効であるから、債務者により任意に支払われた超過利息に当る金額が、無効な超過利息の部分の弁済に充当し得られないことは明らかである。右支払金が法律上いかに取扱われるべきかについては、同法は前示の通り債務者においてその返還を請求し得ない旨定めている以外何等の規定もしていない。ところで、同法第二条によれば、利息を天引した場合、天引額が債務者の受領額を元本として同法所定の利率により計算した金額をこえるときは、その超過部分は元本の支払に充てたものとみなされるのである。従つて、消費貸借成立の際債務者により任意に支払われた天引利息中超過利息に当るものと解し得る部分は元本の弁済に充当せられることになるのである。右第二条に示された論理を推し進めてゆけば、消費貸借成立後に債務者により任意に支払われた超過利息も同様に元本の弁済に充当せられるものと解すべきことになる。明白な規定の存在しないために法文の解釈が幾様にもなされ得る可能

性の存する場合には、なるべくその法律の目的が貫徹せられるように解釈することが、正しい法律解釈の態度である。利息制限法は同法所定の利率を超過する高利を禁止することを目的としているのであるから、超過利息の任意支払につき前示の通り解釈することが、同法の目的に副うゆえんである。同様の事は賠償額の予定或は遅延損害金に関する同法第四条についても言い得る。従つて、債務者により任意に支払われた同法所定の率を超過する利息及び損害金の部分は、元本債権の存在する限り元本の支払に充てられたものと解すべきである」（広島高判昭三三・四・三民集一一・三・二〇三）。

(5)　斤先掘契約に関する給付　判例は、鉱業権者が自ら鉱業を経営しないで、その名義を他人に貸与して鉱業を経営せしめる、いわゆる斤先掘契約は鉱業法一七条（新法一三条）の強行規定に違反する契約で無効であると解せられ、かかる契約に基づいて斤先人が鉱業権者に差入れた保証金（東京控判昭一三・九・一三新聞四三三六・八、谷口・不法原因三七頁）、斤先人が炭坑内になした設備により鉱業権者の受けた利益（東京控判昭二・一・二九新聞二六六四・五、谷口・不法原因三六頁）、斤先人が代納した諸税金（大判大八・九・一五）は不法原因給付として取戻し得ないものとされる。

【35】　鉱業権者たるYが自己の有する石炭鉱区につき、Xに対し石炭の採掘をなさしめ、Xはその対価として、Yのためにその鉱区に関する諸税金を代納し、かつ諸鉱区から採掘した石炭を販売して得た代金の百分の四をYに支払う旨のいわゆる斤先掘契約を締結した。XからYに対しその代納した諸税金を不当利得なりとしてその返還を求める。原審はこれを不法原因給付なりとしてXの請求を排斥した。そこでXは斤先掘契約は鉱業法の禁止するところではあるが、権利株の売買と同様に各地において頻繁に行われ、悪事醜行と目されないのに、単に公益を害するとの理由で不法原因の給付と断定したのは不法である。また故意過失をもつて他人に損害を加えた場合でなければ不法行為は成立しないのに、本件では当事者が斤先掘契約が法律に禁止せられたものなることを知つて締結したことの立証なく、Xが斤先掘契約の無効を知つてYのために納税したか否かの

判断をなさないのは不法であると上告した。

「原判決ガ認メタル所謂斤先掘契約ナルモノハ鉱業権者ナルYガ自己ノ有スル石炭鉱区ニ付キ、Xニ対シ其計算ニ於テ石炭ノ採掘ヲ為サシメ、Xハ之ガ対価トシテYノ為メニ其鉱区ニ関スル諸税金ヲ代納シ且該鉱区ヨリ採掘シタル石炭ヲ販売シ得タル代金ノ百分ノ四ヲ被上告人Yニ支払フコトヲ約シタルモノニシテ、畢竟鉱業権者ニ於テ其鉱業権ヲ目的トシ鉱物ノ採掘ニ関スル権利ヲ第三者ニ授与シ、第三者ヲシテ鉱業ヲ管理セシムルコトヲ目的トシタル契約ニ外ナラザルモノトス。抑モ鉱業ノ盛衰ハ一国ノ経済上ニ多大ノ影響ヲ及ボスト同時ニ人ノ生命身体財産等ニ関シ種々ナル危害ヲ及ボスノ虞アルヲ以テ、之ガ経営者ノ何人ナルヤハ種々ノ点ニ於テ頗ル重要ナル関係ヲ有スルモノト謂ハザルベカラズ。是レ鉱業法第一七条ニ於テ鉱業権ハ相続譲渡滞納処分及ビ強制執行ノ目的タル外権利ノ目的タルコトヲ得ズ(但シ採掘権ハ抵当権ノ目的ヲ為スコトヲ得)ト規定シ、鉱業権者ハ必ズ自身又ハ鉱業代理人ヲ以テ鉱業ヲ管理スルコトヲ要シ、鉱業権ヲ目的トナシ之ガ採掘ノ権利ヲ第三者ニ授与シ其者ヲシテ鉱業ヲ管理セシムルコトヲ禁止シタル所以ナリ。然ラバ本件斤先掘契約ハ右鉱業法第一七条ニ違背スルモノナルヲ以テ、民法第九〇条ニ所謂公ノ秩序ニ反スル事項ヲ目的トスル法律行為ナリト謂ハザルベカラズ。原判決ガ之ト同趣旨ニ出デXノYニ対スル鉱区ニ関スル諸税金及ビ之ガ遅延利息ヲ以テ民法七〇八条ニ該当スルモノト認メ、之ヲ排斥シタルハ洵ニ至当ナリトス」。「民法第七〇八条ニ於テ不法ノ原因ノ為メ給付ヲ為シタル者ハ其給付シタルモノノ返還ヲ請求スルコトヲ得ズトナシタル所以ノモノハ、若シ之ヲ許容スルトキハ公序良俗ニ反スル事項ヲ有効ト認ムルニ至リ為メニ法律ノ目的トスル所ニ反スルニ至レバナリ。然ラバ其給付行為ガ不法ノ原因ニ基ク以上ハ、其不法ガ受益者ニ付テノミ存スル場合ノ外ハ当事者ガ其不法ナルコトヲ知ルト知ラザルトニ論ナク、之ガ返還ヲ請求スルコトヲ得ザルモノト謂ハザルベカラズ。本件ニツキ原判決ガ認メタルXガ斤先掘契約ニ基キYノ為メニ代納シタル本件鉱区ニ関スル諸税金ハ、既ニ第一点論旨ニ対シテ説明シタルガ如ク全ク不法ノ原因ノ為メニ給付シタルモノニ係リ、而モ其不法ハ当事者双方ニ存スルコト其契約自体ニヨリ明カナルヲ以テ、原判決ガXニ於テ斤先掘契約ガ当初ヨリ無効ナルコトヲ知リYノ為メニ諸税金ヲ納付シタルヤ否ヤヲ判定スルコトナク、Xノ此点ニ関スル請求ヲ排斥シタルハ至当ニシテ所論ノ如キ不法アリト謂フベカラズ」（大判大八・九・一五民録二五・一六三三民抄録八五・二〇二八九、谷口・不法原因二一頁）。

この判決がいつているように、「鉱業権ノ盛衰ハ一国ノ経済上ニ多大ノ影響ヲ及ボスト同時ニ、人ノ生命身体財産等ニ関シ種々ナル危険ヲ及ボスノ虞アルヲ以テ、之ガ経営者ノ何人ナルヤハ、種々ノ点ニ於テ頗ル重要ナル関係ヲ有スルモノト謂ハザルベカラ」ざるが故に、斤先掘契約は無効だと解すべきである。しかし、この判決のように、斤先掘契約は「当事者ガ其不法ナルコトヲ知ルト知ラザルトニ論ナク」、直ちに「民法第九〇条ニ所謂公ノ秩序ニ反スル事項ヲ目的トスル法律行為ナリ」とすることはできない。私は七〇八条の趣旨は当事者の不道徳な行為に対する制裁にあるのだから、斤先掘契約が法禁行為であることを知りながら敢てこれをやつたというように、何かそこに道徳的に非難せらるべき要素の加わることが必要である（有泉・判民昭和一九年度四三事件一八一頁）、したがつて、この場合名義借主は代納した諸税金の返還を請求することができると考える。なお、新鉱業法は一定の条件の下に斤先掘契約を合法化し、租鉱権を認めたことを注意すべきである（六条・七一条以下）。

そして、判例は斤先掘人が採掘した鉱物の売買については、当事者が法禁行為によつて採掘せられたものであることを熟知している場合にのみ、これを無効とする。

【36】 採掘権者たるAからその採炭権並びに石炭販売権を譲受けたBから、さらにその権利を譲受けたXが出炭した石炭をYは買受けて、その代金債務を消費貸借に改めた。然るに、Yは期限になつても弁済しないのでXが訴求する。Yは未採掘の鉱物は国の所有に属するから、売買契約は無効であり、したがつて、これを改

めたに過ぎない消費貸借もまた無効であると主張した。Xはこれに対し斤先掘契約が無効でその採掘した石炭が国の所有に属するとしても、かかる石炭の売買は他人の物の売買に過ぎずしてそれ自身無効ではないと主張した。原審はかかる売買は単なる他人の物の売買ではなくして鉱業法一七条に違反する所為により採掘した石炭を目的とした売買であるから、鉱業法が斤先掘契約を禁止したと同一精神に基づき民法九〇条に違反せる無効の契約であると判決した。Xから上告。棄却。

「鉱業権者ハ必ズ自身又ハ鉱業代理人ヲ以テ鉱業ヲ管理スルコトヲ要シ、鉱物ノ採掘ニ関スル権利ヲ第三者ニ授与シ、其ノ者ヲシテ鉱業ヲ管理セシムルコトヲ得ズ。斯ル方法ニ依リ第三者ヲシテ鉱物ヲ採掘セシムルハ鉱業法第一七条ニ違背シ、公ノ秩序ニ反スル事項ヲ目的トスル法律行為ニシテ無効ナリ。従テ之ニ基キ採掘セラレタル鉱物ニ対シテハ、第三者ハ勿論鉱業権者ニ於テモ其所有権ヲ取得スルコトヲ得ズ、又斯ル鉱物ハ未ダ採掘セザル鉱物ト同ジク国ノ所有ニ属スルコトハ当院判例ノ認ムル所ナリ（大正一〇年四月一二日第一民事部判決）。本件ニ於テ上告人Xハ訴外Bト訴外A鉱業株式会社トノ間ニ締結セラレタル斤先掘契約ニ基キBノ有スル石炭採掘ニ関スル権利ノ半権利ヲ同人ヨリ買受ケ、自己ノ経営上採掘シタル石炭ヲ被上告人Y等ニ於テXヨリ買受ケ、其ノ代金ノ一部ニ付消費貸借ヲ為シタルモノニシテ、A会社トB間並BトX間ノ契約ハ孰レモ如上法禁行為ニシテ無効ナリ。又XY等間ノ売買ノ目的タル石炭ハ既ニ採掘セラレタルモノナレドモ国ノ所有ニ属シ、而シテ如上法禁行為ニ依リ採掘セラレタルモノナルコトヲ当事者ニ於テ熟知セルコトハ原審ノ判示セル所ナレバ、右売買契約ハ法禁行為ヲ助成スル結果ヲ来スヲ免カレズシテ、是亦民法第九〇条ニ所謂公ノ秩序ニ反スル事項ヲ目的トスル無効ノ契約ニ外ナラズト謂フ可シ」（大判大一四・二・三民集四・五一、末弘・判民大正一四年度六事件、谷口・不法原因三八頁）。

しかし、かかる売買に基づいてなした給付を取戻し得るか否かについては、判例は何もいっていないが、売買契約が公序良俗に反し無効だという理論を貫けば、この給付は不法原因となるように思われる。したがつて、売主および買主双方の給付があつた場合には、もはや何れからもこれを取戻し得ず、その結果は売買が有効であるとほゞ同じであるが（但し、売買は無効なのだから、買主は瑕疵担保の請求権を行使することを得ないであろう）、先ず給付をなす者は自己の危険においてこれをなさなければならない。すなわち、相手方はその給付を受領しながら、しかも契約の無効を援用して自己の反対給付を拒み得べく、甚だ不公平な結果を生ずる。民法七〇八条が不徳な行為者に対する制裁であるにしても、同じく不徳な行為をなした者の間において、ただ先に給付をしたというだけで、かかる甚だしい不均衡な結果を生ぜしめることは、公平の理想に基づく不当利得制度の趣旨に反する。元来、双務契約における各給付は相互に対価的な依存関係にたつものであるから、返還請求の拒否についても偶々すでになされた給付だけを切り離して考えて、未だなされない反対給付を全く考慮の外におくことは正当でない。したがつて、給付を受領した者が対価を払わずにこれを保留することは信義の原則上許さるべきでないと解することができる（民法一条二項）。ドイツの判例も娼家売買契約に関して、当事者の一方がその利益のために、売買の無効と同時にすでに受領した給付の有効とを主張するは信義の原則に反するとの理由から、他方に一般悪意の抗弁（exceptio doli generalis, die Einrede der Arglist）を認めている（RG. 71, S. 435 ff.; 谷口・不法原因四九頁以下、松坂・三九一頁註五〇参照）。谷口教授は、かかる悪意の抗弁を民法一条二項から導くことはその当否が大いに問題であるとせられ、斤先掘契約に関する給付は「一応概念的には公序違反事項を目的とする不法原因給付に属するとしても、だからといつて直ちに一律に取戻を否定すべきではなく、取戻を否定するに足るだけの強度の公序違反があるか否かによつて個々の場合に取戻の許否が決せらるべきではなかろうか」と説かれているが（不法原因四〇頁以下）、かかる考え方もまた不公平な結果を避けるための一方法であると思う。けだし、すでに我妻教授が説かれるように、「第七〇八条は給付を受けた者をしてその給付を保留する結果を肯認するものであるから、第九〇条よりその範囲を狭くするを妥当とする」（我妻・七七頁）ならば、七〇八条においては九〇条におけるよりも強度の公序良俗違反性が要求されても、不当だとはいえないからである。九〇条の適用に当つては、当事者の一方甲が他方乙の不法の動機を知つていた場合には、たとい表示せられていなくとも契約は反道徳性を帯び、全面的に無効となると解すべきであるが、これは未履行の場合においては契約全体を無効として効果の不発生、したがつて、それに基づく請求権の拒否を甲についても認めても、甲は不測の損害を受け取引の安全を害される虞れがないからである。これに反し、七〇八条の適用については、甲が相手方の不法の動機を知つていたというだけで不法原因給付となり、給付したものを取戻し得ないとすると、甲にとつて酷な場合を生ずる。同じく甲が乙の不法の動機を知りながら契約を締結した場合にも、乙の不法な目的を積極的に助成しようとする意図を有した場合（行為の不法の程度・性質・取引の条件などから客観的に認識せられることがあろう。平野・民商八巻三号八四頁参照）と、単にこれを知つていたにとどまる場合とがある。例えば、斤先掘人たる乙の採掘した石炭を販売してやる目的で乙と取引した場合と、売主たる乙が偶々斤先掘人たることを知つていたに過ぎない場合とがある。もし後の場合において甲が代金を支払つたときには、その取戻を認むべきで、このことは七〇八条但書の精神からも是認さるべきであろう。ただ乙が石炭を給付した場合に、その取戻を認めてまでこれを保護する必要があるかは、その反社会性からいつて疑問であるが、上述したように甲の取戻を認めるのが妥当であるならば、当事者間における公平を考慮して、後者の場合には売買は無効であるとしても、七〇八条にいわゆる不法の原因とならないと解すべきであろう。近藤博士も「公序に反する程度が、比較的大なりとして、法律がその原因を不法となす場合のみを指すものと解すべく、比較的その程度の小なる場合には、一般の原則に従い、不当利得を成立せしむるものと見るべきである。」と説いておられる（債権法各論一七七頁）。なお、末弘博士は一般に法律行為の効力を決するには、「単なる公益保護の目的にのみ執着することなく、同時に当事者相互間の利益衡量を行い、更に其の結果と公益保護の必要とを具体的に比較」すべきものとせられ、斤先掘人の採掘した石炭の売買は当事者相互間の利益を無視してまでも斤先掘を禁止せねばならぬ程その弊害は甚しく思われないから、これを無効とすることは甚だ疑わしいとされる（判民大正一四年度六事件、「法令違反行為の法律的効力」民法雑考一七七頁以下）

また次の判例は、斤先掘人と事業の共同経営を約し、事業資金に充てるために給付したものは不法原因給付だとしている。この判例は斤先掘人との共同経営者がこの給付によつて蒙つた損害の賠償を鉱業権者に対して請求した事案に関するが、斤先掘人に対してもその取戻を請求し得ないものといわなければならない。

【37】　Yは石炭鉱区の鉱業権をAに譲渡したが、その名義変更の登録をしない間にAはBCとの間に斤先掘契約を締結してその鉱区の経営を一任し、さらにBCはその経営をDに委ねた。ところがDはXと右鉱区を共同経営することを約し、Xをして保証金の名義で金四千二百円を出資させたが、その後Dは七百円をXに返還しただけなので、XはYに対して残額三千五百円の返還を請求する。原審はXを敗訴させたので、Xは上告して鉱業法一七条に違反して第三者に鉱業管理の任に当らせた場合には、鉱業権者自身その第三者が他人の権利を侵害して生ぜしめた損害の賠償の責に任ずべきだと主張した。棄却。

「原審ハXニ於テDガ鉱業権者ニ非ズシテ本件鉱区ノ経営ヲ為スモノナルコトヲ知リ乍ラ、同人ト共同シテ該鉱区ノ経営ヲ為スベキコトヲ約シ、其事業資金トシテ本件四千二百円ノ支出ヲ為シタル事実ヲ認定シタルコト及該認定ノ適法ナルコトハ孰レモ前点説示ノ如クナルヲ以テ、右金員ノ支出ハ取不直X自身ニ於テ鉱業法第一七条ノ規定ニ依リ禁止セラレタル公ノ秩序ニ反スル事業ノ経営ヲDト共ニセムコトヲ約シ、其ノ事業資金ニ充ツルガ為メ為サレタルモノナルガ故ニ、一ノ不法原因ノ為メノ給付ナリト做シ得ベク、従テ縦令Xニ於テ斯ル金員ノ支出ニ因リ損害ヲ被リタリトスルモ是レ自己ノ不徳ノ致ス所ニシテ止ムヲ得ザルモノト云フベク、今ニ至リYガ本件鉱区ノ鉱業権者タリシトノ一事ヲ捉ヘ其ノ損害ヲ同人ニ転嫁シ之ガ賠償ヲ請求シ得ザルヤ明カナリ」（大判昭一九・九・三〇民集二三・五七一、有泉・判民昭和一九年度四三事件、谷口・不法原因四一頁）。

(6)　名板貸契約に関する給付　取引所の取引員が他人に営業名義を貸し、それをしてその営業を経営せしめる契約、すなわち名板貸契約は実際界ではしばしば行われているが、判例は取引所法中の公益規定（一〇条・一一条）に違反し無効だとする。けだし、法が一定の資格を定め政府の免許を要件とする営業において、免許なき者をして事実上営業者たる実をあげしめるが如き契約は、脱法行為として無効であるべきだからである。この点については多くの判例があり、学説上も争がない（谷口・不法原因二七頁、松本・判民大正一五年度四一事件）。

【38】　金沢米穀取引所取引員たるXはYに営業名義を貸し、営業上名義人たる自己に及ぶべき損害を担保する目的でYをして五千円を寄託せしめ、後にその返還債務を準消費貸借に改め公正証書を作成した。Yはこの公正証書に基づき強制執行をなしたので、Xは右の如き契約は取引所法の規定に違反し公正証書に執行力なしとして請求異議の訴を起した。原審はかかる契約は無効で、この契約に基づいてYのなした給付は不法原因給付であるからその返還を求め得ず、したがつて、これを目的とする準消費貸借は成立せず、公正証書の債務名義は当然無効であるとしてXの異議を是認した。Y上告。棄却。

「取引所ノ取引員タルガ為ニハ取引所法第一一条ニ規定セル一定ノ資格アル者ニ於テ政府ノ免許ヲ受クルコトヲ必要トシ、又取引所ガ其ノ定款ニ於テ取引員タルニ要スル条件ヲ定ムルトキハ其ノ条件ヲ具備スルコトヲ前提トスル等、法律ハ取引員ノ資格ニ関シ頗ル厳密ナル制限ヲ設ケ、此ノ如キ資格ヲ有スルモノニ非ザル限リ取引所ニ於テ取引ヲ為スコトヲ得ザル旨ヲ明ニシタリ。蓋取引員ハ業務上一面ニ於テ取引委託者並取引所ニ対シ取引ヨリ生ズベキ私法上ノ責任一切ヲ負担セザルベカラザルノミナラズ、其ノ業務タル取引ハ他面経済上甚ダ重要ナル取引所ノ機能ヲ左右スルモノナルヲ以テ、其ノ資格ノ詮衡ニ当リテハ単ニ取引ヨリ直接ニ生ズベキ財産関係ヲ処理シ得ベキ能力ヲ標準トスルニ止ラズ、更ニ取引員タルベキ者ガ果シテ取引所ナル機関ノ運用ニ与ルベキ資格ヲ有スルヤ否ヲ考慮シテ其ノ許否ヲ決スルヲ必要トシタレバナリ。是故ニ取引所法ノ規定シタル資格ハ取引所ノ取引員トシテ其ノ業務ヲ主宰スルニ付欠クベカラザルモノニシテ、其ノ資格ヲ有セザル者ヲシテ取引員ノ名義ノ下ニ独立経営ノ衝ニ当ラシメントスルガ如キハ、仮令資格ヲ有スル名義人ガ其ノ背後ニ於テ総テ取引上ノ責任ヲ引受クルモ公益上到底之ヲ許容シ難キトコロニシテ、此ノ如キ事項ヲ目的トスル契約ハ正ニ前顕取引員ノ資格ニ関スル公益規定ニ背反スル行為ニシテ其ノ無効ナルコト言ヲ俟タズ。原判決ノ確定スルトコロニ依レバ(中略)取引員タル被上告人Xハ其ノ営業タル取引ニ関与セズ取引員ニ非ザル上告人Yヲシテ取引員タルXノ名義ヲ藉リ自己ノ損益計算ニ於テ仲買業ノ独立経営ニ当ラシムベシト云フ条項モ、将信認金ノ寄託ト云ヒ準消費貸借ノ締結ト云フモ、畢竟一個不可分ノ契約ノ内容ヲ組成スルモノニ外ナラザルコト明白ナルヲ以テ、上来説述スル如ク前記条項ニシテ既ニ無効ナル以上ハ、信認金ノ寄託準消費貸借ノ締結ハ孰レモ無効ナルコト言ヲ俟タザルトコロニシテ、之ト同主旨ニ出タル原判決ハ相当ニシテ論旨ハ総テ理由ナシ」(大判大一五・四・二一民集五・二七一、松本・判民大正一五年度四一事件、谷口・不法原因二六頁、同旨大判昭七・四・五法学一・一〇・一二三判例六〇、同昭一七・五・二七民集二一・六〇四。なお大判昭六・五・一五民集一〇・三二七も名板貸契約の無効なることを前提とする)。

しかし、名板貸契約に基づいて給付せられた名義借用料、かかる契約によって蒙ることあるべき損害担保のために交付された信認金または保証金は民法七〇八条にいわゆる不法原因に該当するかについては異論がある。前掲大正一五・四・二一の判決は、信認金の寄託は名板貸契約と不可分的に行われるもので無効であつて、これによる給付は不法原因給付であるから返還請求し得ないとみている（同旨大判昭七・四・五前掲）。但し、下級審の判例には不法原因とは行為の性質が当該醜悪なる場合に限るとして、保証金の取戻を認めたものがある（東京地判明四一・一二・二五新聞五三九・一一）。松本博士も「名板貸契約は無効であり、従てこれに依つて定められた一定の報酬の授受は不法原因に因る給付であるが、将来の損害担保の為めにする信認金の交付は之と離れて存する別個の行為であつて、其給付行為を不法とすべき理由はない」とみることは確に一論であるが、「名板貸契約と信認金の寄託とは不可分的に行はれたものである」とみるべきだとされる（松本・判民大正五年度四一事件）。私も名板貸契約と信認金の寄託を一個不可分の契約内容とみることの方が自然な見方であり、したがつて、信認金の寄託は無効であると思うが、だからといつて直ちに信認金の取戻の請求を否定すべきではなく、取戻の請求を否定するためには、単純な強行法規違反や単純な公序良俗違反にとどまらず、さらにそこに道徳的に非難せらるべき要素が加わらなければならない（有泉・判民昭和九年度四三事件）。谷口教授は、かかる信認金の取戻の請求は、信認関係維持による、より高い法益、秩序を保たしめんとする政策的根拠に基き之を許すべきだ」と主張される（谷口・不法原因二九頁）。

次に、名板借人すなわち取引所仲買人でない者が仲買人の名義を借りてなした売買の効力およびこれに基づく給付について、判例は売買は無効だが、これに基づいて給付したものは公序良俗に反する行為により給付したものではないとして、その不当利得返還義務を認めている（谷口・不法原因二九頁以下参照）。

【39】 Yは仲買人の名義を借りて取引所において米穀の売買をなしていたところ、Xは時機をみて米穀売買

の依頼をなすために金銭をYに預けた。しかし、その後時機が至らないので、Xはその金銭の取戻を請求する。原審ではX勝訴。Y上告。棄却。

「取引所法第一〇条及ビ第一一条ノ資格ヲ具ヘザル者ハ仲買人タルコトヲ得ザルガ故ニ、甲第五号ノ如ク右資格ヲ有セザル上告人Yガ仲買人Aノ名義ヲ仮リテ以テ取引所ニ於テ米穀ノ売買ヲ為スガ如キハ違法ノ行為タル固ヨリ論ヲ俟タズ。故ニ該証ニ憑拠シテYニ対シ取引所ニ於ケル売買ノ履行ヲ請求シ若クハ取引所ニ於テ為シタル取引ノ決算ヲ請求スルガ如キハ裁判上決シテ許スベキモノニ非ズ。今一件記録ニ徴シ本件ノ事実ヲ案ズルニ被上告人Xハ第一審以来其初メ本訴ノ金員ヲYニ預ケ入レタルハ時機ヲ見テ米穀売買ノ依頼ヲ為サンガ為メナルモ、其後時機至ラザルヨリ本訴ノ金員ヲ取戻シ度ト主張スルモノナリ。是ニ因リテ之ヲ観レバ当事者間ノ行為ハ仮令Yニ於テ仲買人ノ名義ヲ仮リテ之ヲ為シタルニセヨ違法ノ行為ト云フコトヲ得ズ。何トナレバ斯ル行為ハ仲買人ニ非ザル者ニ於テモ為シ得ベキモノニシテ、未ダ取引所ニ於ケル売買取引ト云フニ至ラザレバ之レヲ以テ直ニYガ不法ニ仲買営業ヲ為シタリト為スベカラザルナリ」（大判明三一・一〇・二二民録四・九・四九、民抄録一・二二九、谷口・不法原因二九頁）。

【40】「凡ソ取引員タルモノハ業務上委託者並ニ取引所ニ対シ取引ヨリ生ズベキ一切ノ私法上ノ責任ヲ負担スルモノニシテ、而モ其ノ営業上ノ行為ハ経済界ニ重要ナル役割ヲ有スル取引所ノ機能ヲ左右スルモノナレバ取引員タルニハ取引所法ニ定ムル一定ノ資格ヲ有シ政府ノ免許ヲ受ケタル者タルコトヲ要シ、又委託者ヨリ株式売買ノ委託ヲ受ケ之ニ基キ取引所ニ於テ売買取引ヲ為シ得ル者ハ厳ニ取引員ニ限ルヲ要スベク、従テ取引員ニ非ル者ガ他ノ取引員ノ名ヲ藉リ事実上取引員ノ為スベキ業務行為ヲ為スコトハ法律ノ許サザルトコロナレバ委託者ガ斯カル者ニ対シ為シタル株式売買ノ委託ハ勿論斯カル者ガ取引所ニ於テ為シタル取引行為ハ無効ナリト謂フベキノミナラズ、斯カル委託取引ニ関シ委託者ガ斯カル者ニ対シ証拠金又ハ代用証券ヲ差入ルル契約ハ委託契約ト不可分ノ関係アルヲ以テ之亦無効ナリト謂ハザルベカラズ。此ノ場合委託者ガ其ノ給付シタル証拠金又ハ代用証券ヲ不当利得トシテ之ガ返還ヲ請求シ得ルヤ否ヤニ付テハ民法第七〇八条ノ適用アリヤ否ヤヲ考慮セザルベカラズ。而シテ同条ニ所謂不法ノ原因トハ其ノ原因タル行為ガ単ニ強行法規ニ違反シタルノミニテ

ハ足ラズ公ノ秩序善良ノ風俗ニ反スルコトヲ必要トス。而シテ本件ニ於テ上告人ガ短期取引員ノ許可ヲ得ラレザリシ為メ弟脇田又五郎ノ名義ニテ許可ヲ出願シ同人ガ短期取引員トナリタルモ、事実ハ同人ニハ何等ノ資力ナク又病弱ニシテ養生ニ専念シ店務一切ハ上告人ガ又五郎名義ニテ処理シ居リ事実上ノ経営者ガ上告人ナルコト、而シテ被上告人ハ又五郎ガ名義人ニ過ギズシテ事実上ノ経営者ハ上告人ナルコトヲ知リ同人ト本件取引行為ヲ為シ、之ニ伴ヒ本件証拠金並ニ代用証券ヲ差入レタルモノナルコトハ孰レモ原判決ノ認定シタルトコロニシテ、右委託取引並ニ代用証券差入レノ行為ガ取引員ニ非ザル者ニ対シテ為サレタル点ヨリ観テ取引員ノ資格ニ関スル強行法規ニ反スル無効ノモノナリト雖、斯カル証拠金並ニ代用証券差入行為ヲ以テ特ニ被上告人側ヨリ見テ公ノ秩序善良ノ風俗ニ反スル行為ナリト謂ヒ難キヲ以テ、民法第七〇八条本文ノ適用ヲ受ケシムベキ場合ニ非ズト解スルヲ相当トス」（大判昭一六・九・六新聞四七二六・七、同旨大判昭一〇・七・九裁判例九民一九七、同昭一八・一二・二二新聞四八九〇・三、谷口・不法原因三〇頁）。

【41】「取引員ガ取引員ニ非ル者ヲシテ自己名義ノ下ニ其ノ営業ノ衝ニ当ラシムル所謂名板貸契約ハ、取引所法所定ノ取引員ノ資格ニ関スル公益規定ニ違反シ無効ナルト同時ニ、委託者ガ斯ル名義借受人ナルコトヲ知リテ之ト為シタル清算取引ノ委託契約モ亦無効タルヲ免レザルモ、該委託契約ニ基ク証拠金代用証券授受ノ給付行為ハ公序良俗ニ反スル醜悪ノ処行ヲ以テ目スベカラザルヲ以テ、民法第七〇八条ニ所謂不法ノ原因ノ為ノ給付ニ該当セザルモノト解スルヲ相当トス（昭和九年（オ）第三一〇六号事件同一〇年七月九日言渡当院判決、昭和一六年（オ）第五四八事件同年九月六日言渡当院判決及昭和一六年（オ）第一八七号事件同年八月二七日言渡当院判決参照）」（大判昭一七・五・二七民集二一・六〇四、来栖・判民昭和一七年度三二事件、末川・民商一六巻五号五七〇頁、谷口・不法原因三〇頁）。

なお、判例は名板借仲買人が委託によつてなした売買契約に基づいて約束手形を交付した場合に、その支払を拒絶し得るものとした。但し、この事案においては委託者は名義貸借の事実を知らなかつたものと認められるので、かかる場合にまで仲買人の営業名義を借りてなした売買をすべて無効とすることについては学者の間に批判がある（末弘・判民大正一〇年度一三二事件、谷口・不法原因三二頁）。

【42】 Xは仙台米穀取引所仲買人Aの営業名義を借受け自ら仲買業を営業中、Yの委託によりなした取引によってYに対し七千六百円の債務を負担するに至つたので、その債務のため同額の約束手形を振出した。Yから約束手形請求の訴を提起する。

「原院ハ上告人Xノ被上告人Yニ対シ振出シタル金七千六百円約束手形ハXガYノ委託ニ依リ仙台米穀取引所ニ於テ為シタル米売買ノ結果Yニ対シ七千六百円ヲ支払フベキ債務アリト誤信シテ振出シタルモノナリヤ即其振出行為ハ要素ニ錯誤アリヤノ争点ヲ判断スルニ当リ、上告人ガ同取引所ノ仲買人トシテ営業中Yノ委託ニ依リテ為シタル取引ノ外ニ其以前仲買人Aノ名義ヲ仮リテ営業中委託ヲ受ケテ為シタル多数ノ取引アリテ之ニ因リ現実七千六百円ノ債務ヲ負担シタルモノト為シ、以テ右手形振出行為ノ要素ニ錯誤アルコトヲ否定シ延ヒテ其手形ヲ書換ヘタル本件手形ハ振出行為ノ要素ニ錯誤ナキモノト為シタリ。然レドモ取引所仲買人ニ非ザル者ガ仲買人ノ名義ヲ仮リ取引所ニ於テ売買ヲ為スコトハ法律ノ許サザル所ナレバ、其売買ハ固ヨリ無効ニシテ法律上ノ効果ヲ生ズベキニ非ズ（明三二年五月二五日ノ当院判決参照）。随テ其取引ノ結果ハ其者ト取引委託者トノ間ニ債権債務ノ関係ヲ生ズベキモノニ非ズ。然レバ原院ガXニ於テ仲買人Aノ営業名義ヲ仮リテ営業中Yノ委託ニ依リ為シタル取引ニ因リYニ対シ債務ヲ負担シタルモノト為シタルハ違法ノ行為ヲ有効視シタルニ基ク不法ノ認定タレバ、此認定ノ下ニ本件手形ノ振出行為ヲ以テ要素ニ錯誤アリト為スXノ抗弁ヲ排斥シXニ手形債務ノ支払ヲ命ジタルハ不法ノ裁判タルヲ免レズ」（大判大一〇・九・二〇民録二七・一五八三民抄録九三・二三六一六、末弘・判民大正一〇年一三二事件、谷口・不法原因三一一頁）。

思うに、名板借人に取引所における売買をなすことを委託する契約は、委託者が名義借人なることを知つてなした場合には公序良俗違反となり、無効であると解すべきであろう。しかし、民法七〇八条の適用については、九〇条において法律行為を無効とするよりもより強度の公序良俗違反性を必要とすること上述した如くである。したがつて、委託契約に基づいて給付したものの取戻を否定するためには、委託者において単に名板借人なることを知つていたばかりでなく、さらに名板貸契約の弊害の著しいことを知りながら敢てそれをやつたというような道徳的非難性が加えられる場合でなければならない(有泉・昭和一九年度四三事件参照)。末弘博士は「同法(取引所法)が取引所に於て取引を為し得る者を仲買人にのみ限つたからと謂うて直に『仲買人ニ非ザル者』が仲買人の営業名義を借りて為した売買は総て無効だと考へるのは、思慮が余りに簡単である。法律は一定の行為を禁ずるが為め必ずしも其行為を無効とするものではない。裁判所としては寧ろかかる禁止に反する行為を無効とするに因つて生ずべき実際上の利害得失を充分に考察した上之を無効とすべきや否やを決せねばならぬ」とされ、「殊に其売買を委託した第三者がかかる名義貸借の事実を知らざる善意のものなるときはかかる売買が無効なることは彼にとつて極めて迷惑である」と説かれている(末弘・判民大正一〇年度一三二事件)。来栖教授もまた「名板貸契約が無効だということから当然には名板借人が取引所に於て為した売買取引が無効だといふ結論は出て来ない。……さうした取引を無効と取扱ふことは、却つて不都合なのではないのかしら。……名板借人は取引所に於て売買を為すことを強制し得ないという範囲では委託契約の効力を否定しなければなるまい。さればとて名板借人が既に委託取引を終了した後に至つてもなお委託契約の無効を主張させる必要はない。」とされ、この二つの要求を満たす道として「委託契約は一応無効だが名板借人が委託取引を終了したら委託契約は有効となるとするか、或は寧ろ委託契約は一応有効だが当事者は契約関係の履行を強制されないために即時解除(告知権)をもつとするかである。そして孰れにせよ委託契約に基く給付は不法原因給付に非ず、委託者の善意悪意は名板借人及名板貸人に責任を問ふとき差別を生ずるとするのである」といわれ(来栖・判民昭和一七年度三二事件)、まことに傾聴すべき見解であるが、教授自らも認められているように、その理論の構成には難しいものがあろう。谷口教授はこの問題について、「英法学説に於ける不法な契約が不法を知らぬ当事者に対しては、有効、知れる者に対しては無効たり得ることを認める理論(Salmond, Law of contract p. 157 拙著英米契約法原理二五八頁以下)や、米国の契約法リステートメント第五九九条『取引ノ不法ガ一方ガ知ラザリシ理由アリ、他方ハ知リタリシ事実ニ依ルトキ、特別ノ営業ニ関スル副次的性質ヲ有スル制定法又ハ行政法規ニシテ当事者ノ一方ハ其レヲ知ラズ相手方ガ法律上ノ要件ヲ特ニ知レルモノト考ヘタリト認メ得ベキトキハ、該不法ハ善意当事者ガ未ダ善意ナリシ間ニ給付シタル履行若クハ取引ノ不履行ニヨリテ蒙リタル損失又ハ逸シタル賠償ヲ回復スルコトヲ妨ゲズ』が注目」さるべきことを指摘されている(谷口・不法原因三三頁)。

なお、判例は、取引員でない者が取引所の売買取引の委託の代理・媒介または取次を営業としてなした場合、かかる行為は取引所法一一条ノ四、二項に違反するけれども、同条の規定は取締規定であつて、その行為の私法的効力までも否定するものではないとしている。

【43】「取引所法第一一条ノ四第二項ニ於テ官ノ認可ヲ経タル取引所ノ会員又ハ取引員ニ非ズンバ何人ト雖モ取引所ノ売買取引ノ委託ノ代理媒介又ハ取次ヲ営業ト為スコトヲ得ザル旨ヲ規定シ、同法三二条ニ於テ右規定ニ違反シタル者ハ三千円以下ノ罰金ニ処スベキモノナル旨ヲ定メタルハ、主トシテ行政取締ノ必要上認可ヲ得ズシテ斯ル行為ヲ営業ト為スコトヲ禁止シタル法意ニ外ナラザルヲ以テ、何人ト雖モ非営業トシテ之ヲ為スコトハ法ノ禁止セザルトコロニシテ、営業トシテ之ヲ為シタル場合ニ於テモ其行為自体ハ何等ノ違法ナク、私法上之ヲ以テ無効ノモノナリト断ズベキニ非ズ。蓋シ取引所ノ売買取引ノ委託ノ代理媒介又ハ取次ト云フ行為自体ト営業トシテ之ヲ為スト云フコトトハ分離シテ観察スルコトヲ得ベキモノナレバナリ。従テ官ノ認可ヲ

受クルコトナク営業トシテ前示行為ノ代理媒介又ハ取次ヲ為シタル場合ニ於テモ、是等行為ノ委託者ト受託者トノ間ノ法律行為ハ勿論受託者ガ該委託ニ基キ其ノ履行ノ為ニ為シタル法律行為ハ孰レモ私法上ノ効力ヲ有スルニ何等ノ妨ゲナク、夫等ノ行為ニ因リテ生ジタル債権ハ債権者ニ於テ債務者ニ対シ之ガ履行ヲ請求シ得ベキモノナリトス」（大判昭九・三・二八民集一三・三一八、平井・判民昭和九年度三一事件、谷口・不法原因三四頁）。

(7)　取引所外差金取引に関する給付　「取引所ニ依ラズシテ取引所ノ相場ニ依リ差金ノ授受ヲ目的トスル行為」は賭博に類似し公序良俗に反するので、取引所法三二条ノ五はこれに刑罰を課して禁止していたが、その趣旨は証券取引法二〇一条、商品取引所法一四五条によつて承継せられている。判例はかかる契約は無効であつて、これに基づいて差入れた保証金または証拠金は不法原因給付であつて返還請求し得ないが、保証金の代用として設定された抵当権は何らの利得を生じないとしてその登記抹消を認めている。私は登記も利得となり、一応は不法原因のための給付であると解するが、後述するように別の理由から判例の結論に賛成する（谷口・不法原因五二頁以下参照）。

【44】　Yは株式取引所の仲買人でないので株式の定期取引をなすことができないから、名を現実売買に仮装して取引所の相場と客の指定価格との差額をもつて損益を決する方法で客と取引をしていたが、Xとかかる取引をなしXから保証金を受領した。後にXから取引に基づく利益金の支払並びに保証金の返還を請求する。

「本件取引ハ取引所ニ依ラズシテ取引所ノ相場ニ依リ差金ノ授受ヲ目的トスル行為ヲ為シタルモノト認ムベキヲ以テ、右取引ハ民法第九〇条ニ所謂公ノ秩序又ハ善良ノ風俗ニ反スル事項ヲ目的トスル法律行為ニシテ法律上無効ノモノト謂フベク、従テ被控訴人Xハ控訴人Yニ対シ本件取引ニ基ク利益金ノ支払ヲ請求スル権利ナキモノト謂ハザルベカラズ。而シテ又XヨリYニ差入レタル本件保証金ニ付テハ前示認定ノ如キ違法行為タル差額取引ノ用ニ供スル目的ヲ以テ当事者間ニ授受アリタルモノナルガ故ニ、右ハ民法第七〇八条ニ所謂不法ノ原因ノタメニ給付シタルモノニ該当シ且其不法ノ原因ハ当事者双方ニ存シタルモノト解スルヲ相当トスベキヲ以テ、XハYニ対シ之ガ返還ヲ請求スルコトヲ得ザルモノト謂ハザルベカラズ」(東京控判昭五・七・二八新聞三一六四・九、谷口・不法原因四二頁)。

【45】 XはY_1の勧誘によつてY_1が取引所外において短期取引と類似の方法による株式の売買取引(差金取引)をなすものであることを知りながら、かかる取引の委託をなし、証拠金代用として所有不動産について合計一万七千余円の借金債務の担保のために抵当権を設定した。その後Y_1は右の債権および抵当権をAに譲渡しAの死亡による遺産相続の結果Y_2が抵当権者となつた。XはY_1との取引は取引所法に違反する無効の行為であるから債権が成立せず、したがつて抵当権もまた無効であるとしてY_1に対しては抵当権設定登記、Y_2に対しては同移転登記の抹消を請求した。第一審第二審ともにX敗訴。原審はXとY_1との間の取引は賭博類似の行為で公序良俗に反して無効であり、かかる取引の委託のために要する証拠金代用としての抵当権の設定は不法原因のためになしたものというべきであるから、今更取引の無効を主張して抵当権の抹消を請求することを得ない。「蓋シ民法第七〇八条ニ所謂給付トハ他人ニ財産上ノ利益ヲ交付スル一切ノ行為ヲ指称スルモノニシテ、独リ所有権ノ移転ニ止マラズ所有権以外ノ物権ノ設定移転ヲモ包含スルト同時ニ他面同条ニ所謂返還トハ之ガ旧状ニ復スル行為ヲ指称スルモノト解ス」べきであるとしてXの請求を拒けた。そこでXは上告して(1)物権設定の登記は七〇八条にいわゆる「給付」でなく、その抹消は同条の「返還」ではない。蓋し給付とは一方に利益の喪失があり他方に利益の取得あることを要するが、登記は第三者に対する対抗力を生ぜしめるに過ぎないから、当事者間には利益の得喪がない。(2)不存在の抵当権を登記簿上存置せしめても何らの意義がないばかりでなく、表見抵当権者はこれを実行することができず、また時効によつて取得することもできない。永遠に真実に合致し得ない登記を存置せしめようとするのは不当であると主張した。破毀差戻。

「民法第七〇八条ノ規定ハ法律上ノ原因ナキ利得ガ不法ノ原因ノ為メノ給付ニ基クトキハ其ノ返還ノ請求ヲ許サザル趣旨ヲ定メタルモノナルヲ以テ、同条ノ適用アルニハ一方ノ損失ニ因リ他方ニ利得ヲ生ジタル事実アルコトヲ前提トスルモノトス。本件ニ付之ヲ観ルニ上告人X主張ノ事実ハXハ被上告人Y_1ガ取引所外ニ於テ取引所ニ於ケル株式ノ短期取引ト類似ノ方法ニ依ル差金取引ヲ為スモノナルコトヲ知リナガラ同人ニ対シ株式ノ短期取引ヲ委託シ、其ノ保証金代用トシテ本件不動産ニ付X主張ノ抵当権ヲ設定シ其ノ登記ヲ経由シタリト云フニ在ルヲ以テ、原判示ノ如クXトY_1トノ間ニ於ケル取引ガ公序良俗ニ反スル無効ノモノナラム乎、両名間ニ於テ該取引ニ基キ当初ヨリ何等ノ債権関係ヲ生ズルコトナキモノナルヲ以テ、其ノ担保ノ為メニスル右抵当権設定モ亦素ヨリ無効ナルコト論ヲ俟タズ。然ラバ其ノ設定ノ登記アルモ之ニ依リ担保セラルベキ債権ヲ有セザルY_1ハ其ノ設定ニ因リ当初ヨリ何等利得スル所ナキモノナルガ故ニXノ右登記抹消ノ請求ニ付テハ前叙ノ理由ニ由リ民法第七〇八条ヲ適用スルコトヲ得ザルモノトス。果シテ然ラバ原判決がXトY_1トノ間ニ於ケル取引ハ公序良俗ニ反シ無効ナルト共ニ右抵当権ノ設定ハ不法原因ニ基ク給付ナル旨説示シ、之ニ民法第七〇八条ヲ適用シテXノY_1ニ対スル其ノ設定登記及被上告人Y_2ニ対スル該抵当権移転登記ノ各抹消請求ヲ棄却シタルハ畢竟同条ノ適用ヲ誤リタル不法アルモノトス」（大判昭八・三・二九民集一二・五一八、有泉・判民昭和八年度四〇事件、近藤・論叢三〇巻一号一三二頁谷口・不法原因四三頁）。

(8)　外国人の給付した土地売買契約手附金　上述したように、大正一五・四・二〇の判決【8】は、外国人に土地を譲渡する契約は公の秩序に関する強行法規に違反し無効であつて、それに基づいてなした手附金の給付は不法原因給付に該当しこれを取戻し得ないと判示した。しかし、外国人に土地所有を禁ずる法律は専ら国家の政策に基づくもので、時代の倫理観念に基づくものではないから、かかる禁止規定の違反に七〇八条は適用せられない。したがつて、売買契約は強行法規に反し無効であるが、それに基づき給付した手附金の返還は請求し得ると解すべきである（我妻・判民大正一五年度三九事件参照）。谷口教授は公益的強行法規に違反する行為を原因として為した給付は公序良俗違反を原因とする給付であつて、一応これを不法原因給付だとされるが、しかしだからといつて、当然に七〇八条を適用して取戻を拒否すべきではなく、その為には拒否の制裁を課するを政策上正当とする程度の不法性が給付者に認められねばならぬとして、本判決に疑問を抱いておられる（谷口・不法原因九六頁）。

但し、最近の下級審の判決は、外国人の財産取得に関する政令に違反して土地を買う契約をした外国人が前渡代金の返還を求めた場合に、同政令は「国民経済の自立を図り我国の乏しい土地資源を外国人より守らんとする保護政策立法であつて、我国の経済的特殊性に由来する必要已むを得ない恒久的な立法と考えられる。それは罰則をもつて強行される公の秩序に関する法令であつてかのその時々における一時的必要によつて取締る取締法規とは趣を異にする。このような法規に反して土地を取得せんがためになした売買代金の給付は強度の反社会性をもつといわざるを得ない」として不法原因給付になるとしたものがある（鳥取地判昭三一・六・二下級民集七・六・一四四五）。

(9)　統制法規違反の契約に基づく給付　統制法規に違反する取引に基づく給付が不法原因給付となるか否かについては、下級審の判例が岐れている（谷口・不法原因三三三頁以下参照）。次の判例は、統制法規違反の取引は「倫理思想にそむき、社会的妥当性を欠く醜悪なものといえない」から、それに基づく前渡代金の交付は不法原因給付でないとし、また農地の耕作権交換契約は農地調整法に違反し無効であるが、その行為自体は公序良俗に反するものではないから、それに基づく農地の引渡は不法原因給付でないとする。

【46】　XはYと統制物資たる皮革類の売買契約を締結し代金を支払った。後にXは引渡不履行を理由に契約を解除し、Yに対し代金の返還を請求する。

「控訴人Yは『皮革類はそれが民間物資であつても当時統制下にあつて自由販売は禁止されており、また価格も公定されていて、本件売買は配給統制及び価格統制に違反しているばかりでなく、本件皮革はいわゆる軍需物資であつて、占領軍によりその所持譲渡を禁ぜられ、いかなる方法を以つてしても個人取引の目的物と為し得ないものであつたから、この物件の代金として本件金員をYに支払つた被控訴人Xは、まさに不法原因給付者であつて、その返還を請求し得べきでない。』というが、民法第七〇八条の不法原因というのは、倫理思想に根ざす公序良俗に違反する場合、すなわち社会的妥当性を欠く醜悪な場合を指し、単にその時における国家の政策的立場よりする強行法規に違反するだけの場合はこれを含まないものと解するのが相当であり、本件皮革の取引が当時の統制法規に違反したればとて、またよしやそれがいわゆる軍需物資であつたとしても、平時の社会においては普通の商取引であつて、倫理思想にそむき、社会的妥当性を欠く醜悪なものとはいえないから、Xの本件前渡代金の交付は、右法条にいう不法な原因のための給付に該当しないものと断ぜざるを得ない。けだし、第七〇八条は民法第九〇条と並ぶものであつて、第九〇条が法律行為を全体として観察し、社会的妥当性を欠くときにこれを無効としているのに対し、第七〇八条は給付を観察し、給付者がその給付をなすことによつて倫理思想に反し、社会的妥当性に欠くる事情の生ずるときだけ、その回復を阻止することを規定しているものであるからである。Yの右主張もまた理由がない」（福岡高判昭二五・七・一四下級民集一・七・一〇九九、谷口・不法原因三三三頁、同旨高松高判昭三一・八・三〇下級民集七・八・二三一二（石油製品の売買）、大阪地判昭二六・一〇・一〇判タ二〇・六五（いわし油の売買）谷口・不法原因三三四頁）。

【47】　統制違反の藁工品たる荷縄の売買について「元来統制法規によつてある種の行為が禁止されたのは、必ずしもその行為自体が反道徳的、反社会的であるという理由からではなく、特殊な社会的、経済的要請から従来自由取引に委せられていたある行為を特に一時的に禁止するに至つたものである場合もあるから、統制法規に違反する行為による給付が民法第七〇八条にいう不法の原因のためにせられたものかどうかを判断するに当つては、その統制違反の取引が当時の国民生活並びに国民感情にいかなる影響を与えるかを考慮の上決定しなければならないものと考えられる。ところで、本件売買の目的物は藁工品であるが、藁工品は米麦等の主食品のように当時においても国民生活必需物資ではなく、統制違反の事実によつて、直ちに国民の生活に重大な

脅威を与えるものではなくまた国民感情に大きく悪影響を及ぼすものでもないから、藁工品の統制違反は統制当時の社会情勢においても反道徳的な醜悪な行為としてひんしゆくすべき程の反社会性を有する違反行為には該当しないと考えられる。従つて、本件の取引は統制法規に違反し無効ではあるが該取引に基いて給付したものが不法原因によるものとしてその返還を請求することができないものではない。従つて被控訴人は前段の説明によつて明かなように依然として所有権を有する控訴人に対して本件荷縄を返還する義務がある。ところで右物件は被控訴人において他に処分し現在その手裡に存しないため、これを返還することができないことは被控訴人の認めるところであつて、その返還不能は、……被控訴人の責に帰すべき事由によるものと認めるのが相当であるから、被控訴人はその返還義務の履行不能によつて生じた損害の賠償義務があるものとする」（東京高判昭三一・九・二九下級民集七・九・二七二六）。

【48】　XはYから亜炭三〇トンを代金三万円で買受ける契約をなし、その後Xは右契約に基づいて代金三万円を支払つたが、Yは亜炭二〇トンを引渡しただけで残り一〇トンの引渡を履行せず、これが残代金一万円をXに返還する旨承諾したので、これに基づいてXはYに対し金一万円の支払を求める。

「民法第七〇八条にいうところの『不法原因』については、社会の倫理観念に基く公序良俗に違反することを意味するのか或はこれよりも広く国家の政策的な禁止規定に反した場合をも包含するのかについては争のあるところであるが、同条の法意が自ら不法な行為をした者は、法の保護を受けることは出来ないということにあるのであるから同条の不法原因は社会の倫理観念に反するとする前者の見解が相当であると思料する。されば国家の強行法規に違反する無効な行為であつても当然には不法原因に当らないのであるが、斯ような強行法規特に国家の政策的な規定である統制法規違反について考えると、その規定に違反することが、その当時の社会の倫理観念においても許されない程度に達する行為であるときは前条の不法原因となるものと解する、かかる状態は多くの場合強行法規の社会主法に対する規範化が無理なく極めて順調に行われ、それが社会の倫理観念にまで高められた時であると思われるから、それにはその強行法規の目的や重要性の当否、その違反の社会に及ぼす影響等諸般の事情を考慮して具体的に決定すべきものである。これを本件配給統制物資である亜炭の売買契約についてみると、原案はこの点について審理を尽しているものとはいえないが記録を点検すれば本件売買契約は当時石炭が極度に不足した為亜炭にまでその配給を統制して国民経済の安定をはかろうとしたのであるから、その統制法規に違反して行われたものである以上無効であるといわなければならない。しかしその違反行為がその当時の社会の倫理観念にそむき民法第七〇八条の不法原因に該当するものであるとまでは認められない」（高松高判昭二七・八・二五民集五・一一・四九七）。

【49】「前記土地の耕作交換契約は、即ち本件土地についていえば、耕作農地の賃借権の譲渡または転貸借に外ならないから、第二次改正後の農地調整法第四条所定の許可または承認を要し、若しこれなきときはその効力を生じないことは同条の明定するところであるが、かかる許可または承認のあったことを疎明するに足る何等の資料なく、……してみると本件農地の耕作交換契約は無効であると断ずべきところ、控訴人は右契約が強行法規に違反して無効であるとすれば、この契約に基き引渡された本件土地は不法原因に基く給付として民法第七〇八条により返還を請求できない旨主張するが、民法第七〇八条に所謂不法の原因とは公序良俗に反する場合を指すのであって、法律の禁制に違反した行為であっても、その行為自体が公序良俗を害するものと謂うを得ない場合には、同条の適用はないものと解すべきである。而して地方長官の許可または市町村農地委員会の承認を得ないで、農地につき権利の設定または移転をすることは、前示法条により禁止せられているが、元来かかる権利の設定移転自体は何等公序良俗に反するものと謂うを得ないから、右許可または承認なくしてなされた権利の設定移転を目して直ちに民法第七〇八条の不法原因に基く給付として、これが返還を求め得ないと解することはできないのみならず、若しこの場合同条の適用ありとすれば、結局前示農地調整法第四条に右許可または承認を得ずしてなした行為を以てその効力を生ぜずとして、違反行為を抑圧せんとする法の目的は全く失われる結果となるから、いずれにしても控訴人の右主張は採用できない」（東京高判昭二七・九・三〇下級民集三・九・一三一六、同旨宮山地判昭三一・一二・二七下級民集七・一二・三八八八（農地の売買））。

これに反し、次の判例は統制法規違反の取引に基づく前渡代金は不法原因給付であつて、その返還請求を許されぬものとしている。

【50】　「前記売買契約のなされた昭和二四年七月三〇日は、昭和二三年八月二一日農林省第七三号薪炭需給調整規則の施行中である。同省令によると、同令に特に定められる除外例の外、木炭は政府でなければ、木炭の生産者または他の何人からもこれを譲り受けることができないのである。ところが、前記売買は、同省令に定められる除外例にあてはまるとの主張も証拠もないから、同省令の禁止に反する契約であるとみなければならない。同省令は、昭和二一年一〇月一日臨時物資需給調整法にもとずき発せられたものであつて、農林大臣が産業の回復及び振興に関し、経済安定本部総裁が定める基本的な政策及び計画の実施を確保するために発した命令であるから(同法第一条)、この農林省令がまもられるかどうかは、ひろく国民一般の経済生活に大きなさしひびきのあることである。……その禁止するところをあえてなすことは社会道徳上強くひなんせらるべきふるまいであつて、まさに公の秩序善良の風俗に反するものといわなければならない。以上のようなわけで前記木炭売買の前渡代金として控訴人に、金十万円を交付した被控訴人は、民法第七〇八条に「不法ノ原因ノ為メ為シタル者」にあたり、「其給付シタルモノ」である金十万円の返還を請求し得ない」(東京高判昭二六・五・一四判タ一五・六一、同旨広島高松江支判昭三〇・二・二五【70】)。

思うに、統制法規は国家の経済政策に基づくもので、時代の倫理観念に基づくものではない。したがつて、原則として、統制法規違反の取引に基づく給付は七〇八条にいわゆる不法原因給付とならないと解するのが妥当である。ただ、判例もいつているように、「その規定に違反することが、その当時の社会の倫理観念においても許されない程度に達する」場合には不法原因給付となると解すべきである。これに反し、谷口教授は「統制法規は国家の経済秩序を確保するための強行法規であり、公けの秩序に関するものといふべく、その違反は、鉱業法や恩給法などの違反と同様に、不法原因と解し、違反した給付は不法原因給付として取戻を拒否すべきやを問題とするのが妥当であると考へる」といわれる(谷口・不法原因二三六頁)。しかし、私は民法九〇条に公の秩序といい、善良の風俗というも別個の概念ではなく、その時代における社会道徳を示すに他ならないと解するから、統制法規に違反する行為必ずしもここにいわゆる公序良俗に反するものでなく、したがつて、七〇八条にいわゆる不法な原因ではないと考へる。

七〇八条の適用あるがためには、判例は給付者において不法なることの認識あることを要せず、客観的にその給付が不法原因に基づくものと認定せらるるをもつて足るとしている(大判大八・九・一五【34】)。尤も、下級審の判例には、主観的に違法の認識を欠く場合にはその者に不法原因が存しないとしたものがある。

【51】「被告は抗弁として原告の本件乾パン代金の支払は食糧管理法違反であるから不法の原因による給付に該当し、原告はその給付物を何人に対しても法律上返還請求することができない旨主張するのでこの点について判断すると、本件乾パンは食糧管理法中に言う主要食糧(小麦の加工品たる食糧)に該当するので右代金の支払並に乾パンの引渡を目的とする本売買契約は同法の違反と考えられる。しかしながら被告本人訊問の結果によれば本契約締結の際被告は原告会社に対し何等その見本を呈示せず、且つ被告自体本件乾パンは一箇に付十六箇の金米糖が入つているもので菓子類に属し又相当の手順を踏んで払下げ救済資金に充てるため出すものであるから何等食糧管理法違反にならないと思つてその旨原告会社に対し説明し、これにより原告会社も又右乾パンを購入することについて何等同法違反にならぬものと誤認した事実を認めうる。故に本契約自体が客

観的に違法の行為を目的としたものであつても右認定のように少くとも原告会社は主観的にその違法である旨の認識を欠いて本契約を締結したものと認められるから、原告会社は不法の原因が存在せず、従つて被告は民法第七〇八条を根拠として本件代金の支払を拒むことはできないわけである」（東京地判昭二五・一一・二一下級民集一・一一・三七、谷口・不法原因三三六頁）。

しかし、上述したように、七〇八条の趣旨が給付者の非難せらるべき心情に対する法の制裁であるとすれば、同条の適用あるがためには、給付者がその際に公序良俗に違反することを意識した場合でなければならない（有泉・六九二頁、谷口・不法原因一八頁、なおドイツにおける判例学説については有泉・六六二頁以下・六六八頁以下、谷口・不法原因一一頁以下、仏の学説については谷口・不法原因一五頁以下に詳しい）。但し、法の禁止を知りながら敢て違法行為をしたから行為が公序良俗違反となるのでなく、例えば賭博のために金銭を給付した場合のように、行為そのものが道徳律に反する場合には、人間として道徳律を弁えていなければならないのは当然のことであるから、たとい知らなくとも、知るべかりしものとして知つていたと同様に考えてよかろう。したがつて、統制法規についてもその遵守が一般に社会道徳にまで高められている場合には、その統制法規を知らずに違反した場合にも不法原因が存在するであろう（谷口・不法原因二四〇頁）。また七〇八条が給付者の非難せらるべき心情に対する制裁であるという見方をとれば、給付者に責任能力があることを要する（有泉・六九二頁、谷口・不法原因一六頁）。したがつて、例えば精神病者が発作中に他人を殺傷せしめるために短刀を贈与した場合には、その返還を請求し得る。これに反し、行為能力あることは要しない。しかし、給付は給付者の自由な意思決定に基づくことを要し、例えば、脅迫によつて給付を強制せられた場合には返還請求を認むべきである（谷口・不法原因一六頁）。

判例のように、不法原因として返還請求を拒否するためには、その給付が客観的に不法原因に基づくものと認められるをもつて足るとする見方からすれば、現に訴において返還請求する者の善意悪意をも問う必要がなくなり、不法原因給付者の相続人は「仮令上告人自身ニハ毫モ不法ノ行為ナシトスルモ、其先代ノ為シタル不法行為ヲ原因トシテ請求ヲ為ス以上ハ」返還請求をなし得ないこととなり（大判明三二・二・一四【11】）、また不法原因給付者の債権者が前者に代位して債務者の該給付の返還請求をなし得ないこととなる（大判大五・一一・二一【16】、谷口・不法原因三三頁以下参照）。私は当事者の不法の認識を必要とする立場をとるも、これら判例の結論には賛成である。けだし、相続人は被相続人の法律的地位を承継するものであつて、権利の瑕疵をも同時に承継するものであり（谷口・不法原因一三三頁以下・一八頁参照）、また債権者代位権は債務者の権利を行使し得る権利に他ならないからである（反対谷口・不法原因一八頁）。同じことは不法原因給付者の代理人または一般承継人が返還請求をなす場合にもいい得る。但し、判例は破産管財人については、破産法上の否認権が各債権者の権利であつて、破産管財人は債権者全員のためにこれを行使するもので、破産者の権利を行使するものでないとの理由から、七〇八条の適用がないとし、学説もこれを支持している（加藤・判批法協五〇巻一〇九二頁、福井・判民昭和六年度三四事件、有泉・六九二頁、谷口・不法原因一八頁（管財人に非難性なきことを理由とする）。なお、ドイツにおいては説が岐れている。松坂・三九五頁註六一、谷口・不法原因一三頁参照）。この点において判例は、債権者一般の利益保護のために、或る給付が客観的に不法原因に基づくことによつてそれ自体取戻し得ないとする考え方に矛盾を生じている（谷口・不法原因九頁参照）。

【52】　Aは大阪株式取引所短期取引員たるYといわゆる名板貸契約を締結し、名義借用料として大正一五年五月から昭和二年三月までに合計四千六百五十円をYに交付したのであるが、昭和二年一二月六日Aは破産の宣告を受けXが破産管財人に選任せられた。そこでXは大正一五年一〇月以降の交付金を一般債権者を害する

ことを知つてなしたものなることを理由に破産法七二条一号によつて否認し、内金千円および昭和三年一〇月以後年五分の割合の損害金の支払を請求した。これに対しYは名義借用料の支払は七〇八条にいわゆる不法原因に基づく給付に該当するから破産者Aに返還請求権なく、したがつてその破産管財人たるXも、またその取戻を請求し得ないと主張した。原審は七〇八条の規定は不法原因の為め給付をなした者が自己の違法行為に基因し、これによる不当利得返還の請求権を有しないことを明かにしたにとどまり、給付が違法行為を原因とした場合にも別に法律上認められた正当の権利に基づき右給付に係る物件の返還を求める者があるときは、他に正当の事由ない限り該請求権の行使を拒み得ないと判示してXの請求を認容した。Yは上告して「否認権ハ破産債権者団体ノ権利ニシテ其ノ行使ハ破産債権者ニ専属スルモノナレ共、否認権行使ニ因リ生ズル財産ノ返還請求権ハ否認権其ノモノトハ別異ニシテ、否認権行使ニ基キ否認セラレタル行為ガ法律上原因ナキニ帰シ原状ニ回復スル結果玆ニ返還請求権ヲ生ゼシムルニ外ナラズ、……実ニ不当利得ニ依ル返還請求権ト其ノ観念ヲ同ウスルモノナリ。故ニ民法第七〇八条ニ所謂不法原因ノ給付ニシテ法律ガ其ノ返還請求ヲ許サザルモノニ付テハ、破産法上ノ否認権ノ行使ニ依リテモ亦之ガ返還ヲ請求スルコトヲ得ザルモノト云ハザル可カラズ」と主張した。棄却。

「破産宣告後ハ破産財団ノ管理及処分ハ破産管財人ニ専属スルコトハ破産法第七条ニ規定スル所ニシテ、同法第五三条ノ規定ニ依レバ破産者ガ破産宣告ノ後破産財団ニ属スル財産ニ関シテ為シタル法律行為ハ之ヲ以テ破産債権者ニ対抗スルコトヲ得ズト雖モ、破産宣告前ニ在リテハ其ノ財産ノ管理処分ヲ為ス権能ヲ失ハザルヲ以テ、債務者ハ財産ヲ他ニ移転シテ之ヲ減少シ従テ債権者ニ於テ斯ル減少ナカリセバ受クルコトヲ得ル満足ヲ受クルコト能ハザルニ至リタルトキト雖、此ノ行為ヲ目シテ債権者ノ権利ヲ侵害シタリト謂フヲ得ズ。然レドモ斯ノ如キハ衡平ノ要求ニ合セズ。蓋債務者ガ将サニ破産ニ瀕セントスル窮境ニ在リナガラ、或ハ財産ヲ隠匿シテ他日ノ生活ノ資料ニ供セントシ或ハ特ニ或債権者ノミニ弁済ヲ為シ又ハ担保ヲ供シテ他ノ一般債権者ニ不利益ヲ与フルガ如キ行為ヲ為スコト敢テ稀ナリトセズ。而モ債権者ハ之ヲ拱手傍観セザルベカラザルモノトセンカ衡平ノ原則ニ背馳スルハ害ヲ俟タザル所ナルヲ以テ、債務者ガ破産宣告前ニ為シタル行為ト雖或要件ヲ具備スルトキハ破産管財人ニ於テ之ヲ否認シ破産者ノ財産状態ヲ原状ニ復シ因テ債権者ヲ保護スルノ必要アリ。是破産法第七二条以下ニ於テ否認権ナル制度ヲ設ケタル所以ナリトス。由是観之否認権ナルモノハ各破産債権者ノ権利ニ属シ破産管財人ハ債権者全員ノ為ニ行使スルモノニシテ破産者ノ権利ヲ行使スルモノニ非ズ。従テ債務者ガ為シタル破産宣告前ノ行為ニシテ前示第七二条ノ規定ニ該当スル以上縦令破産者自身ハ受益者ト本件ノ場合ニ於ケルカ如ク特殊ナル関係ニ於テ之ヲ否認スルコトヲ得ザル場合ニ於テモ、破産管財人ハ債務者タル破産者ノ為シタル当該行為ヲ否認シ、破産者ノ財産状態ヲ行為以前ニ回復スルコトヲ得ルモノト謂ハザル可ラズ。蓋若然ラズトセンカ破産債権者ノ利益ハ保護セラレザルニ至ルベケレバナリ。然ラバ本件ニ於テ原審ガ民法第七〇八条前段ノ規定ハ不法原因ノ為給付ヲ為シタル者ハ自己ノ為シタル違法行為ニ基因シ之ニ因ル不当利得返還ノ請求権ヲ有セザルコトヲ明ニ為シタルニ止マリ、右給付ガ違法行為ヲ原因トセル場合ニ於テモ別ニ法律上認メラレタル正当ナル権利ニ基キ右給付ニ係ル物件ノ返還ヲ求ムル者アルトキハ、其ノ相手方ハ他ニ正当ノ事由ナキ限リ該請求権ノ行使ヲ拒ミ得ザルモノト解スベキモノ云々ト判示シ、而シテ本件ハXハ破産者Aノ破産管財人トシテ破産法第七二条第一項ニ依リ其ノ権利ヲ行使スルモノナルコトヲ認メXノ本訴請求権ヲ認容シタルハ結局相当ニシテ本論旨ハ其ノ理由ナシ」（大判昭六・五・一五民集一〇・三二七、加藤・民事訴訟法判例批評二四一事件、法協五〇巻六号一一三二頁以下、福井・判民昭和六年度三四事件、谷口・不法原因八頁）。

なお、判例は雇人が主人に内証でその所得税低減のために贈賄した場合には、主人は所有権に基づいて収賄者に対し返還を請求することとができるとする（谷口・不法原因一〇三頁参照）。

【53】「原判決ノ認メタル事実ニ依レバAノ雇人BハAニ諮ラズ専擅ニAノ所得税低減ノ贈賄費ニ充ツベキ趣旨ノ下ニA所有ノ金三千円ヲ被告Xニ交付シタルニ、同被告ハ其占有中内金一千円ヲ擅ニ自己ノ用途ニ費消シ残金二千円ヲ不正ニ領得スル意思ヲ以テ隠匿横領シタルモノニシテ、押収ノ大正六年検第三五二号ノ証第一

二号ノ金銭ハ即チ右二千円ニシテ被告手裡ノ贓物ナリト云フニ在ルヲ以テ、右証第一二号ノ金銭ハAノ所有ニシテ其雇人Bガ擅ニ被告Xニ給付シタルモノナレバ、タトヒ給付ノ原因ガ不法ナレバトテ給付者ニ非ザルAハ其所有権ニ基キ被告Xニ対シ之ガ返還ヲ請求スル権利ヲ有スルヤ勿論ナレバ、被告ノ手ニ存スル贓物ナル以上原審ガ刑法施行法第六一条ニ依リ被害者Aニ之ガ還付ノ言渡ヲ為シタルハ正当ニシテ所論ノ如キ違法ノ裁判ニアラズ」（大判大八・六・七評論八刑訴六八、谷口・不法原因一〇三頁）。

しかし、基本行為の締結について代理権を授与せられた者が、その履行をもまた委託せられた場合において、代理人の悪意のために基本行為が公序良俗違反として無効となり、したがつて、その履行のためになされた給付が不法原因給付となるときは、本人は返還請求をなし得ない（松坂・三九四頁註五八、谷口・不法原因一四頁参照）。

二　給付の原因

判例は、給付の原因が不法であるとは、「其給付行為自体ガ不法ナル場合」（例えば、賭博で負けた金の給付）に限らないとする。したがつて、不法な給付の対価として（例えば、不倫な同棲に対する対価としての金銭の供与）もしくは不法な行為を条件として（例えば、犯罪をなすことを条件としての金銭の供与）給付をなす場合をも含むと解せられる（我妻・七九頁以下）。最近、判例は前借金を伴う芸娼妓契約の効力について従来の見解を改めて、金銭貸借の部分と身体の拘束を目的とする部分とを常に不可分一体をなした契約であつて、前借金は酌婦稼業をさせることの対価であるとみて、契約の一部たる稼働契約の公序良俗違反による無効はひいて契約全部の無効を来すものと解し、したがつて、消費貸借は無効であり、かつ不法の原因が受益者についてのみ存したものということはできないから、民法七〇八条本文により、交付された金員の返還請求は許されないと判示した（最判昭三〇・一〇・七民集九・一六一六）。

さらに、判例は縁由の不法をも包含するものとする。私は給付者において相手方の不法な動機を単に知っていただけではなく、さらに積極的にこれを助成しようとした場合たることを要すると解する（松坂・三九六頁註六五参照）。

【54】　XはYの子Aの米国密航を勧誘周旋し、船員に対する賄賂その他手数料等の密航の費用に供することを知りながら、金員をY等に交付し、消費貸借契約を締結した。後にXがその契約上の債務履行を請求したのに対し、Yは不法原因給付だから返還を請求することを得ないと抗弁した。原審はこれを認めないのでYは上告して、民法七〇八条はその不法が法律行為の内容をなす場合に限定しないばかりでなく、或事由が法律行為の内容に存する場合を規定した民法九〇条の文辞に比してその文例を異にし、また七〇八条に何人と雖も自己の不法行為を理由として法律の保護を仰ぐことを得ずとの原則を基礎とし公序良俗を維持せんがために設けられた規定であるから、或行為が公序良俗に反する以上は、たといそれが法律行為の内容をなさなくても同条の適用ありと解すべきである。またもし密航のための出資者がその返還を請求し得るとすれば、自らは何ら損失を受けないから勢い盛にその出資を試み密航者を続出せしめることとなるから、その出資自体すでに公序良俗に反する行為といわねばならぬと主張した。破毀自判。

「民法第七〇八条ハ自己ノ不法行為ヲ理由トシテ法律ノ保護ヲ仰グコトヲ得ザラシムル趣旨ニ出デタルモノニシテ、同条ニ所謂不法原因ノ為メノ給付ハ其給付行為自体ガ不法ナル場合ニ限ラズシテ、不法事項ガ給付ノ目的若クハ縁由タル場合ヲモ包含スル法意ナルコト本院ノ判例トスル所ナリ（明治三六年（れ）第一三一四号同年一二月二二日宣告明治四四年（イ）第二〇二号同年一〇月一六日言渡参照）。然ルニ原審ガ被上告人Xハ訴外Aノ米国密航ヲ勧誘周旋シ其密航ノ資金ニ供スベキコトヲ知リナガラ本訴金員ヲ上告人Y等ニ貸与シタル者ナルコトヲ認メナガラ、『密航ヲ本件貸借成立ノ要件ト為ス当事者ノ意思ナリシコトハ認メ難キヲ以テ、米国密航ハ本件給付原因タル消費貸借締結ノ由来スル縁由ヲ為スニ過ギザルモノト認ムルノ外ナク云々』ト判示シ、給付行為自体ノ不法ナル場合ノ外民法第七〇八条ノ適用ナキモノトシ、仍テ本訴貸借ハ不法原因ノ為メニ為シタル給付ナルガ故ニXニ於テ之ヲ取戻スノ権利ナキ旨ノYノ抗弁ヲ排斥シタルハ不法ニシテ原判決ハ破毀ヲ免カレザルノミナラズ、原審ノ確定セル所ニ依レバXハ訴外Aノ米国密航ヲ勧誘周旋シ其密航ノ資金ニ供スルコトヲ知リテ本訴金員ヲY等ニ貸与シタルモノナレバ即チAノ米国密航用ニ供スル為メ該金員ヲ給付シタルニ外ナラズ。而シテ米国ヘノ密航ハ犯罪行為ナルガ故ニ其名義ノ如何ニ拘ハラズ不法原因ノ為ニセルモノナルコト洵ニ明白ナルヲ以テ、Xハ之ガ返還ヲ請求スルコトヲ得ザルハ前段説明ニ依リテ明ケシ」（大判大正五・六・一民録二二・一一二一民抄録六六・一四七〇六、谷口・不法原因一二〇頁）。

最近、判例は、Xは一旦Yの密輸出計画に賛同したけれども、後にこれを思い止まり、Yに対して出資を拒絶したのにYの要請でやむを得ず貸与するに至つたもので、密輸出に使用することを契約の内容としたわけでなく、単に密輸出の資金として使用されるものと告げられながら貸与した場合には Xが貸金をなすに至つた経路において多少の不法的分子があつたとしても、それは甚だ微弱なもので Yの不法に比べれば問題にならぬ程度のものであつて、殆ど不法はYの方にあるといつてもよい程のものであるから、民法七〇八条の適用はないと判示した。

【55】「民法第七〇八条は社会的妥当性を欠く行為を為し、その実現を望む者に助力を拒まんとする私法の理想の要請を達せんとする民法第九〇条と並び、社会的妥当性を欠く行為の結果の復旧を望む者に助力を拒まんとする私法の理想の要請を達せんとする規定であるといわれて居る。社会的妥当性を欠く行為の実現を防止せんとする場合はその適用の結果も大体右妥当性に合致するであろうけれども、既に給付された物の返還請求を拒否する場合はその適用の結果は却つて妥当性に反する場合が非常に多いから、その適用については十分の考慮を要するものである。本件は給付の原因たる行為の無効を主張して不当利得の返還請求をするものではなく、消費貸借の有効を主張してその弁済を求めるものである。それ故第一次においては民法九〇条の問題であ

るけれども、要物契約である関係上不法な動機の為めの金銭の交付は既に完了してしまつて居り、残るはその返還請求権だけであつてこの請求は何等不法目的を実現せんとするものではない。それ故実質的には前記民法九〇条に関する私法理想の要請の問題ではなく、同七〇八条に関する該要請の問題であり、その適用の結果は妥当性を欠く場合が多いのであつて、この事を考慮に入れて考えなければならない。本件において原審の認定した処によると、上告人Xは一旦被上告人Yの密輸出計画に賛同したけれども、後にこれを思い止まりYに対して出資を拒絶した処、Yから『既に密輸出の準備を進めたことでもあるから、せめて一航海の経費として金十五万円を貸与して貰いたい』と要請され、（一審判決では強制といつて居る）止むを得ず金十五万円を貸与するに至つたのであつて、密輸出に対する出資ではなく通常の貸借である。即ち利益の分配を受けるのでもなく、損失の分担もしないのであり、又貸した金につきYがこれを密輸出に使用する義務を負担したとか、密輸出に使用することを貸借の要件としたとかいうものでもない（原審認定）。即ち密輸出に使用することは契約の内容とされたわけではなく、Xは只密輸出の資金として使用されるものと告げられながら貸与したというだけのことである。さればXはYの要請により已むを得ず普通の貸金をしたに過ぎないもので、本訴請求が是認されてももともと貸した金が返つて来るだけで何等経済上利益を得るわけではない。しかるに若し七〇八条が適用されて請求が棄却されると丸々十五万円の損失をしてしまうわけである。これに対してXを欺罔して十五万円を詐取し、これを遊蕩に費消して居ながら（原審認定）民法九〇条、七〇八条の適用を受けると右十五万円の返還義務もなくなり、甚しい不法不当の利得をすることになるであろう。此の場合Xの貸金の経路において多少の不法的分子があつたとしても右法条を適用せず本訴請求を是認して弁済を得させることと、右法条を適用して前記の如くXの損失においてYに不法な利得をさせることと、何れがより甚しく社会的妥当性に反するかは問う迄もあるまい。考えなければならない処である。前記の如き事実であつて見れば、Xが本件貸金を為すに至つた経路において多少の不法的分子があつたとしても、その不法的分子は甚だ微弱なもので、これをYの不法に比すれば問題にならぬ程度のものである。殆ど不法はYの一方にあるといつてもよい程のものであつて、かかる場合は既に交付された物の返還請求に関する限り民法第九〇条も第七〇八条もその適用なきものと解するを相当とする。しかるに原審が第七〇八条の法理によりXの請求を棄却したのは法律の解釈適用を誤つた違法あり、此違法は判決主文に影響を及ぼす可能性あること勿論であるから、此点において原判決は破棄を免れない」（最判昭二九・八・三一民集八・八・一五五七）。

尤も、判例の中には給付の原因自体が公序良俗に反する場合に関するから、委任の形式をもつて恩給証書を担保にしたとて給付の原因が公序良俗に反しないとか（大判大七・二・二一【7】）、債権弁済のため担保を供することそれ自体は公序良俗に反しないとか（大判昭四・一〇・二六【9】）判示しているものがあることは上述した通りである（谷口・不法原因一九三頁参照）。

三　給　付

判例は、XとYとが通謀して、Yを債権者とする虚偽の債権証書を作成し、それに基づいてXに対する強制競売売得金の配当手続に加入し配当金を受領したので、XからYに対し返還請求した事案について、「給付ニヨリテ生ジタルモノニアラズ、裁判所ノ為シタル配当ニ因リテ生ジタルモノ」は包含せずと判示して、給付は復旧を請求せんとする者の意思に基づくものでなければならないことを認めている。

【56】「民法第七〇八条ニハ『不法ノ原因ノ為メ給付ヲ為シタルモノハ云々』ト在リ損失者ガ給付ヲ為シタル場合ニ非ズンバ同条ノ適用ナキコトハ明文上一点ノ疑ヲ容レズ。蓋シ損失者ガ自ラ不法ノ原因ノ為メ給付ヲ為シテ受益者ニ利益ヲ得セシメナガラ、其給付ガ不法ノ原因ニ出ヅルコトヲ主張シテ給付シタルモノノ返還ヲ請求スルヲ許スガ如キハ、自己ノ為シタル行為ノ不法ノ原因ノ為メナルコトヲ公然主張シ以テ法律上ノ保護ヲ

受ケントスルモノニシテ善良ノ風俗ニ害アリ。是レ前示法条ノ規定アル所以ニシテ此趣旨タルヤ不法ノ原因ガ受益者ニノミ存スル場合ニハ返還ノ請求ヲ許スニ依ルモ之ヲ知ルニ難カラズ。左レバ不当利得ガ損失者ノ給付以外ノ方法ニ因リテ生ジタル場合ニハ民法第七〇八条ノ適用アルノ理ナシ。本件ニ於テ上告人ノ為シタル不当利得ハ被上告人ノ給付ニ因リテ生ジタルモノニアラズ裁判所ノ為シタル配当ニ因リテ生ジタルモノナリ。被上告人ガ上告人ト通謀シテ貸借ニ関スル虚偽ノ意思表示ヲ為シタルハ、裁判所ノ為シタル配当ノ因テ生ジタルニ止マリ、不当利得ハ虚偽ノ意思表示其ノモノニ因リテ生ジタルニ非ズ、斯ル意思表示アリトスルモ裁判所ニ於テ優先権者ニ弁済シテ残余ナキ等ノ理由ニ依リ上告人ニ配当ヲ為スコトナクンバ上告人ハ何等ノ利得ヲ為スコトナキニ徴スレバ、不当利得其モノハ裁判所ノ配当ニ因リテ生ジタルモノナルハ之ヲ看取スルニ難カラズ。然レバ本件ノ場合ニ民法第七〇八条ノ適用ナシトシタル原判旨ハ結局正当ニシテ本論旨ハ理由ナシ」（大判大四・六・一二民録二一・九二四民抄録五七・一二八八八）。

学者も給付者の主観的要件を必要とした立場から判旨に賛成している（我妻・八〇頁、鳩山・八二八頁、末弘・九八六頁、有泉・六九八頁）。但し、谷口教授は、この点に疑を抱かれて「併し給付が労務より成る場合はさて措き、物より成る場合は、損失者の行為が原因となつて、相手方に受益の結果が生じたならば給付があつたと見てよいのであり、損失者自身が自らその目的物を手交する必要はないのではなからうか」とせられ、したがつて裁判所の配当行為に因る場合にも、やはり給付はあつたと見るべきではないかといわれる（谷口・不法原因一〇頁・一九六頁以下）。

不法な契約に基づく無効な債権のために設定せられた抵当権の登記が七〇八条の給付となるかについて、かつて判例は不動産の売買および抵当権の設定が債権者詐害のための虚偽表示に出でたものであることを理由に、所有名義の書換および抵当権登記の抹消を請求した事案について、「当事者間不動産ノ売買及ビ抵当権ノ設定ガ虚偽ノ意思表示ニ出デタルモノト雖モ、登記簿上売主ヨリ買主ニ其所有名義ヲ移シ又ハ所有者ヨリ抵当権ノ登記ヲ為シタルハ民法第七〇八条ニ所謂給付ニシテ、此ノ如キ場合ニ於テハ現実不動産ノ引渡ノ伴フコトナシトモ給付タルコトヲ妨ゲザルモノトス」としたが（大判明三九・一二・二四【14】）、後にその見解を改め、取引所外差金取引の証拠金代用として設定された抵当権抹消請求の事案について「七〇八条ノ適用アルニハ一方ノ損失ニ因リ他方ニ利得ヲ生ジタル事実アルコトヲ前提トスルモノトス」るから、無効な債権のために抵当権を設定しても、「其ノ設定ニ因リ当初ヨリ何等利得スル所ナキモノナルガ故ニ」登記抹消について七〇八条を適用することを得ないと判示するに至った（大判昭八・三・二九【45】）。

【57】 原審は債権譲渡について債務者が承諾した限り、善意の譲受人に対しては不法の目的による債権不発生の抗弁を対抗し得ず、したがつて、抵当権の無効を主張し得ないと判示した。これに対し、債権譲渡の承諾の効力は対世権たる抵当権に及ばぬと上告された。一部破毀自判。

「債権契約が無効ニシテ債権ハ初ヨリ存在セザルトキハ之ヲ担保スベキ抵当権ノ設定契約モ亦無効ニシテ抵当権ハ初ヨリ存在セズ。此ノ抵当権ガ債権ト共ニ存在セルモノトシテ譲渡セラルルモ譲受人ハ本来存在セザル抵当権ヲ取得スルニ由ナキハ論ヲ俟タズ。唯債権ニ付テハ債務者ガ異議ヲ留メズシテ譲渡ヲ承諾シタルトキニ限リ民法第四六八条第一項ニ依リ債務者ハ債権不存在ヲ譲受人ニ対抗シ得ザルガ故ニ、譲受人ハ債務者ニ対シテハ債権ヲ有スルニ至ルベシト雖之ガ為メニ抵当権ヲモ取得スルニ至ルモノニ非ズ。抵当物ノ所有者タル債務者又ハ第三者ハ譲受人ニ対シ抵当権ノ不存在ヲ対抗シ得ルモノトス。蓋若シ同条項ノ規定ニ依リ債権ノ譲受人ガ本来存在セザル抵当権ヲモ取得スルモノト解センカ、抵当物ガ第三者ノ所有物ニ属スル場合又ハ抵当物ニ対スル後順位ノ担保権者アル場合ニ、此等ノ者ハ単ニ異議ヲ留メザリシ債務者ノ行為ニ因リ不測ノ損害ヲ受クルニ至ルベク斯カル解釈ハ到底之ヲ是認シ得ザレバナリ。本件ニ於テ原判決ノ確定スル所ニ依レバ係争ノ各抵当権ハ上告人Xガ被上告人Y_1トノ間ニ取引所ニ依ラズシテ取引所ノ相場ニ依リ差金ノ授受ヲ目的トスル取引ヲ為シ其証拠金代用トシテ設定セラレタルモノナルガ故ニ、此ノ抵当権ニ依リ担保セラルベキ債権発生ノ原因タル契約ハ取引所法第三二条ノ五ニ違反スル無効ノ取引ニシテ、其ノ債権ハ初ヨリ発生スルニ由ナク抵当権モ亦従ヒテ当然ニ存在セザルモノトス。然ラバ則チY_1ガ此ノ債権及抵当権ヲ存在セルモノトシテAニ譲渡シXガ異議ヲ留メズシテ之ヲ承諾シタルコト原判決認定ノ如シトスルモ、Xハ譲受人A及同人死亡ニヨリ遺産相続ヲ為シタル被上告人Y_2ニ対シ係争抵当権ノ不存在ヲ対抗シ得ベキコト前記説明ニ依リ明ナリトス……Y_1ハ係争抵当権設定登記ハ民法第七〇八条ニ所謂不法ノ原因ノ為メ為サレタル給付ナレバ同条ニ依リテXハ之ガ抹消登記手続ヲ請求シ得ザル旨抗弁スレドモ、同Y_1ハ何等債権及抵当権ヲ取得セズ従ツテ抵当権設定登記ハ一片ノ空文ニ止マリ寸毫ノ利益ヲY_1ニ与ヘザリシモノナレバ、民法七〇八条ノ適用ナキコト本件ニ付当院ノ既ニ判示セル如クナルヲ以テ右ノ抗弁ハ理由ナシ」（大判昭一一・三・一三民集一五・四二三、我妻・判民昭和一一年度二四事件、舟橋・民商四巻三号五九一頁、石田・論叢三五巻五号一二〇八頁、谷口・不法原因四七頁）。

判例の結論には賛成であるが、その理論には反対である。一般に占有や登記も不当利得となること疑なく、したがつて、七〇八条の給付に該当すると解すべきであるが、不法な契約に基づく無効な債権のために抵当権を設定した場合には、債務者は債権者の担保権の実行に対し、九〇条により契約の無効、したがつて、被担保債権の不存在を主張してこれを阻止することができるから、かかる給付についても七〇八条を適用するときは、権利の仮象と実体との間に永遠の齟齬を生ずるに至る（我妻・八一頁）。また、もし債務者は自己の不徳な行為を理由として自己の利益を図るものであるから、行為の無効を主張することを許されないとして抹消を拒否するときは、債務者は担保権の実行を受けることとなり、したがつて、不法な契約に基づく被担保債権の強制満足を認めると同様な結果に到達し、九〇条の趣旨にも反する（谷口・不法原因五四頁・一九八頁、有泉・判民昭和八年度四〇事件）。このように、給付を受領者にそのまま永く保留せしめるときは、取引の安全または社会的物資の利用を害する虞れのある場合や、給付の内容がその返還請求を認めないときは不法の契約による債務の履行を強制する結果となり、却つて九〇条、したがつて、また七〇八条の根本精神にもとる場合には、七〇八条の給付に該当しないと解すべきである。我妻教授は「給付が従属的なものであつて、これをしてその給付本来の目的を達せしむる為めになお受領者側の法律的主張に俟たねばならぬようなものは、なお未だ第七〇八条の所謂給付にあらず」との標準を示されている（我妻・八一頁）。また右の意味で、わが民法には給付が債務の負担である場合について、ドイツ民法八一七条但書のような規定はないが、同様にその取戻を認むべきである（有泉・六九六頁以下、谷口・不法原因一九九頁以下）。有泉教授は、不法な賃貸借契約に基づいて家屋の引渡があつた場合には、給付として貸主は期間中使用収益を為さしめる債務を借主に対し負担するに至つたものである。したがつて、その債務の返還請求は可能であつて、ただすでに経過した部分だけは債務の履行に該当するから、独民法におけると同様に利得の返還請求は不能たるに過ぎない。その結果、貸主は借主からかかる債務関係に基づく抗弁の対抗を受けることなく、所有権に基づく返還請求権を行使することができると解せらる。真に巧妙な論法であり、結果もまた妥当であるが、賃貸借契約が不法なために無効な場合に、目的物の引渡がなされたことによつて、果して貸主は債務を負担するに至ると解すべきであろうか。ともかく、賃貸借における給付は目的物の占有移転ではなく、一定の期間中これを使用収益せしめることであるから、期間経過の以前においては全部の給付がなされたと解すべきではなく、ただすでに経過せる期間についてのみ給付がなされたと解すれば足るのではなかろうか（我妻・八二頁註一五参照）。これに反し、谷口教授は「法律上どれだけの利益が与へられるかとは無関係に、占有し使用収益し得る事実状態が給付行為と解すべく、従つて貸主の物の回復請求にも一般的には第七〇八条を適用すべきではなからうか。例えば人を殺すためにピストルを贈与或は売却した場合は取戻し得ないが、賃貸した場合は取戻し得とするのは、どうも賛成し得ない」といわれる（谷口・不法原因一九八頁以下）。

なお、判例は賭博上の債務を適法の取引に因る有効のものなることを認めて和解契約をなした場合において、後に至り和解の前提たる債権が不法の契約により初から存在せざるものなることが明かとなつても、これがために直ちに和解契約を無効とすべきでなく、和解において有効に存すと認められた債権は尚存在すると判示した。しかし、判例のように、たとい和解契約自体を有効としても、不法な契約による債務の履行の代りに和解契約による債務を負担したのであるから、かかる債務の履行の請求を認めるときは、不法な契約による債務の履行を強制する結果となり、九〇条の趣旨にもとると考えられる（有泉・判民昭和一三年度一二〇事件、谷口・不法原因一九九頁以下）。

【58】「凡ソ和解契約ニ於テ争ノ目的タル権利ノ存在スルコトヲ定メタル場合ニハ当事者ガ従来ノ権利ノ存否如何ヲ問ハズ別ニ新ナル権利ヲ発生セシムル意思ヲ以テ之ヲ約シタル場合ハ勿論、然ラズシテ従来ノ権利ヲ確認シ之ヲ存続セシムル意思ヲ以テ之ヲ約シタル場合ニ於テモ、和解ノ定メタル権利存在ノ効果ハ確定シ、後

日其ノ権利ガ初ヨリ存在セザリシ確証出デタルトキト雖モ之ガ為メニ右和解ヲ無効トスベキニ非ズ。故ニ本件和解契約ニ於テ被上告人善太郎ガ争ノ目的ト為リタル金四百五十円及金五百五十円ノ二口ノ貸金ガ適法ノ取引ニ因ル有効ノモノナルコトヲ認メテ其ノ元利金ヲ減額シタル金八百円ノ支払ヲ約シタル以上、仮令本訴ニ於テ右二口ノ貸金ガ元来賭博ノ為メ給付スベキ金銭ヲ目的トスル準消費貸借債権ナルコトヲ証拠上認メ得ベク、従テ不法ノ契約ニ因ルモノニシテ其ノ債権ガ初ヨリ存在セザリシコト明ト為リタリトスルモ、之ニ因リテ直ニ右和解契約ヲ無効ト為スベキニ非ズ。和解ニ於テ有効ニ存スト認メラレタル貸借債権ハ和解契約ノ効果トシテ尚存在スルモノトス」（大判昭一三・一〇・六民集一七・一九六九）。

なお、不法な原因によつて所有権を移転する場合には、動産については占有、不動産については登記を標準として、七〇八条の給付があつたかどうかを決するのが妥当である（有泉・六九八頁、我妻・八一頁註一五）。けだし、これらの対抗要件を備えざるときは、受領者は所有権取得の目的を達するためには、さらに占有の移転ないし登記を訴求するなど法の助力に俟たねばならないからである（詳しくは松坂・三七一頁、事務管理・不当利得九一頁参照）。

三　七〇八条本文適用の効果

不法なために無効な契約に基づいて所有権を移転した場合には、給付者は所有権の返還を請求することを得ないが、その場合に所有権は何人に帰属するか。判例はかつて、賭博による債務のために金銭を授受した場合に、給付者は受領者からその返還を請求し得ない結果として、金銭の所有権は受領者に帰属するに至るとした。学者も「蓋し、然らざれば実際上、所有権の帰属の不明確といふ嫌ふべき法律関係の紛料を生ずるのみならず、理論的に考へても、第九〇条の適用のみを考へるときは所有権は移転せずといふことになるが、第七〇八条をこれと竝列させて復旧の訴求を許さざる法律的変動を生ずると考へるときは、所有権は法律的に移転すると見るを寧ろ合理的とする」と説く(我妻・八二頁以下、有泉・六八八頁以下・七〇〇頁)。

【59】　賭博に負けたAが勝者Bに五十銭銀貨を交付した後、勝者の襯衣の隠に手を差入れ同人所有の右五十銭銀貨を奪取したので強盗罪に問擬せられた。被告は上告して、強盗罪の目的たる財物の所有権は被害者にあることを要するが、本件強盗罪の目的たる五十銭銀貨の所有権は依然として被告に存し、偶々その占有が勝者の手裡に移つたに過ぎないから、暴力をもつて取還しても強盗罪にならぬと上告した。棄却。

「賭博ハ我現行法ニ禁ズル不法ノ行為ナルヲ以テ、賭博ニ関スル契約ハ何等民法上ノ効果ヲ生ズルコトナカルベキハ弁ヲ俟タザルヲ以テ、此契約ノ履行トシテ金銭物品ヲ相手方ニ交付スルハ要スルニ法律上ノ原因ナクシテ給付ヲ為シタルモノナレバ、純理ヨリ云フトキハ相手方ニ対シ其返還ヲ請求スルコトヲ得ズンバアラズ。唯金銭物品ノ給付ヲ為ス当事者間ノ契約ガ縦シ無効ナリトスルモ当事者ガ任意ニ其金銭物品ノ授受ヲ為シタルトキハ、其金銭物品ノ所有権ハ一旦相手方ニ移転スベキカ。換言スレバ原因タル債権契約ノ無効ハ目的物ノ交付ニ依リテ其効力ヲ生ズル物権的契約ノ効力ニ影響ヲ及ボサヽルヤ否ヤハ我民法ノ解釈上較ヤ疑ハシキ問題ニ属スルモ、所有権ノ移転ハ常ニ必ズ適法ノ原因ニ基ヅクコトヲ要スルヲ以テ無効ナル契約ニ基ク金品ノ授受ハ仮令当事者間ニ於テ其所有権ヲ移転スルノ意思アルモ、法律上所有権移転ノ効果ヲ生ゼザルモノト解釈スルヲ相当トス。左スレバ理論上ヨリ云フトキハ賭博ニ於テ敗者ガ勝者ニ交付スル金銭物品ハ法律上勝者ノ有ニ帰セズシテ依然トシテ敗者ノ有タルベキニ依リ、敗者ガ勝者ノ手ヨリ之ヲ強取スルモ強盗罪ヲ構成セザルニ似タリ。然レドモ不法ノ原因ノ為メニ給付ヲ為シタル者ハ其返還ヲ請求スルコトヲ得ザルハ民法第七〇八条ニ規定スル所ニシテ、賭博ノ債務ノ為メニ金品ノ授受ヲ為スハ即チ民法第七〇八条ニ所謂不法ノ原因ノ為メニ給付ヲ為シタルモノニ該当スルヲ以テ、金品ノ引渡ヲ為シタル敗者ハ之ヲ受領シタル勝者ニ対シテ其返還ヲ請求スルコトヲ得ザルヤ明カナリ。斯クノ如ク敗者ガ勝者ヨリ金品ノ返還ヲ請求スルコトヲ得ザルコトハ必然ノ結果トシテ一面其金品ニ対スル敗者ノ所有権ノ喪失トナリ、他ノ一面ニ於テ其金品ニ対スル勝者ノ所有権取得トナルモノニシテ、民法第七〇八条ノ規定ハ実ニ所有権ノ得喪ニ関スル普通ノ原則ニ一大例外ヲ為スニ至リ、普通ノ条理ヲ以テ律スベカラザル破格ノ場合ヲ生ズルモノナリ。果シテ然ラバ本件ノ五十銭銀貨ハ賭博ノ負ケ金トシテ授受セラレシモノナレバ、被告ハ所有権ヲ失ヒ之ヲ受取リタルYノ有ニ帰シタル筋合ニシテ、之ヲ強取シタル被告ノ所為ハ強盗罪ヲ構成スルコト明カナリ。故ニ上告論旨ハ其理由ナシ」(大判明三九・七・五刑録七・八四四刑抄録二〇・二四二一、谷口・不法原因一六六頁)。

しかし、その後の多くの判例は、不法原因給付において給付者は給付したものの返還を請求し得ないが、それがため所有権が受益者に移転するものではないとする。

【60】 被告はA外数名から巡査に贈るべき賄賂として委託された金三十円の内二十円を擅に自己の用途に費消したので、横領罪に問擬せられた。被告は上告して、A等に対し委託せられた金銭を贈賄する義務を負わず、またA等はその交付した金銭の返還を求めることを得ず、要するにA等は金銭につき法律上の利益を享有しないから、横領罪は成立しないと主張した。棄却。

「本件ノ場合ニ於テハ不正ノ原因ノ為メ給付ヲ為シタルモノナレバ所掲民法第七〇八条ノ制限アル為メA等ニ於テ之レガ取戻ヲ為スコト能ハザルハ勿論ナルモ、右ハA等ニ於テ該金ノ取戻ヲ為ス事ヲ得ザルニ止マリ為メニ右金円ノ上ニ所有権ヲ喪失スベキモノニ非ズ。従テ右給付方ノ依託ヲ受ケタル者ニ於テハ単ニ之レガ給付ヲ受ケタル一事ニ因リ当然其モノノ上ニ処分権ヲ獲得スベキ謂アルナシ。左レバ原審判決ノ認メタル如ク被告ニ於テ原審ノ相被告A外数名ヨリ巡査Bニ贈賄スル目的ヲ以テ交付セラレタル金三十円中二十円ヲ擅ニ自己ノ用途ニ費消シタル以上右所為ガ横領罪ヲ構成スベキコト勿論ナレバ、判示ノ事実ニ対シ原審ガ被告ヲ有罪ニ処分シタリシハ相当ナリ」(大判明四三・七・五刑録一六・一三六一刑抄録四二・四三〇九、谷口・不法原因一〇〇頁、石坂「民法第九十条ト第七百八条トノ関係」民法研究二巻三二頁以下(この判例および次の判例【61】に対する批評))。

【61】 【60】と同様の事件。「費消行為ガ不法トナルニハ委託者ニ於テ受託者ニ対シ委託物ノ返還ヲ請求シ得

ベキ関係ノ存在ヲ必要トスル……民法第七〇八条ガ斯ノ如キ場合ニ委託者ニ返還請求権アリトセバ間接ニ不法行為ヲ奨励スル虞アリトシテ返還請求権ナシト規定シタルナリ。若シ刑法ガ不法ノ原因ノ為メノ委託金費消者ヲ罰ストセバ間接ニ犯罪ヲ奨励スルノ虞アリ同一国家ノ法律ノ立法趣旨ガ互ニ衝突スルノ理アランヤ」と上告された。棄却。

「刑法第二五二条第一項ノ罪ハ被告ノ占有セル他人ノ所有物ヲ不法ニ領得スルニ因リテ成立スルモノナレバ、其不法ニ領得シタル物ガ他人ノ所有物タルコトヲ要スルヤ論ナシト雖モ其物ガ被告ノ占有ニ帰シタル原因ガ適法ナリヤ将タ不法ナリヤハ問フ所ニアラズ。故ニ被告ガ不法ノ原因ノ為メニ物ノ給付ヲ受ケタル場合ニ於テ其物ノ給付者ガ民法ニ依リテ物ノ返還ヲ請求シ能ハザルトキト雖モ、之ガ為メニ給付者ガ其物ノ所有権ヲ喪失シ被告ガ之ヲ取得スベキモノニ非ザルヲ以テ、被告ガ占有セル物ハ依然他人ノ所有物トシテ存続シ被告ハ之ヲ自己ニ領得スル権利ヲ有セズ。従テ被告ガ其物ヲ不法ニ領得スルニ於テハ当然刑法第二五二条第一項ノ犯罪ヲ構成スベシ。而シテ民法第七〇八条ハ不法ノ原因ノ為メニ物ノ給付ヲ為シタル者ヲシテ其物ノ返還ヲ請求シ能ハザラシムルニ止マリ、給付ヲ受ケタル者ガ其物ニ付為シタル叙上ノ犯罪行為ヲ適法ナラシムルモノニ非ズ」(大判明四三・九・二二刑録一六・一五三一刑抄録四二・四三七五、谷口・不法原因一〇一頁)。

【62】「民法上不法ノ原因ニ由リテ給付シタルモノニ付テハ給付者ニ於テ之ガ返還ヲ請求スルコトヲ得ズト雖モ、之ガ為メニ給付者ガ其物ニ付所有権ヲ喪失スルコトナケレバ、給付ノ受領者ガ不法ニ之ヲ領得スルニ於テハ自己ノ占有セル他人ノモノヲ横領スル行為ニ該当スルモノトス。故ニ原判決ニ於テ被告ガ公務員ニ贈賄スル目的ヲ以テ他人ヨリ給付セラレタル金円ヲ不法ニ領得シタル行為ヲ認メ之ヲ横領罪ニ問擬シタルハ相当ニシテ本論旨ハ理由ナシ」(大判大二・一二・九刑録一九・一三九三刑抄録五五・六六五三、谷口・不法原因一〇二頁)。

四　七〇八条の適用範囲

判例は、七〇八条は不当利得に関する規定であつて、不当利得の訴は債権を基本となすものであるけれども、所有権に基づく返還請求は物権を基本とするもので、両者は全然その根拠を異にするものであるから、七〇八条は所有権に基づく返還請求権に適用せらるべきでないとする（大判明四二・二・二七【15】、同大五・二・三【23】、同大七・二・二一【7】、同大七・八・六【18】、また次の刑事部判決も理由を述べていないが、所有権に基づく返還請求権に適用なしとする。大判大八・六・七【53】）。

そして通説もこの他に「給付者ハ自己ノ所有権ノミヲ主張スルヲ以テ足リ違法行為ヲ為シタルコトヲ以テ其主張ノ原因ト為スモノニアラズ」との理由を挙げて判例の見解に賛する（石坂・民法研究三巻五〇〇頁以下、鳩山・八三二頁）。しかし、近時、少数の学説は、所有権に基づく返還請求権にも適用を認める（岡村・六五〇頁以下、我妻・七四頁・八三頁以下、「法律行為の無効取消」三二頁、有泉・六八六頁以下、谷口・不法原因一六四頁以下、その詳細については松坂・三七二頁以下・事務管理・不当利得九四頁以下参照）。思うに、七〇八条は自ら反社会的な行為をしておきながら、一旦自分に都合が悪くなると、その行為の結果の復旧を図ろうとする者に対して、法は九〇条において反社会的な行為を無効にしたと同一の理想に基づいて、これを阻止しようとする規定であるから、不当利得を理由としては返還を認めないが所有権その他の理由によればこれを許すのでは到底その目的を貫徹することを得ない。それればかりでなく、所有権に基づく返還請求においても、所有権が自己に属することを主張するためには、行為の無効、すなわち自ら公序良俗違反行為をなしたことを陳述しなければならない。殊に判例のように、物権行為について有因説をとりながら、所有権に基づく返還請求に本条の適用がないとすれば、本条は価格返還の場合以外には殆どその適用なく、その意義の大半を失うに至るといつてよい。したがつて、復旧の形式はいかにもせよ、苟も社会的妥当性を欠く行為をなした者に均しく適用せらるべきものとする見解に賛成する。

二　七〇八条と不法行為の損害賠償請求権

七〇八条が不法行為に基づく損害賠償の請求にも適用があるかについて、判例は最初、七〇八条の規定は「不当利得ノ場合ニノミ適用スベキ法則ニシテ不法行為ニ因ル損害賠償ノ場合ニ適用スベキ法則ニアラズ」としてこれを否定したが（大判明三四・四・五【63】）、その後間もなく見解を改め、聯合部の判決をもつて「本条ノ規定ハ単ニ不当利得ノ返還請求権ニ付制限ヲ為シタルノミナラズ、不法ノ原因ノ為メ給付ヲ為シタル者ガ其給付ニ因リテ受ケタル損害ニ付相手方ノ不法行為ヲ原因トシテ其賠償ヲ請求スル場合ニ付テモ亦同一ノ制限ヲ為スモノト解釈セザルベカラズ。何トナレバ不当利得ノ場合ニ於テモ又不法行為ノ場合ニ於テモ被害者ニシテ不正ノ原因ヲ以テ給付ヲ為シタルトキハ、法律ハ常ニ之ヲ保護セザルノ趣旨ナルベケレバナリ」と判示した（大判明三六・一二・二二【64】）。けだし、七〇八条は、社会的妥当性を欠く行為をした者には、復旧の請求を許さない趣旨だとすれば、不法行為に基づく損害賠償の請求という形式でその請求がなされる場合にも、また当然適用あるべきである（我妻・八五頁、有泉・六八五頁）。但し、谷口教授はただ一応七〇八条の適用を問題とし、具体的事案における当事者双方の不法動機の比較考量、拒絶による不法抑圧の効果その他を充分に吟味の上適用の有無を決すべきであるとされる（谷口・不法原因一七三頁以下）。なお、所有権に基づく返還請求権に七〇八条の適用を否定する学者も、被害者が自己の不法な行為を主張する必要ある場合には、本条を類推して賠償請求をなし得ないと解している（鳩山・八三二頁以下、末弘・九八七頁、なお、外国の学説については谷口・不法原因一七二頁以下、有泉・六七六頁参照）。

【63】偽造紙幣を買得して奇利を得ようと欲し、その対価として金九百円および金側懐中時計を交付し騙取せられた者が、不法行為を理由として損害賠償の請求をする。「原判決ニ依レバ本件私訴被上告人ガ上告人ノ詐欺取財ノ行為ニ依リ其権利ヲ侵害セラレタルヲ以テ之レガ損害ノ賠償ヲ求メタルモノニシテ不当利得ヲ訴ノ原因ト為シ上告人ガ受ケタル利益ノ返還ヲ求メタルニアラズ。而シテ『不法ノ原因ノ為メ給付ヲ為シタル者ハ其給付シタルモノノ返還ヲ請求スルコトヲ得ス』トノコトハ不当利得ノ場合ニノミ適用スベキ法則ニシテ、不法行為ニ因ル損害賠償ノ場合ニ適用スベキ法則ニアラズ。而シテ原院ノ認メタル事実ハ不法行為ナレバ、縦令ヒ私訴被上告人ニ於テ偽造紙幣ヲ得テ奇利ヲ征セント欲シ金員ヲ騙取セラレタルモノナリトスルモ、之レガ為メ其損害ノ賠償ヲ請求スルコト能ハザル筋合ナキヲ以テ、原院ガ私訴被上告人ノ請求ヲ理由アリトシ上告人ニ金九百円ノ弁償ヲ命ジタルハ不法ニアラス」（大判明三四・四・五刑録七・四・一七、谷口・不法原因一七〇頁）。

【64】紙幣偽造資金として金五百円を詐取した者に対し、被害者から不法行為を理由として損害賠償請求の私訴を提起する。「私訴被告人ハ原院公訴判決ニ於テ判示スルガ如ク民事原告人ヲ欺罔シテ金五百円ヲ騙取シタルモノニシテ、而シテ民事原告人ハ私訴被告人ノ犯罪ニ因リ損害ヲ蒙リタル者ナレバ私訴被告人ニ対シテ損害賠償ヲ求ムルノ権利ヲ有スルガ如シト雖モ、刑事訴訟法第二条ニ私訴ハ云々民法ニ従ヒ被害者ニ属ストアルヲ以テ、此権利ヲ主張セントスルニ付テハ必ズ民法ノ規定ニ従フベキハ論ナキ所ナリ。而シテ民法第七〇八条ニハ不法ノ原因ノ為メ給付ヲ為シタル者ハ其給付シタルモノノ返還ヲ請求スルコトヲ得ズト規定シテ不当利得ノ返還ヲ請求スル権利ヲ制限セリ。原院ノ私訴判決ニ援用スル公訴判決ヲ見ルニ云々、明治三三年一〇月頃乙松弥市ニ対シ東京ニハ紙幣ヲ写シ取ル薬品アリ、金高千円程出金スルニ於テハ右薬品ヲ買受ケ紙幣ヲ写シ取リ銀行ニ於テ通用紙幣ニ引替ヘ出金額ヲ二倍シテ返ス可シト欺キ云々、姓名不詳ノ技師ト称スル者ガ薬品ヲ以テ真実紙幣ヲ写シ取リタル如キ体ヲ示シ、乙松弥市ヲシテ全ク紙幣ヲ写シ取ルコトヲ得可キモノト信ゼシメ、毫モ写出スル効力ナキ薬品及ビ原紙トヲ金五百円ニテ買取ルコトヲ承諾セシメ云々、右金員ヲ騙取シタリト認定セリ。此認定事実ニ依レバ民事原告人ガ私訴被告人ニ対シテ金五百円ヲ渡シタルハ紙幣ヲ偽造スルノ資ニ供セントノ目

的ニ出デタルモノナルコト明白ニシテ、民法第七〇八条ニ所謂不法ノ原因ノ為メ給付ヲ為シタル者ニ係ル。従来当院ニ於テハ民法第七〇八条ノ規定ハ単ニ不当利得ノ場合ニノミ適用スベキ法則ニシテ不法行為ニ因ル損害賠償ノ場合ニ適用スベキ法則ニアラズトノ見解ヲ採ルト雖モ、本条ノ規定ハ単ニ不当利得ノ返還請求権ニ付制限ヲ為シタルノミナラズ、不法ノ原因ノ為メ給付ヲ為シタル者ガ其給付ニ因リテ受ケタル損害ニ付相手方ノ不法行為ヲ原因トシテ其賠償ヲ請求スル場合ニ付テモ亦同一ノ制限ヲ為スモノト解釈セザル可ラズ。何トナレバ不当利得ノ場合ニ於テモ又不法行為ノ場合ニ於テモ被害者ニシテ不正ノ原因ヲ以テ給付ヲ為シタルトキハ法律ハ常ニ之ヲ保護セザルノ趣旨ナルベケレバナリ。左レバ本案ニ付民事原告人ノ損害賠償ノ請求ハ私訴被告人ノ不法行為ニ原因スト云フト雖モ、民事原告人ニ於テ不正ノ原因ノ為メ給付ヲ為シタル以上ハ法律ニ於テ之ヲ保護スルノ限リニ非ザルヲ以テ、民事原告人ノ請求ハ固ヨリ相立ツベキモノニ非ズ。然ルニ原院ノ判決此ニ出デズシテ民事被告人ノ控訴ヲ棄却シタルハ民法第七〇八条ノ規定ヲ誤解シ擬律ノ錯誤ヲ為シタルモノニシテ、破毀ノ原因アル不法ノ判決タルコトヲ免レズ」（大刑聯判明三六・一二・二二刑録九・一八四三刑抄録五・七七一、谷口・不法原因一二三頁、同旨大判明三九・六・一刑録一二・六五五、同昭一九・九・三〇【37】）。

三　七〇八条と七〇五条との関係

不法原因の給付については専ら七〇八条の適用があるか。下級審の判決でこれを肯定したものがある（大阪地判大九・一二・一七【65】）。私も、不法原因の給付については、ただ七〇八条の要件が存する場合に限り、その返還請求権が拒否せらるべく、七〇五条の要件が存するも拒否せらるべきでないと考える。したがつて、七〇八条の適用上その返還請求が許さるべきとき（例えば、受益者にのみ不法原因がある場合）は、たとい契約が不法なために債務の無効なことを知りつつ給付がなされた場合においても、また同じくその返還が認めらるべきである（谷口・不法原因一七四頁以下、反対梅・民法要義三巻八八二頁）。なお、ドイツの通説も非債弁済に関する八一四条の規定は、不法原因給付による返還請求権に適用がないとする（Vgl. Enneccerus-Lehmann, Recht der Schuldverhältnisse, 13. Bearbeitung, S. 854）。

【65】　Xの前主Aは訴外Bに金銭の融通を得させるために、無記名式為替手形を振出し即日引受をしてBに交付したところ、BはYらと賭博をなしその賭金の支払に代えて該手形をYに譲渡し、YはこれをCに譲渡し更にCの戻裏書によつてこれを譲受けた上Aから手形金額の支払を受けた。XはBY間の賭金給付の契約は九〇条により無効なのは勿論その代物弁済としてなされた右手形所有権移転の行為もまた当然無効で、Yは右手形の所有権を取得しない。したがつて、AはYに対し何ら債務なきに拘らずこれを知らないでYに対する債務弁済として支払つたのであるから、右金員を不当利得として返還を請求する。これに対しYはBはYに対し債務のないことを知りながらその弁済に代えて手形の裏書譲渡をしたのだから、七〇五条の適用がある。またBの手形裏書行為は不法原因のための給付であるから七〇八条の適用を受ける。したがつて、何れにしてもYに手形返還の義務なく手形の所有権を取得し正当な所持人となつたものであると抗弁した。

「被告Y八又Bノ為シタル右手形引渡ノ行為ハ民法第七〇五条ノ適用ヲ受クベキモノナリト抗争スレドモ、其性質上非債弁済ニ因ル不当利得ノ一種ニ属スベキ不法原因給付ニ因ル不当利得ニ付民法第七〇八条ニ於テ特ニ規定ヲ設ケタルハ苟シクモ不法原因ノ為メノ給付ナル以上同条ノ規定ニ依ラシムベキ趣旨ニシテ、同法第七〇五条ヲ適用スベキモノニ非ザルコト多言ヲ俟タズシテ明カナルヲ以テ該抗弁モ亦採用セズ」（大阪地判大九・一二・一七新聞一八〇二・一九、谷口・不法原因一七五頁）。

五　七〇八条但書

七〇八条但書は不法原因が受益者についてのみ存する場合には、その返還請求を許すべきものとする（その立法趣旨については松坂・三七四頁以下、事務管理・不当利得九八頁参照）。それではいかなる場合に不法の原因が受益者についてのみ存すると解せられるか。判例は、祖父が孫娘の私通関係を絶止せしめるために、相手の男に金銭を贈与した場合に、かかる契約を公序良俗に反するが故に無効なりとし、その返還請求につき本条但書を適用した。しかし、かかる贈与契約自体を無効とすることについては学者の反対がある（我妻・八五頁註一、谷口・不法原因一一八頁、平井・判民大正一二年度一二一事件）。

【66】　XはYの孫娘と私通していたが、Yはこの関係を絶止せしめようと思つて、手切話の際慰藉料として金二百円をXに交付した。ところがXは恐喝の嫌疑を受け右の金員を警察へ提出し、警察はこれをYに仮下した。後に無罪の判決が確定し、押収品は差出人に還付する旨の判決があつたので、XはYにその金員の返還を請求する。原審は、YがXをして私通関係を絶止せしめようとしてその対価として交付したものだから、右法律行為は公序良俗に反し無効であり、したがつて、Xは所有権を取得せず、尤もYもまた民法七〇八条により返還請求し得ざるも、これがためにXに所有権移転するの理由がないから、Xの請求は失当だとしてこれを排斥した。X上告。棄却。

「原告ハ上告人Xト被上告人Yノ孫Aトノ私通関係ヲ以テ全ク野合ニ他ナラザルモノト認メタルコト其判文上明白ナリ。斯ノ如ク男女ガ私ニ情交ヲ通ズルハ善良ノ風俗ニ反スルモノナルコト論ヲ俟タザル所ナルニヨリ、金銭的利益ヲ得テ私通関係ヲ絶止スルコトヲ約スルガ如キハ善良ノ風俗ニ違反スル事項ヲ以テ目的トスル無効ノ法律行為ニ係リ、従テ該契約ニ基キ給付シタル金銭ハ民法第七〇八条ニ所謂不法ノ原因ノ為給付シタルモノト謂ハザルベカラズ。蓋シ此ノ如キ行為ヲ以テ有効ナリトセンガ却テ私通ヲ奨励スルガ如キ結果ヲ生ズルニ至レバナリ。然ラバ原審ガ本件ニ於テYガXニ給付シタル金二百円ヲ以テXヲシテAトノ私通関係ヲ絶止セシムルコトヲ目的トシ、之ガ対価トシテXニ給付シタルモノト認メ前示民法ノ法条ニ該当スルモノトナシタルハ相当ナリ。Xノ採用スル本院判例ハ本件ニ適切ナラズ依テ第二点論旨ハ理由ナシ。然レドモ本件ノ如ク第三者タルYガXヲシテYノ孫Aトノ私通関係ヲ絶止セシメントシ、該事項ヲ以テ契約ノ目的トナシ之ガ対価トシテXニ金員ヲ贈与シタル場合ニ於テ、所謂不法ノ原因ハXニノミ存シ贈与者タルYニ存セザルヲ以テ、Yハ前示第七〇八条但書ノ規定ニ従ヒ該金員ニ付之ガ返還請求権ヲ有スルモノト謂ハザルベカラズ。然ラバ原審ガYニ返還請求権ナキ旨ヲ説示シタルハ失当ナリト雖、右金員ニ付自己ニ所有権アルコトヲ基礎トスル本訴Xノ請求ハ前述ノ理由ニヨリ到底許容スルヲ得ザルニヨリ之ヲ排斥シタル原判決ハ結局相当」なり（大判大一二・一二・一二民集二・六六八、平井・判民大正一二年度一二一事件、谷口・不法原因一一七頁）。

また、判例は、無効な芸妓稼業契約に基づいて芸妓が指南料および違約金を支払った場合には、不法の原因は受益者にのみ存すると判示した。

【67】 Xの娘AがYから金二百円を借受け、その支払方法として七年間芸妓稼業契約を締結し、Aに違約ある場合には一ケ月三十円の指南料二八ケ月分となお損害賠償として三百円を支払う契約をなし、Xは右債務につき連帯保証をなした。Aは中途で契約を破毀したのでXは右の金額をYに支払ったが、後に右契約が公序良俗に反することを理由として指南料および損害金の不当利得返還を訴求する。原審はXの請求を容れたのでYは上告して、「原判決認定ノ如ク本件契約ガ民法九〇条ニ所謂公ノ秩序ヲ害スベキ事項ヲ目的トスル契約ニシテ法律上当然無効ナリトセンカ、Xハ此不法ノ契約ニ基キ支払ヒタル金銭ノ返還ヲ本訴ニ於テ請求スルモノナルガ故ニ、民法第七〇八条不法ノ原因ノ為給付シタルモノノ返還ヲ請求スルニ帰シ法律上許スベカラザル請求ナリトス。然ルニ原判決ガXノ請求ヲ認容シタルハ不法ナリト信ズ」と主張した。棄却。

「被上告人Xガ本件ニ於テ不当利得トシテ上告人Yニ給付シタルモノノ返還請求ヲ為ス金額ハ特約ニ基ク指南料及違約損害金ナルコト原判決事実摘示ニ依リ明ナルヲ以テ、此ノ部分ノ給付ニ付テハ受益者タルYニ付テノミ其不法ノ原因存スルモノナレバ、民法第七〇八条但書ノ規定ニ依リYニ対シ返還ヲ請求シ得ベキモノトス。従テXノ右請求ヲ認容シタル原判決ハ正当ニシテ論旨ハ理由ナキモノトス」（大判大一三・四・一評論一三民法四一四、谷口・不法原因二〇七頁）。

また、統制令違反の権利金が七〇八条の不法原因給付に該当するとする判決が多いが、その中にも七〇八条の本文を適用して、すなわち但書の適用を否定して返還請求を認めないものと、その不法性は受領者の側にのみあるとして、七〇八条但書を適用してその返還請求を認めるものとがある。詳細は有泉・権利金（本叢書民法(1)）一九五頁以下について見られたい。

なお、七〇八条本文は、但書と関連して不法の原因が給付者と受領者と双方について存した場合をいい、給付者のみについて存した場合を含まないかのように解せられる虞れがあるが（ドイツ民法八一七条に関して少数説はそう解する）、同条は給付が給付者にとつて不法性を帯びるが故にその返還を許さない趣旨であるから、給付者の側に不法性が存する限り、受益者の側に存しない場合にも取戻し得ないと解すべきである（谷口・不法原因二〇〇頁以下参照）。

六　不法原因給付の返還契約の効力

当事者が不法原因のために給付されたものを返還する特約をした場合に（例えば、統制違反の契約において目的物の引渡が不能となつたので、契約を合意で解除して、その際すでに受領した代金の返還を約した場合）、かかる特約もまた七〇八条に違反して無効となるかが問題となる。判例は、かつてこれを無効とした。

【68】　住職の職務の売買に関する。「不法ノ原因ノ為メ或給付ヲ為シタル者ガ其給付シタルモノ、返還ヲ求メ得ザルコトハ民法第七〇八条ノ規定スル所ナリ。而シテ此ノ規定ノ因テ生ジタル理由ハ自己ノ不法行為ヲ主張シ以テ法律ノ保護ヲ求ムルハ公義ノ許スベキ所ニアラズト云フニ在ルヲ以テ該規定ハ公益規定ナルヤ勿論ナリ。故ニ此規定ニ違反シ不法ノ原因ノ為メニ給付シタルモノ、返還ヲ約スルガ如キハ公益規定ニ反スル法律行為ニシテ其無効タルベキコト疑ヲ容レズ。然レドモ若シ夫レ其給付ノ返還ヲ約スルニアラズシテ其給付シタルモノヲ売買贈与等ノ如キ法律行為ニ基キ其給付シタル者ニ更ニ給付スルハ毫モ不法ニアラズ」（大判明三六・五・一二民録九・五八九民抄録一七・三二四八）。

しかし、戦後下級審に相反する多くの判例が現われ（加藤一郎他・民事判例展望〔昭和二二―二八年度〕民法九五頁参照）、最近、最高裁判所は、「元来同条が不法の原因のため給付した者にその給付したものの返還を請求することを得ないものとしたのは、かかる給付者の返還請求に法律上の保護を与えないというだけであつて、受領者をしてその給付を受けたものを法律上正当の原因があつたものとして保留せしめる趣旨ではない。したがつて受領者においてその給付を受けたものをその給付を為した者に対して任意返還することは勿論、曩に給付を受けた不法原因契約を合意の上解除してその給付を返還する特約をすることは、同条の禁ずるところでないものと解するを相当とする。そして、かかる特約が民法九〇条により無効であると解することのできないことも多言を要しない」として、その返還請求を認めた（最判昭二八・一・二二民集七・五六、判批、谷口・民商二九巻三九頁）。

【69】　同旨、統制法規違反の不法な売買の前渡代金の返還に代えて、不動産を移転する代物弁済契約も有効である。「所論のごとく右売買契約が統制法規に違反するが故に無効であり、右売買代金の前渡は、不法原因給付であるが故に、給付者からその返還を請求し得ないものであるとしても、元来民法七〇八条が不法原因のため給付をした者にその給付したものの返還を請求することを得ないとしたのは、かかる給付者の返還請求に法律上の保護を与えないというだけであつて、受領者をしてその給付を受けたものを法律上正当の原因によるものとして保留せしめる趣旨でないのであるから、受領者においてその給付を受けたものを給付者に任意に返還することは勿論、当事者間において、右給付の返還を契約することは、同条の禁ずるところにあらず、又、民法九〇条に反するものでないとすることは既に、当裁判所の判例とするところである。（昭和二四年（オ）第一七九号、同二八年一月二二日言渡、第一小法廷判決）しかして、本件においては、上告人先代照雄は、昭和二二年二月四日被上告人佐伯市農業会等と合意の上右前渡代金の返還に代えて、本件不動産その他の物件の所有権を右被上告人に移転することとし、次で右所有権移転の登記を了したものであることは又、原判決の確

定するところであるから、右前渡代金の返還が前段説示のごとく民法七〇八条に反することなく有効である以上、これが返還に代えてした不動産移転の契約も亦、これを所論のごとく無効と解すべき何らの理由もないのであつて論旨はこれを採用することはできない」(最判昭二八・五・八民集七・五・五六一、判批、谷口・民商二九巻二七一頁、同旨同昭二八・九・二二民集七・九六九、判批、谷口・民商三〇巻六一頁)。

判例の見解は正当と思われるが、ただ、受領者が受領行為に際して同時に不法な目的が達せられない場合における返還を約したときには、かかる特約を有効とすれば、七〇八条が回避されてしまうから、無効とすべきである(谷口・不法原因一四七頁参照)。広島高等松江支部の昭和三〇・一一・五の判決も、統制品たるなたねの買付のために交付した前渡金につき、一応取引関係をそのまま存続させておき、ただ売主が不足分の現品の追加送荷をすることができなくなつたとき、これを条件として前渡金中右不足分に相当する金額の返還を約したに過ぎない場合には、右の特約は一応当初の取引関係をそのまま存続させておくことを前提とする以上、公の秩序に反して無効であるとしている。

【70】「原告は昭和二四年八月頃被告等に対しなたねの買付を委託し、その前渡資金として、その頃前後二回に亘り合計金二〇万円を交付したこと、而して、当事者双方は現品の送荷をなした数量に応じ後日精算の上代金の決済方約したところ、その後被告等は代金約九万円相当の現品を送荷したのみに止まりそれ以外の分は違反物資として警察署員に差押えられる等の事由により容易にこれを原告の許に送荷することができなかつたので、原告が被告等に対し右履行を督促した結果、同年一二月二日被告等は右前渡資金中一万円につき小切手を振出してその返還をなした上、不足分は同月一五日までにその現品の追加送荷を完了すべく努力を続けることとし、若し右送荷をすることができないときは、前渡資金中右不足分に相当する金額を一一万五七〇〇円と定め、右期限までにこれを返還することを約したことが認められる。……而して原告は仮に、本件取引が被告等主張の如くなたねの買付を委託したものであつたとするも、右契約は解除されて、被告等が前渡資金中現品

の送荷をしなかつた不足分に相当する金額の返還を特約し、玆に右返還債務を目的とする準消費貸借が成立した旨主張……(するも)……原告と被告等が本件なたね買付委託の契約を合意によつて解除し、当事者間に原告主張の如き単純なる準消費貸借が成立したものと考えられない。即ち当事者としては、一応右取引関係はこれをその儘存続せしめ置き、唯被告等が不足分の現品の追加送荷をすることができなくなつたとき、これを条件として前渡資金中右不足分に相当する金額の返還方を約したに過ぎないものと解するのが極めて実情に即したものと考えられる。本件取引が行われた当時なたねの出荷、買付、輸送等が旧臨時物資需給調整法に基く油糧需給調整規則によつて統制されていたことは公知の事実であり、又、本件において当事者双方共右取引を適法に行うにつき、法定の資格、条件を具備していなかつたことは、前掲各証拠によつて窺われるから、本件取引契約は正に公の秩序に反する事項を目的とするものであることは極めて明らかである。然らば、右取引に際し原告が被告等に交付した前渡資金は、民法第七〇八条にいわゆる不法原因給付に該当するものといわなければならない。而して当事者間に成立した不足分の追加送荷或いは前渡資金返還に関する特約、仮に原告が主張の如き前渡資金返還の特約のみに関する単純なる準消費貸借を約したものであつたとすれば、それが民法第七〇八条にいわゆる不法原因給付の返還に該当しない場合があり得ることは、原告主張のとおりであるけれども、右特約が前叙認定の如き趣旨のものであつて、一応当初の取引関係はこれをその儘存続せしめ置くことを前提とするものである以上、右特約はこれ亦公の秩序に反する事項を目的とするものとして無効であるといわなければならない」(広島高松江支判昭三〇・二・二五民集八・二・一三三)。

最高裁判所判例

控訴院判例

高等裁判所判例

地方裁判所判例

判 例 索 引

大審院判例

著者紹介

松坂佐一（まつさかさいち） 名古屋大学学長

総合判例研究叢書　民法(13)

昭和34年8月25日　初版第1刷印刷
昭和34年8月30日　初版第1刷発行

著作者　松坂佐一

発行者　江草四郎

印刷者　春山治部左衛門

東京都千代田区神田神保町2ノ17
発行所　株式会社　有斐閣
電話九段(33)0323・0344
振替口座東京370番

印刷・共立社印刷所　製本・稲村製本所

総合判例研究叢書 民法(13)
(オンデマンド版)

2013年1月15日　発行

著　者　　松坂　佐一
発行者　　江草　貞治
発行所　　株式会社 有斐閣
〒101-0051　東京都千代田区神田神保町2-17
TEL　03(3264)1314(編集)　03(3265)6811(営業)
URL　http://www.yuhikaku.co.jp/

印刷・製本　株式会社 デジタルパブリッシングサービス
URL　http://www.d-pub.co.jp/

AG466

ISBN4-641-90992-X　Printed in Japan